D0718850

FLEUR
DE NEIGE

LISA See

FLEUR DE NEIGE

ROMAN

Traduit de l'américain par
Pierre Ménard

Titre original :
Snow Flower and the Secret Fan

Random House, an imprint of the Random House Publishing Group,
a division of Random House, Inc.

Dans ce roman, j'ai respecté le système de datation traditionnel chinois. La troisième année du règne de l'empereur Daoguang, au cours de laquelle est née Fleur de Lis, correspond ainsi à l'an 1823. La révolte des Taiping a débuté en 1851 et s'est achevée en 1864.

On estime que le *nu shu* – le code d'écriture secret utilisé par les femmes dans une région reculée, au sud-ouest de la province du Hunan – s'est développé voici environ un millier d'années. Il semble que ce soit le seul système d'écriture au monde à avoir été inventé par des femmes, à leur usage exclusif.

Assise au calme

Je suis, comme on dit dans mon village, une femme « dont la mort n'a pas encore voulu » – une veuve ayant dépassé l'âge de quatre-vingts ans. Les journées sont bien longues, depuis que mon mari n'est plus là. Je n'ai plus guère de goût pour les plats que Pivoine et les autres jeunes femmes préparent à mon intention. Et les heureux événements qui surviennent couramment sous mon toit m'indiffèrent désormais. Seul le passé m'intéresse encore. Au bout de tant d'années, je suis enfin en mesure de raconter ce que j'ai dû taire autrefois, lorsque je dépendais de ma famille d'origine, puis de celle de mon mari. J'ai une vie entière à raconter. Je n'ai plus rien à perdre et très peu de monde à épargner.

Je suis bien trop vieille pour méconnaître mes qualités et mes défauts, qui se sont bien souvent confondus au cours de mon existence. Toute ma vie, j'ai attendu l'amour. Je savais qu'il était indigne de ma part – aussi bien dans ma jeunesse que dans mes années de maturité – d'espérer une chose pareille, mais tel fut pourtant le cas : et ce désir sans fondement a été à l'origine de tous les problèmes que j'ai rencontrés, ma vie durant. Dans mon enfance je rêvais que ma mère fasse attention à moi et finisse par m'aimer, ainsi que le reste de ma famille. Pour gagner cette affection, je leur obéissais – c'était d'ailleurs ce qu'on attendait d'une personne de mon sexe – mais je mettais trop d'ardeur à le faire. Dans l'espoir que ma famille me témoigne la plus élémentaire tendresse, j'ai accepté comme on l'a exigé de moi d'avoir les plus petits pieds bandés du district – et donc que mes os soient brisés, broyés, remodelés.

Lorsque la souffrance s'avérait insoutenable et que mes larmes mouillaient mes bandages ensanglantés, ma mère venait me parler à l'oreille et m'encourageait à supporter une heure, un jour, une semaine de tourments supplémentaire, en me rappelant le bonheur qui m'attendait si je tenais bon un peu plus longtemps. Elle m'enseignait ainsi à endurer – non seulement les souffrances physiques liées au bandage et plus tard à la grossesse, mais la douleur plus souterraine qui affecte notre cœur et notre âme. Elle mettait aussi l'accent sur mes défauts et m'apprenait à m'en servir, à les retourner en ma faveur. Dans notre contrée, nous appelons *teng ai* ce type d'amour maternel. Mon fils m'a expliqué que, dans l'écriture des hommes, il se compose de deux caractères : le premier signifie *douleur*, le second *amour*. Tel est l'amour maternel.

Le bandage modifia non seulement la forme de mes pieds, mais l'ensemble de mon caractère : et curieusement, j'ai l'impression que ce processus s'est poursuivi tout au long de ma vie, me faisant passer de l'état de fillette conciliante à celui de jeune fille résolue, puis de la condition de jeune femme obéissant aux moindres injonctions de sa famille à celle de première dame du district, veillant à la stricte application des règles et des coutumes villageoises. Lorsque j'atteignis la quarantaine, la dureté du bandage jadis imposé à mes pieds avait gagné mon cœur, qui résistait si fermement aux injustices et aux reproches qu'il m'était devenu impossible d'accorder mon pardon à ceux que j'aimais. Et qui m'aimaient en retour.

Ma seule révolte prit la forme du *nu shu*, l'écriture secrète qui est chez nous réservée aux femmes. Elle se manifesta pour la première fois le jour où Fleur de Neige – ma *laotong*, mon « âme sœur » et ma complice dans cette écriture secrète – me fit parvenir l'éventail qui se trouve encore aujourd'hui en ma possession. Mais hormis l'attitude que j'adoptais ensuite en présence de Fleur de Neige, j'étais décidée à devenir une épouse honorable, une belle-fille digne d'éloges, une mère scrupuleuse et attentive. Dans les moments difficiles, mon cœur était aussi ferme et puissant que le jade. Je possédais une force cachée qui me permettait de résister aux peines et aux drames. Mais aujourd'hui que je suis veuve – « assise au calme », comme la tradition l'exige – je comprends que j'ai été aveuglée, trop d'années durant.

Si j'excepte les terribles mois qui marquèrent la cinquième année du règne de l'empereur Xianfeng, j'ai passé toute ma vie cloîtrée à l'étage, dans les pièces réservées aux femmes. Il m'arrivait certes de me rendre au temple ou d'aller revoir mon village natal – et même de faire quelques escapades, en compagnie de Fleur de Neige. Mais je ne connais pratiquement pas le monde extérieur. J'ai entendu les hommes parler des impôts, de la sécheresse et des révoltes paysannes, mais cela ne concernait que d'assez loin mon existence. Mon domaine se limite à la broderie, au tissage, à la cuisine, à ma belle-famille, mon mari, mes enfants, mes petits-enfants et mes arrière-petits-enfants – ainsi bien sûr qu'au *nu shu*. Ma vie a suivi un cours normal : aux jours de l'enfance ont succédé le temps des chignons, puis les années « de riz et de sel ». Et je me retrouve « assise au calme » aujourd'hui.

Me voici seule, en compagnie de mes pensées et de cet éventail posé devant moi. Lorsque je m'en empare, je suis toujours surprise par sa légèreté, alors qu'il m'évoque tant de peines et de joies passées. Je l'ouvre d'un geste bref et le bruit qu'il fait en se déployant rappelle les battements d'un cœur frémissant. Les souvenirs amènent les larmes et mes yeux s'embuent. J'ai relu tant de fois ces messages, au fil des années, qu'ils ont fini par s'inscrire en moi, comme une chanson apprise dans l'enfance.

Je me souviens du jour où l'entremetteuse me l'a donné. Mes doigts tremblaient tandis que je le dépliais. À l'époque, une frise ornait le bord supérieur et un seul message courait le long du premier pli. Je ne connaissais pas beaucoup de caractères *nu shu* en ce temps-là et ma tante l'avait déchiffré pour moi : « *J'apprends qu'une jeune fille de noble caractère, experte dans les arts domestiques, vit dans cette maison. Nous sommes nées toi et moi le même jour, la même année. Ne pourrions-nous unir également nos destins ?* » En contemplant aujourd'hui les signes élégants qui composent ces lignes, je ne revois pas seulement la fillette qu'était alors Fleur de Neige, mais la femme qu'elle allait devenir – loyale, persévérante, tournée vers le monde extérieur.

Mes yeux se posent sur les autres plis et cela ravive les moments d'optimisme et de joie partagés, notre estime réciproque et les promesses que nous nous étions faites. Je m'aperçois que ce qui, sur le bord supérieur de l'éventail, était au départ une simple frise, a fini par former un motif complexe, élaboré : les pétales de lis et les flocons de neige s'entremêlent pour symboliser nos deux existences en tant que *laotong*, « âmes sœurs » au fil des années. Je vois la lune briller au-dessus de nous, sur la droite du ciel. Nous étions destinées à vivre comme deux arbres dressés côte à côte, des siècles durant, ou comme une paire de canards mandarins que rien ne séparera jamais. Sur l'un des plis, Fleur de Neige a écrit : *Une telle affection nous unit, jamais nos liens ne nous pèseront.* Mais un peu plus loin, je reconnais les incompréhensions, la confiance brisée, la porte à jamais fermée. Pour moi, l'amour était un bien si précieux que je ne pouvais le partager : il a pourtant fini par me séparer du seul être auquel je tenais.

Je continue d'apprendre, en ce domaine. Je croyais connaître non seulement l'amour maternel, mais celui qu'on porte à ses parents, à son époux et à sa *laotong*. J'ai connu d'autres sortes d'amour – celui qu'inspirent la compassion, la gratitude ou le respect. Mais en regardant les messages que nous avons inscrits au fil des années sur notre éventail secret, Fleur de Neige et moi, je comprends que je n'ai pas su déceler le plus important – l'amour qui naît et monte en nous, du plus profond du cœur.

Ces dernières années, j'ai rédigé les récits et les confessions de nombreuses femmes qui n'avaient pas eu la possibilité d'apprendre le *nu shu* dans leur jeunesse. Je les ai entendues me raconter leurs tristesses et leurs regrets, les injustices et les drames qu'elles avaient vécus. J'ai consigné les vies misérables de celles que le destin avait accablées. Je les ai toutes écoutées, avant de noter leur histoire par écrit.

Mais si j'en sais long sur l'existence des femmes, j'ignore pratiquement tout de celle des hommes, sinon qu'il y est le plus souvent question d'un paysan en lutte contre les éléments, d'un soldat obligé de se battre ou d'un individu solitaire, poursuivant sa quête à l'écart du monde.

Ma propre existence, elle, s'est nourrie de l'histoire des hommes et des femmes qui m'ont entourée. Je suis une femme modeste et n'ai que des plaintes banales à émettre. Mais en moi s'est également déroulé un combat qu'on pourrait qualifier de masculin, entre ma vraie nature et la personne que j'aurais voulu être.

J'écris ces pages à l'intention de ceux qui résident désormais dans l'au-delà. Pivoine, l'épouse de mon petit-fils, m'a promis qu'elle les brûlerait après ma mort, afin que mon histoire monte les rejoindre, précédant mon esprit auprès d'eux. Puissent ainsi mes paroles rendre compte de mes actes à mes ancêtres, à mon époux, mais tout d'abord à Fleur de Neige, avant que j'aie la joie de les saluer à nouveau.

JOURS D'ENFANCE

Jeunes années

Mon nom est Fleur de Lis. Je suis venue au monde le cinquième jour du sixième mois de la troisième année du règne de l'empereur Daoguang. Puwei, mon village natal, est situé dans le district de Yongming, le district de la Lueur Éternelle. La plupart des gens qui habitent la région appartiennent au vaste clan des Yao. J'ai appris de la bouche des conteurs qui passaient à Puwei dans mon enfance que les Yao sont arrivés pour la première fois dans la région il y a plus de douze cents ans, sous la dynastie des Tang. Mais la plupart des familles s'y sont établies un siècle plus tard, chassées par les armées mongoles qui avaient envahi le nord du pays. Les gens ne sont pas très riches dans notre région, mais la pauvreté ne les a jamais obligés à envoyer leurs femmes travailler aux champs.

Nous appartenons à la lignée des Yi, l'un des clans Yao d'origine et le plus répandu dans notre district. Mon père et mon oncle louaient sept *mou* de terrain à un riche propriétaire qui vivait à l'extrême ouest de la province. Ils cultivaient ces champs et y faisaient pousser du riz, du coton, des taros, ainsi que des fruits et des légumes. Notre maison familiale était construite sur deux niveaux et orientée vers le sud, comme le veut la tradition. À l'étage, une vaste pièce permettait aux femmes de se réunir, tout en servant de chambre aux jeunes filles qui n'étaient pas encore mariées. Au rez-de-chaussée, des chambres destinées à chacun des couples de la famille et une salle réservée aux animaux flanquaient la pièce principale. Des paniers remplis d'oranges ou d'œufs et des chapelets de piments en train de sécher étaient suspendus à la poutre maîtresse, hors de portée des souris, de la volaille ou du groin des cochons. Une table et des tabourets étaient disposés le long de l'un des murs. Un foyer où ma mère et ma tante préparaient les repas occupait l'angle du mur opposé. Il n'y avait pas une seule fenêtre dans cette pièce principale, aussi laissions-nous constamment ouverte la porte qui donnait dans la ruelle, afin de bénéficier d'un peu d'air et de lumière au cours des mois les plus chauds. Les autres pièces, au sol en terre battue, étaient de taille modeste et, comme je l'ai dit, nous vivions dans la compagnie des animaux.

Je ne me suis jamais demandé si j'étais heureuse dans mon enfance. J'étais une fillette ordinaire vivant dans une famille ordinaire au sein d'un village ordinaire. J'ignorais qu'on pouvait vivre d'une autre manière et m'en souciais fort peu. Mais je me souviens du moment où j'ai commencé à prêter attention aux choses qui m'entouraient. Je venais d'avoir cinq ans et il m'a semblé faire un pas considérable ce jour-là. Je m'étais réveillée avant l'aube en éprouvant une sorte de picotement à l'intérieur de mon cerveau. Cette légère irritation accrut sans doute ma réceptivité à l'égard de mon environnement.

J'étais allongée entre ma sœur aînée et ma sœur cadette. Je regardais de l'autre côté de la pièce le lit de Belle Lune, ma cousine, qui avait le même âge que moi. Elle n'était pas encore réveillée, aussi restai-je immobile, attendant que mes sœurs s'agitent à mes côtés. J'observais ma sœur aînée, qui avait quatre ans de plus que moi. Nous avions beau dormir dans le même lit, je n'appris vraiment à la connaître qu'après avoir eu les pieds bandés et été moi-même admise dans le cercle des femmes. Ma sœur cadette, par contre, m'intéressait peu : ayant un an de moins que moi, elle me paraissait insignifiante. Je ne pense pas que mes sœurs éprouvaient davantage de sentiments pour moi. Mais l'indifférence que nous nous témoignions mutuellement n'était qu'une attitude, masquant nos véritables penchants. Nous voulions chacune que maman nous remarque. Nous cherchions à attirer l'attention de notre père. Et nous rêvions d'accompagner notre grand frère qui, en tant que fils aîné, était le plus précieux d'entre nous. Je ne ressentais pas la même jalousie à l'égard de Belle Lune. Nous nous entendions bien, elle et moi, heureuses à l'idée que nos vies restent liées jusqu'à ce que vienne le temps de nous marier.

Nous nous ressemblions beaucoup, toutes les quatre. Nous avions des cheveux noirs coupés court, nous étions toutes très menues et à peu près de la même taille. Nos signes distinctifs étaient rares. Ma sœur aînée avait un grain de beauté au-dessus de la lèvre. Les cheveux de ma sœur cadette étaient noués en toupets au sommet de sa tête, parce qu'elle n'aimait pas que maman la peigne. Belle Lune avait un beau visage rond. Quant à moi, j'avais des jambes musclées tellement je courais et des bras vigoureux à force de porter mon petit frère, qui était encore un bébé.

— Debout les filles ! s'écria maman depuis le rez-de-chaussée.

Cela suffit à réveiller celles qui dormaient encore et à nous tirer du lit. Ma sœur aînée s'habilla à la hâte et se précipita dans l'escalier. Il nous fallut plus de temps, à Belle Lune et moi, parce que nous devions aussi habiller ma sœur cadette. Après quoi nous descendîmes. Ma tante balayait le sol et mon oncle fredonnait un air matinal. Mon petit frère emmailloté dans le dos, maman versait de l'eau chaude dans la théière pendant que ma sœur aînée découpait de la ciboulette, destinée au potage de riz appelé *congee*. Elle me considéra d'un air placide, me signifiant qu'elle avait déjà accompli son devoir filial ce matin et s'estimait donc quitte pour le reste de la journée. Je mis mon ressentiment de côté, sans comprendre que ce que je prenais chez ma sœur pour de l'autosatisfaction relevait plutôt de la morne résignation qui devait s'emparer d'elle, après son mariage.

— Belle Lune ! Fleur de Lis ! Venez par ici !

Ma tante nous saluait chaque matin avec cette injonction. Nous nous précipitâmes vers elle. Elle embrassa Belle Lune et me tapota affectueusement les fesses. Puis mon oncle s'interposa, souleva Belle Lune et l'embrassa. Après l'avoir reposée sur le sol, il me fit un petit clin d'œil et me pinça la joue.

Vous connaissez sans doute le dicton selon lequel les hommes et les femmes dotés d'une beauté ou d'un talent particulier ne se marient qu'entre eux. Eh bien, ce matin-là je me dis que mon oncle et ma tante étaient décidément aussi laids l'un que l'autre et se trouvaient donc fort bien assortis. Mon oncle (le frère cadet de mon père) avait les jambes arquées et un crâne chauve qui couronnait un visage aussi rond que luisant. Ma tante était plutôt boulotte et des dents inégales saillaient de sa mâchoire comme des rochers à l'entrée d'une grotte. Bien qu'ayant été bandés, ses pieds devaient bien mesurer quatorze centimètres de long – le double des miens par la suite. De mauvaises langues dans notre village prétendaient que c'était pour cela que ma tante – de constitution robuste, par ailleurs, et dotée de fortes hanches – ne parvenait pas à donner naissance à un fils. Mais je n'ai jamais entendu personne émettre ce genre de reproche à la maison, pas même mon oncle. À mes yeux, ils formaient un couple idéal : lui pour son côté affectueux, étant de l'année du Rat, et elle par son obéissance, propre au signe du Bœuf. En tout cas, ils mettaient chaque jour de la bonne humeur dans notre foyer.

Ma mère ne semblait pas avoir remarqué ma présence. Il en avait toujours été ainsi, aussi loin que je me souvienne, mais ce jour-là je ressentis douloureusement son indifférence. D'un seul coup, avec une violence surprenante, une vague de tristesse m'envahit, balayant la joie que je venais d'éprouver avec mon oncle et ma tante. Puis, tout aussi brusquement, ce sentiment se dissipa : mon frère aîné, qui avait six ans de plus que moi, m'appelait pour que j'aille l'aider dans ses corvées matinales. Étant native de l'année du Cheval, j'aimais me retrouver dehors. Plus important encore, j'allais avoir mon frère aîné pour moi toute seule pendant le reste de la matinée… Je savais que mes sœurs allaient m'en vouloir, mais peu m'importait. Lorsque mon frère m'adressait la parole ou se contentait même de me sourire, je n'avais plus l'impression d'être invisible.

Je me hâtai de le rejoindre à l'extérieur. Mon frère alla tirer l'eau du puits et en remplit des seaux que nous ramenâmes à la maison. Puis nous allâmes ramasser du bois. Nous en fîmes une pile, mon frère disposa les plus petites branches en travers de mes bras, se chargeant du reste, et nous rejoignîmes la maison. Une fois arrivée, je tendis mon fardeau à maman, en espérant qu'elle me féliciterait. Après tout, ce n'est pas très facile pour une fillette de porter des seaux d'eau ou du bois pour le feu. Mais elle n'eut pas un mot à mon intention.

Aujourd'hui encore, après toutes ces années, j'ai de la peine en repensant aux sentiments que ma mère m'inspira ce jour-là. Je vis avec une clarté confondante que je ne comptais pas le moins du monde à ses yeux. J'étais son troisième enfant, une fille de surcroît – c'est-à-dire sans valeur – et trop insignifiante pour qu'elle perde son temps à s'occuper de moi avant d'avoir la certitude que je passe le cap de mes jeunes années. Elle me considérait comme toutes les mères considèrent leurs filles – à savoir comme une visiteuse de passage qu'il allait falloir nourrir et habiller jusqu'à ce que je parte vivre dans la famille de mon mari. J'avais cinq ans, j'étais donc suffisamment âgée pour savoir que je n'étais pas digne de son attention. Pourtant, ce jour-là, son indifférence m'affecta douloureusement. J'aurais voulu qu'elle me regarde et s'adresse à moi comme elle le faisait avec mon frère aîné. Mais même à cet instant, rongée par ce premier élan de désir, je n'étais pas assez sotte pour oublier que maman se serait fâchée si je l'avais empêchée de travailler : elle m'avait si souvent reproché de parler trop fort ou chassée d'un geste parce que j'étais en travers de son chemin. Au contraire, je me promis intérieurement de me comporter comme ma sœur aînée et de me rendre utile, en adoptant une attitude aussi respectueuse et obéissante que possible.

Ma grand-mère pénétra d'un pas chancelant dans la pièce. Elle avait le visage aussi fripé qu'une prune séchée et le dos tellement courbé que ses yeux se trouvaient au même niveau que les miens.

— Aide ta grand-mère, m'ordonna maman. Va voir si elle n'a besoin de rien.

Malgré le vœu que je venais de faire, j'eus un instant d'hésitation. Le matin, les gencives de ma grand-mère dégageaient une odeur tenace et nul n'avait très envie de s'approcher d'elle. Je m'avançai en retenant mon souffle mais elle me chassa d'un geste impatient. Je me reculai si vivement que j'allai heurter mon père – le onzième membre de notre famille, et le plus important.

Il ne me gronda pas et n'adressa d'ailleurs la parole à personne. Aussi loin que remontent mes souvenirs, je ne l'ai jamais entendu parler avant la fin de sa journée de travail. Il s'assit et attendit qu'on le serve. J'observai attentivement maman tandis qu'elle lui versait du thé, sans dire un mot. Si j'avais peur de la déranger pendant ses tâches matinales, elle se montrait encore plus scrupuleuse de son côté dans ses rapports avec mon père. Il la frappait rarement et ne prit jamais de concubine, mais la prudence de ma mère à son égard était pour nous toutes un modèle.

Ma tante disposa des bols sur la table et servit le *congee*, pendant que maman allaitait le bébé. Après avoir mangé, mon père et mon oncle partirent travailler aux champs, tandis que ma mère, ma tante, ma grand-mère et ma sœur aînée se rendaient à l'étage, dans l'appartement des femmes. J'aurais bien voulu les accompagner, mais j'étais encore trop petite. Pour ne rien arranger, alors que nous nous apprêtions à ressortir, il allait falloir que je partage la compagnie de mon frère aîné avec mon petit frère et ma sœur cadette.

Je portais le bébé sur mon dos, tandis que nous fauchions de l'herbe et arrachions des racines destinées à nourrir notre cochon. Notre sœur cadette nous imitait du mieux qu'elle pouvait. C'était une drôle de petite créature, qui n'arrêtait pas de se plaindre et boudait à longueur de journée. Elle se comportait sans arrêt comme si on lui avait fait du tort, alors que seuls nos frères pouvaient éprouver ce genre de sentiment. Elle pensait être la plus aimée de la famille, ce qui était parfaitement absurde.

Une fois notre labeur terminé, nous déambulâmes un moment dans le village, remontant et descendant les ruelles tracées entre les maisons. Nous finîmes par tomber sur un groupe de fillettes qui sautaient à la corde. Mon frère s'arrêta et prit le bébé dans ses bras afin que je puisse jouer un moment avec elles. Puis nous revînmes à la maison pour le repas de midi, qui consistait en un bol de riz agrémenté de quelques légumes. Après cela, mon frère aîné ressortit avec les hommes et le reste de la compagnie remonta au premier. Maman allaita une fois de plus le bébé avant qu'il ne fasse sa sieste, en même temps que ma sœur cadette. J'aimais me retrouver dans l'appartement des femmes, aux côtés de ma grand-mère, de ma tante, de ma sœur aînée, de ma cousine et surtout de ma mère. Maman et grand-mère faisaient de la couture. Belle Lune et moi confectionnions des écheveaux de fil. Assise dans un coin avec de l'encre et un pinceau, ma tante traçait avec application ses caractères secrets, tandis que ma sœur aînée attendait la visite de ses quatre « sœurs adoptives ».

Nous entendîmes bientôt le bruit de quatre petites paires de pieds grimpant à toute allure l'escalier. Ma sœur aînée accueillit les fillettes en les étreignant tour à tour, puis elles allèrent s'installer toutes les cinq dans un coin de la pièce. Elles n'aimaient pas que je me mêle à leur conversation, mais cela ne m'empêchait pas de les observer du coin de l'œil, sachant que d'ici deux ans je ferais moi aussi partie d'un petit groupe de sœurs adoptives. Toutes ces filles étaient nées à Puwei, ce qui leur permettait de se réunir fréquemment – et pas seulement lors de circonstances exceptionnelles telles que la fête des Oiseaux ou la cérémonie de la Capture des Vents. Leur petit groupe avait été constitué lorsque les fillettes venaient d'avoir sept ans. Pour sceller le lien qui les unissait, chaque père avait offert vingt-cinq *jin* de riz, stocké dans notre maison. Plus tard, chaque fois que l'une des jeunes filles se marierait, sa part de riz serait vendue afin que ses sœurs adoptives puissent lui faire un cadeau. L'ultime part de riz serait ainsi vendue lors du mariage de la dernière du groupe. Cela marquerait la dissolution de leur petite communauté, car après leur mariage elles partiraient toutes dans des villages lointains et seraient trop occupées à élever leurs enfants et à suivre les recommandations de leurs belles-mères pour consacrer du temps à leurs amies d'enfance.

Même en présence de ses compagnes, ma sœur aînée ne faisait rien pour attirer l'attention. Elle était tranquillement assise au milieu d'elles, à faire de la broderie et à écouter les histoires qu'elles s'échangeaient. Lorsqu'elles élevaient la voix ou pouffaient bruyamment de rire, ma mère les rappelait à l'ordre. Une nouvelle pensée me traversa l'esprit : maman n'avait pas du tout cette attitude lorsque les sœurs adoptives de ma grand-mère venaient lui rendre visite. Une fois ses enfants devenus adultes, ma grand-mère avait été conviée à faire partie d'une nouvelle communauté de ce genre, à Puwei. Outre ma grand-mère, seules deux femmes de leur groupe étaient encore en vie. Elles étaient veuves et venaient au moins une fois par semaine. Elles riaient aux éclats et lançaient des plaisanteries obscènes que nous ne comprenions pas. Mais maman redoutait trop sa belle-mère pour oser lui demander de se taire. À moins qu'elle n'eût tout bonnement l'esprit ailleurs.

Maman se trouva brusquement à court de fil et se leva pour aller en chercher. Pendant une fraction de seconde, elle resta parfaitement immobile, les yeux pensifs, sans rien regarder de précis. J'avais une envie irrésistible de me jeter dans ses bras et de lui crier : *Maman ! Regarde-moi !* Mais je ne le fis pas. Jadis, sa propre mère s'était très mal débrouillée en lui bandant les pieds. Loin d'avoir adopté une forme de lis dorés, ainsi qu'il le fallait, ils étaient tout tordus et ne formaient plus que d'affreux moignons. Et loin de se balancer harmonieusement en marchant, elle était obligée de s'appuyer sur une canne. Sans cela, elle devait se servir de ses bras comme balancier pour ne pas perdre l'équilibre. Maman était trop chancelante sur ses jambes pour que quiconque se risque à l'embrasser ou à la serrer dans ses bras.

— Belle Lune et Fleur de Lis n'ont qu'à sortir à présent, intervint ma tante, interrompant la rêverie de ma mère. Elles peuvent aller donner un coup de main à leur grand frère.

— Il n'a pas besoin de leur aide.

— Je le sais bien, reconnut ma tante. Mais la journée est si belle…

— Non, répliqua sèchement maman. Je ne veux pas que ces gamines aillent traîner dans le village, alors qu'elles ont encore tant de choses à apprendre ici.

Mais sur ce point précis, ma tante ne lâchait pas facilement prise. Elle tenait à ce que nous connaissions les ruelles du quartier et que nous allions même jusqu'à la sortie du village pour découvrir la campagne environnante. Elle savait que nous n'aurions bientôt plus sous les yeux qu'un spectacle immuable : celui du décor qui se découpait à travers la fenêtre à croisillons de l'appartement des femmes.

— Elles n'ont que quelques mois devant elles, disait-elle, omettant de préciser que d'ici peu nos pieds seraient bandés, nos os broyés, notre chair putréfiée… Laissons-les vagabonder un peu pendant qu'elles le peuvent encore.

Ma mère était épuisée. Elle avait cinq enfants à charge, dont trois avaient moins de cinq ans. Toute l'organisation de la maisonnée reposait sur ses épaules – le ménage, la lessive, la couture, la préparation des repas, sans compter que c'était à elle de gérer au mieux les dettes du foyer. Elle avait un statut supérieur à celui de ma tante, mais ne pouvait lutter chaque jour pour imposer ses vues concernant la marche à suivre.

— D'accord, dit maman avec un soupir résigné. Elles peuvent sortir.

Je saisis Belle Lune par la main et nous nous mîmes à trépigner de joie. Ma tante nous poussa vers la porte avant que ma mère n'ait le temps de se raviser, tandis que ma sœur aînée et ses compagnes nous suivaient d'un œil envieux. Nous descendîmes l'escalier quatre à quatre et nous précipitâmes dehors. La fin de l'après-midi était mon moment préféré : l'air était chaud, chargé de senteurs, et les cigales se mettaient à chanter. Nous courûmes le long de la ruelle et aperçûmes mon frère qui menait à la rivière l'unique buffle de la famille. Il était assis sur ses larges épaules, une jambe repliée sous lui, l'autre frappant à intervalles réguliers le flanc de l'animal. Nous les suivîmes en file indienne, Belle Lune et moi, à travers le dédale de ruelles étroites qui composaient le village et dont le réseau complexe protégeait la population, tant des voleurs que des esprits errants. Il n'y avait pas un adulte en vue – les hommes travaillaient aux champs et les femmes restaient cachées derrière les fenêtres à croisillons de leurs appartements. Les ruelles étaient livrées aux enfants et aux animaux du village : poules, canards, truies adipeuses et porcelets poussant des cris suraigus.

Nous quittâmes le village lui-même, empruntant un étroit sentier construit sur une levée de terre et pavé de petits galets. Il était juste assez large pour permettre le passage des piétons et des palanquins, mais trop étroit pour les carrioles tirées par des bœufs ou des poneys. Nous suivîmes le sentier jusqu'à la rivière Xiao et fîmes halte devant le pont qui la franchissait. Sur l'autre rive, le monde offrait sa mosaïque de prés et de champs cultivés. Le ciel s'étendait au-dessus de nos têtes, d'un bleu aussi intense que les plumes des martins-pêcheurs. On distinguait d'autres villages dans le lointain – des endroits où je pensais ne jamais mettre les pieds de toute mon existence. Puis nous descendîmes le talus pour rejoindre la berge, où le vent agitait les branches des roseaux. Je m'assis sur un rocher, ôtai mes sandales et m'avançai dans l'eau. Soixante-quinze années se sont écoulées depuis que cette scène a eu lieu, mais je me souviens encore du contact gluant de la boue entre mes orteils, de la fraîcheur de l'eau sur ma peau et des vaguelettes qui venaient me lécher les pieds. Belle Lune et moi étions libres ce jour-là, comme nous ne devions plus jamais l'être par la suite. Un autre souvenir très net m'est resté de cette journée : dès mon réveil, j'avais perçu différemment les membres de ma famille et cela avait soulevé en moi d'étranges émotions – de la tristesse, de la jalousie, mais aussi un sentiment d'injustice, concernant un certain nombre de choses qui me paraissaient tout à coup inéquitables. Mais l'eau de la rivière avait réussi à me laver de tout cela.

Ce soir-là, après le dîner, nous étions tous assis dehors, profitant de la fraîcheur ambiante et regardant mon père et mon oncle fumer leurs longues pipes. Tout le monde était fatigué. Maman allaitait une dernière fois le bébé, en essayant de l'endormir. Le labeur de la journée, qui n'était pas encore terminé pour elle, semblait l'avoir accablée. Je passai mon bras autour de ses épaules afin de la réconforter.

— Il fait trop chaud, dit-elle en me repoussant doucement.

Papa dut se rendre compte de ma déception, car il me prit sur ses genoux. Dans le calme des ténèbres environnantes, j'étais tout à coup devenue précieuse à ses yeux. Durant ce bref instant, au moins, j'étais comme une perle dans le creux de sa main.

LES PIEDS BANDÉS

Lorsque le temps de me bander les pieds arriva, les préparatifs nécessaires à cette opération s'avérèrent beaucoup plus longs qu'on ne l'avait escompté. Dans les villes, on bande les pieds des fillettes de la haute société dès qu'elles ont atteint l'âge de trois ans. Dans certaines provinces reculées, les pieds ne sont bandés que pour une courte période, pour rendre les jeunes filles plus séduisantes aux yeux de leurs futurs maris : on attend même parfois qu'elles aient atteint l'âge de douze ou treize ans. Les bandages ne sont pas très serrés, afin que les os ne se brisent pas, et une fois qu'elles sont mariées, on les défait pour qu'elles puissent travailler dans les champs aux côtés de leur mari. Les fillettes nées dans les milieux les plus pauvres y échappent même complètement, mais nous savons quel sort leur est réservé : elles sont vendues comme esclaves ou finissent en « soubrettes de second rang » – ces gamines aux grands pieds tirées de la misère pour être élevées par des familles d'adoption, jusqu'à ce qu'elles soient en âge de faire des enfants. Mais dans notre district, ordinairement, on commence à bander les pieds des fillettes à l'âge de six ans et on considère l'opération terminée au bout de deux ans.

À l'époque où j'explorais avec mon frère les environs de Puwei, ma mère avait déjà entrepris de fabriquer les longs rouleaux de tissu bleu qui allaient constituer mes bandages. Elle avait confectionné de ses propres mains ma première paire de chaussures, mais s'était plus encore appliquée à coudre les chaussons miniatures qu'elle devait déposer sur l'autel de Guanyin, la déesse qui écoute les plaintes des femmes. Ces chaussons brodés ne mesuraient que trois centimètres et demi de long et étaient fabriqués dans un tissu particulier, une pièce de soie rouge que ma mère avait prélevée à cet effet dans son trousseau. C'était le premier signe de sa part témoignant qu'elle était capable de penser à moi.

Lorsque nous atteignîmes l'âge de six ans, Belle Lune et moi, ma mère et ma tante firent venir le devin, afin qu'il fixe une date favorable pour le début de notre bandage. On prétend que l'automne est la période la plus appropriée, tout simplement parce que l'hiver approche et que le froid favorise l'engourdissement des chairs. Je dois reconnaître que cette perspective ne m'enchantait guère. À vrai dire, j'étais même terrorisée. Je ne me rappelais pas comment les choses s'étaient passées pour ma sœur aînée, mais tout le monde au village avait pu entendre les cris déchirants de la fille des Wu, à l'autre bout de notre ruelle.

Ma mère accueillit le devin Hu au rez-de-chaussée, lui servit du thé et poussa vers lui une coupe remplie de graines de pastèque. Ce geste était destiné à favoriser un oracle bénéfique. Le devin commença par moi. Il considéra ma date de naissance, soupesa les diverses possibilités et finit par déclarer qu'il souhaitait voir l'enfant de ses propres yeux. Les choses ne se déroulaient généralement pas ainsi et lorsque ma mère vint me chercher, son visage était rongé par l'inquiétude. Elle me conduisit jusqu'au devin et me plaça en face de lui. Je sentais ses doigts crispés sur mes épaules, tandis qu'il m'examinait de près.

— Pour les yeux, rien à dire. Pour les oreilles non plus. Mais cette bouche... Il ne s'agit pas d'une enfant ordinaire, conclut-il en regardant ma mère.

Celle-ci retint son souffle, en serrant les dents. Le devin n'aurait pas pu lui faire de pire déclaration.

— Une autre consultation s'avère nécessaire, ajouta-t-il. Je suggère que nous fassions appel à une entremetteuse. En êtes-vous d'accord ?

D'aucuns auraient pu soupçonner le devin de s'être mis en cheville avec l'entremetteuse locale pour empocher un peu plus d'argent, mais ma mère n'eut pas un instant d'hésitation. Sa hantise – ou sa conviction – était telle qu'elle ne demanda même pas l'avis de mon père avant d'engager cette nouvelle dépense.

— Revenez dès que vous le pourrez, dit-elle au devin. Nous attendrons votre visite.

Le devin repartit, après avoir plongé toute notre famille dans l'embarras. Ma mère desserra à peine les dents de la soirée. À vrai dire, elle évitait même de me regarder. Ma tante n'avait plus le cœur à plaisanter. Ma grand-mère se retira de bonne heure dans sa chambre, mais je l'entendis prier. Mon père et mon oncle partirent faire une longue promenade. Mes frères eux-mêmes se tenaient cois, percevant le malaise qui s'était installé dans la maison.

Le lendemain matin, toutes les femmes se levèrent de bonne heure. Cette fois-ci, on fabriqua des gâteaux, on prépara du thé aux chrysanthèmes, des assiettes et des bols spéciaux furent sortis des armoires. Mon père n'alla pas travailler aux champs et resta à la maison pour accueillir les invités. Toutes ces extravagances témoignaient de la gravité de la situation. Et pour couronner le tout, le devin n'arriva pas en compagnie de Madame Gao, l'entremetteuse locale, mais de Madame Wang, venue spécialement de Tongkou, la plus importante bourgade de la région.

Il faut avoir présent à l'esprit que l'entremetteuse locale elle-même n'avait encore jamais mis les pieds chez nous. Sa visite n'était pas attendue avant un an ou deux, lorsqu'elle servirait d'intermédiaire pour mon frère aîné, dès que celui-ci se mettrait en quête d'une épouse. Et ultérieurement pour ma sœur aînée, lorsque d'autres familles chercheraient à marier l'un de leurs fils. Aussi n'y eut-il aucune manifestation particulière lorsque le palanquin de Madame Wang s'arrêta devant notre maison. En regardant la scène depuis la fenêtre à croisillons, je vis les voisins qui pointaient le nez hors de chez eux, l'air ébahi. Mon père s'agenouilla et s'inclina pour saluer la visiteuse, frappant plusieurs fois du front la poussière de la ruelle. J'étais peinée pour lui. Papa était un grand inquiet – trait caractéristique des gens nés sous le signe du Lièvre. Il était responsable de tous les êtres qui vivaient sous son toit, mais les circonstances excédaient largement ses compétences. Mon oncle se dandinait d'un pied sur l'autre, tandis que ma tante – d'ordinaire enjouée – se tenait à ses côtés, raide comme un piquet. Rien qu'à voir de là-haut la mine de chacun, la conclusion s'imposait : les choses ne se déroulaient absolument pas comme elles auraient dû.

Lorsque tout le monde fut rentré, j'allai discrètement me placer en haut de l'escalier, afin de suivre la conversation. Madame Wang prit place. On apporta le thé et les victuailles. Je percevais à peine la voix de mon père, qui n'en avait pas fini avec les politesses rituelles. Mais Madame Wang n'était pas venue pour échanger des banalités avec une famille aussi modeste que la nôtre : c'était moi qu'elle souhaitait voir. On m'appela donc, comme la veille. Je descendis l'escalier et m'avançai dans la pièce principale, avec autant de grâce que le permettaient mes six ans et mes pieds encore longs et disgracieux.

Je regardai autour de moi, cherchant le soutien des adultes. Même s'il arrive que l'écart temporel plonge certains souvenirs dans l'ombre, l'image de leurs visages ce jour-là s'est à jamais gravée dans ma mémoire. Ma grand-mère était assise, les yeux baissés sur ses mains repliées. Sa peau était si mince et si frêle que je distinguais la veine bleue qui courait le long de sa tempe. Mon père, qui ne manquait pas de motifs pour se ronger les sangs, ne disait plus un mot, dévoré d'inquiétude. Ma tante et mon oncle se tenaient côte à côte dans l'encadrement de la porte, partagés entre la crainte de prendre part à la suite des événements et celle d'en manquer une miette. Mais ce dont je me souviens avant tout, c'est du visage de ma mère. Étant sa fille, je la trouvais évidemment très belle : mais pour la première fois ce jour-là, je découvris sa vraie nature. Je savais depuis toujours qu'elle était de l'année du Singe, mais je n'avais jamais perçu à quel point la fourberie propre à ce signe (et à cet animal) était inscrite en elle. Il y avait un air de sauvagerie dans son visage aux pommettes saillantes et une lueur de connivence brillait dans la noirceur de ses prunelles. Je percevais quelque chose… que je reste aujourd'hui encore incapable de qualifier. Une sorte d'ambition, qui est d'ordinaire l'apanage des hommes, irradiait de toute sa personne.

On m'ordonna d'aller me placer devant Madame Wang. Sa veste de soie me paraissait magnifique, mais les enfants manquent de goût et de discernement. Aujourd'hui, je la trouverais trop voyante et peu digne d'une veuve ; il est vrai qu'une entremetteuse n'est pas une femme ordinaire : elle a l'habitude de traiter avec les hommes, fixant le prix des futures épouses et négociant le montant de leur dot. Madame Wang riait trop bruyamment et ses paroles étaient mielleuses. Elle m'ordonna d'avancer, me serra entre ses genoux et me fixa droit dans les yeux. Moi qui avais toujours eu l'impression d'être transparente, je me sentis d'un instant à l'autre beaucoup trop visible à mon goût.

Madame Wang procéda avec plus de méticulosité que le devin. Elle pinça le lobe de mes oreilles et tira sur mes paupières en me demandant de regarder en l'air, en bas, dans tous les sens. Elle saisit mes joues à deux mains, m'obligeant à tourner la tête. Puis elle me prit les bras et les pétrit avec rudesse, de l'épaule au poignet. Après quoi, elle posa ses mains sur mes hanches. Je n'avais que six ans : impossible à cet âge de prédire quoi que ce soit concernant ma fertilité ! Mais elle m'examina quand même, sans que personne ose élever la voix. Le plus étonnant était pourtant encore à venir : elle se leva de son siège et me dit de m'asseoir à sa place.

Agir ainsi aurait été terriblement inconvenant de ma part. Je regardai alternativement mon père et ma mère, attendant leur conseil, mais ils paraissaient aussi hébétés que des animaux qu'on pousse à l'abattoir. Le visage de mon père était devenu gris. Je l'entendais presque se demander : Pourquoi n'avons-nous pas jeté cette gamine à la rivière le jour où elle est née ?

Madame Wang n'était pas devenue la plus importante entremetteuse du district en gardant les bras croisés. Elle me souleva et m'installa elle-même sur son siège. Puis elle s'agenouilla devant moi et entreprit d'ôter mes sandales et mes chaussettes. Le plus profond silence régnait à nouveau dans la pièce. Comme elle l'avait fait avec mon visage, elle tourna et retourna mes pieds dans tous les sens, puis fit courir son ongle le long de ma voûte plantaire.

Elle regarda ensuite le devin et opina du menton. Puis elle se releva et, d'un geste brusque, me fit signe de quitter son siège. Lorsqu'elle se fut rassise, le devin s'éclaircit la gorge et prit la parole :

— Votre fille présente plusieurs traits singuliers, dit-il. Je m'en étais rendu compte hier et Madame Wang, dont l'expérience est plus étendue que la mienne, partage mon sentiment. Le visage de votre fille a la forme et la finesse d'un grain de riz. Ses oreilles aux lobes charnus témoignent de son caractère généreux. Mais le plus important, ce sont ses pieds. Leur voûte est très marquée bien qu'elle ne soit pas encore pleinement développée. Cela signifie, ajouta-t-il en se tournant vers ma mère, que vous allez devoir attendre encore une année avant de commencer son bandage.

Il leva la main comme si quelqu'un avait cherché à l'interrompre, ce qui était plus qu'improbable.

— Ce n'est pas la coutume dans notre village d'attendre l'âge de sept ans, je le sais bien. Mais je pense qu'en regardant votre fille, vous constaterez vous-même que...

Hu le devin hésita. Ma grand-mère poussa vers lui une coupe de mandarines, afin qu'il rassemble ses esprits. Il en prit une, l'éplucha et laissa tomber l'écorce par terre. Tout en portant un quartier à sa bouche, il reprit :

— À six ans, les os sont encore remplis d'eau et donc très malléables. Mais votre fille est sous-développée pour son âge, même d'après les critères d'un village qui a connu plusieurs années de disette. Il se peut que ce soit également le cas des autres filles de votre maison et vous n'avez pas à en avoir honte.

Jusqu'à ce jour, je n'avais jamais pensé que ma famille puisse être différente des autres. Pas plus que moi, du reste. Le devin goba le quartier de mandarine et le mâchonna d'un air songeur. Puis il ajouta :

— Mais votre fille possède un autre trait particulier, en dehors de cette petite taille due à la malnutrition. Sa voûte plantaire est très prononcée, ce qui signifie qu'elle aura sans doute, une fois adulte, les pieds les plus parfaits du district. À condition bien sûr que les décisions appropriées soient prises dès à présent.

Certains ne croient pas au pouvoir des devins, estimant qu'ils se contentent de recommandations qui tombent sous le sens. Après tout, l'automne est bien la meilleure période pour commencer le bandage des pieds, le printemps le moment rêvé pour mettre un enfant au monde. Et une colline caressée par une douce brise – et donc, dotée du meilleur *feng shui* – constitue forcément l'endroit idéal pour procéder à un enterrement. Mais ce devin avait distingué quelque chose en moi et son intuition devait changer le cours de ma vie. Sur le moment, toutefois, il n'y eut strictement personne pour s'en réjouir. L'assemblée restait plongée dans un silence oppressant. Tout le monde se rendait compte que quelque chose allait de travers.

Brisant le silence, Madame Wang reprit la parole :

— Cette fillette a indéniablement du charme. Mais dans la vie, la forme des pieds compte bien davantage qu'un joli minois. Un beau visage est un don du ciel, mais des pieds minuscules peuvent vous aider à gravir l'échelle sociale. Nul doute que nous sommes tous d'accord là-dessus. Pour le reste, c'est au père de prendre sa décision.

Elle regarda mon père dans les yeux, mais ses paroles s'adressaient en fait à ma mère.

— Pour une fille, reprit-elle, nouer une bonne alliance n'a rien de déshonorant. Une famille de haut rang vous permettra d'élargir le cercle de vos relations, d'augmenter le « prix de la mariée » et de bénéficier à long terme d'une protection aussi bien politique que financière. J'apprécie évidemment l'hospitalité et la générosité avec lesquelles vous nous accueillez aujourd'hui, dit-elle en soulignant d'un geste nonchalant la modestie de notre demeure, mais le destin – sous la forme de votre fille – vous offre là une opportunité. Si sa mère tient correctement son rôle, cette fillette insignifiante pourrait aisément trouver à se marier dans une famille de Tongkou.

Tongkou !

— Vos paroles sont d'or, intervint prudemment mon père, et vous nous annoncez là des choses merveilleuses. Mais notre famille est modeste. Nous n'avons pas les moyens de nous assurer vos services.

— Vénérable père, répondit Madame Wang d'une voix mielleuse, si les pieds de votre fille évoluent comme je le pressens, j'ai la certitude que la famille du futur marié se montrera généreuse. Ils le seront également envers vous, lorsque sera fixé le montant de la dot. Comme vous le voyez, nous avons tous à gagner à un tel arrangement.

Mon père ne répondit pas. Il ne parlait jamais de son travail dans les champs, pas plus qu'il ne nous laissait deviner la nature de ses sentiments. Mais je me souvenais d'un hiver où, au terme d'une année de sécheresse, nous n'avions plus de nourriture. Mon père était parti chasser dans les montagnes, mais le gibier lui-même avait été décimé par la famine. Papa n'avait rien ramené, hormis des racines amères que ma mère et ma grand-mère avaient fait cuire dans du bouillon. Peut-être se souvenait-il de la honte qui avait été la sienne cette année-là, spéculant intérieurement sur le montant que pourrait atteindre le « prix de la mariée » et l'aisance qui en résulterait pour l'ensemble de notre famille.

— De surcroît, poursuivit l'entremetteuse, je suis convaincue que votre fille pourrait être choisie comme *laotong*.

Je connaissais le mot et savais ce qu'il désignait. Le lien des *laotong* diffère totalement de celui qui existe au sein d'un petit groupe de sœurs adoptives. Plus rare et plus électif, il unit deux jeunes filles originaires de villages différents pour leur vie entière, tandis que les relations des sœurs adoptives prennent fin avec leur mariage. Jamais dans ma courte existence je n'avais rencontré de *laotong*, ni imaginé que je puisse un jour en avoir une. Dans leur enfance, ma mère et ma tante avaient eu des sœurs adoptives. Ma sœur aînée en avait à son tour et ma grand-mère recevait la visite d'amies veuves, originaires du village de son époux, reformant dans leur grand âge une telle communauté. J'avais imaginé qu'il en irait de même pour moi, au fil de ma vie. Avoir une *laotong* était tout à fait exceptionnel. Cela aurait dû m'exciter, mais je demeurais pétrifiée, comme le reste de l'assemblée. Ce n'était pas un sujet dont il convenait de parler en présence des hommes. La situation était tellement extraordinaire que mon père lui-même, décontenancé, finit par lâcher :

— Aucune femme de notre famille n'a jamais eu de *laotong*…

— Votre famille n'a pas eu grand-chose en général, jusqu'à aujourd'hui, dit Madame Wang en se levant de son siège. Discutez de tout cela avec les membres de votre maison, mais souvenez-vous que le destin ne vient pas frapper tous les jours à votre porte. Je reviendrai vous voir prochainement.

L'entremetteuse et le devin nous laissèrent, promettant l'un et l'autre qu'ils reviendraient s'assurer de mes progrès. Ma mère et moi regagnâmes l'étage. Dès que nous eûmes pénétré dans l'appartement des femmes, elle se tourna vers moi et me dévisagea, avec la même expression que je lui avais vue en bas. Puis, avant que j'aie pu prononcer un mot, elle m'assena une gifle d'une violence inouïe.

— Te rends-tu compte des soucis que tu donnes à ton père ? lança-t-elle.

L'apostrophe était violente, mais je savais que la gifle était destinée à conjurer le mauvais sort et à éloigner les esprits. Après tout, rien ne garantissait que mes pieds finiraient par donner ces « lis dorés » tant espérés. Ma mère pouvait commettre la même erreur pendant mon bandage que la sienne jadis. Elle s'en était plutôt bien sortie avec ma sœur aînée, mais sait-on jamais : au lieu d'être admirée, je risquais de boitiller un jour, en équilibre sur d'affreux moignons, et d'utiliser mes bras comme balancier pour ne pas m'étaler par terre, à l'image de ma mère.

Ma joue était en feu, mais je ressentais un grand bonheur. Cette gifle était la première marque d'amour que maman m'ait jamais adressée et je devais me mordre les lèvres pour me retenir de sourire.

Maman ne m'adressa plus la parole de la journée. Elle redescendit au contraire pour discuter avec ma tante, mon oncle, mon père et ma grand-mère. Mon oncle avait bon cœur mais, étant le cadet, il n'exerçait pas la moindre autorité sur notre foyer. Si ma tante entrevoyait les bénéfices qui pouvaient découler d'une telle situation, en tant qu'épouse du frère cadet, et sans héritier masculin, elle avait le rang le plus bas de toute la famille. Maman n'avait pas un statut très élevé non plus, toutefois, ayant surpris son expression pendant le discours de l'entremetteuse, je connaissais son point de vue. C'étaient mon père et ma grand-mère qui prenaient toutes les décisions importantes dans notre maison, seulement ils étaient l'un et l'autre influençables. L'annonce de l'entremetteuse, tout en étant de bon augure pour moi, impliquait que mon père travaille dur pendant plusieurs années, afin de me constituer une dot digne d'un mariage de haut rang. Or s'il ne se conformait pas à ses conseils, il perdrait la face, non seulement au sein de notre village, mais dans l'ensemble du district.

J'ignore s'ils se mirent d'accord sur mon sort le soir même, toujours est-il que pour moi, plus rien ne fut jamais pareil à compter de ce jour. L'avenir de Belle Lune s'en trouva changé, lui aussi. J'avais quelques mois de plus qu'elle, mais il fut décidé qu'on commencerait à nous bander les pieds en même temps que ma sœur cadette. Si je vaquais toujours à divers travaux domestiques en dehors de la maison, ce fut cependant la fin des promenades au bord de la rivière en compagnie de mon frère. Et plus jamais je ne ressentis la fraîcheur de l'eau vive sur ma peau. Jusqu'à ce jour, maman ne m'avait jamais frappée : mais cette gifle fut la première d'une longue série de vexations. Le pire, c'était que mon père ne me regardait plus de la même façon : plus jamais il ne me reprit sur ses genoux, en fumant sa pipe le soir. Mon statut avait complètement changé, du jour au lendemain : de petite bonne à rien, j'étais devenue quelqu'un dont l'existence risquait de s'avérer précieuse pour toute la famille.

Les tissus qui avaient été préparés pour mon bandage et les sandales minuscules que ma mère devait déposer sur l'autel de Guanyin furent provisoirement mis de côté, tout comme ceux qui étaient destinés à Belle Lune. Madame Wang nous rendait désormais régulièrement visite. Elle arrivait dans son palanquin et m'examinait de la tête aux pieds, tout en m'interrogeant sur mes progrès en matière domestique. Néanmoins, je n'irai pas jusqu'à dire qu'elle manifestait de la gentillesse à mon endroit : à ses yeux, je représentais simplement une source de profit potentiel.

Au cours de l'année suivante, mon éducation à l'étage des femmes commença pour de bon, mais je savais déjà un certain nombre de choses. Que les hommes pénétraient très rarement dans nos appartements, par exemple, ceux-ci étant réservés à notre seul usage. Je savais aussi que j'allais passer l'essentiel de ma vie dans une pièce de ce genre et que la différence entre le *nei* (le monde intérieur du foyer) et le *wai* (le monde extérieur des hommes) était au centre de la conception confucéenne de la société. Que l'on soit riche ou pauvre, empereur ou esclave, le cercle domestique est l'attribut des femmes et la sphère extérieure l'apanage des hommes. Les femmes ne doivent pas quitter les pièces intérieures, fût-ce par la pensée. Deux idéaux confucéens régissent notre existence. Le premier est celui de la Triple Obéissance : « En tant que fille, obéis à ton père ; en tant qu'épouse, obéis à ton mari ; en tant que veuve, obéis à ton fils. » Le second est celui des Quatre Vertus, qui détermine le comportement, la manière de parler, la gestuelle et les travaux des femmes : « Faire preuve d'humilité et de chasteté, de calme et de pondération dans son comportement ; d'un ton mesuré et néanmoins plaisant dans ses paroles ; être gracieuse et retenue dans ses gestes ; d'une maîtrise accomplie, pour ce qui concerne la couture et la broderie. » Si les jeunes filles suivent scrupuleusement ces principes, elles ne peuvent manquer de devenir des épouses vertueuses.

Mon étude s'attachait désormais aux travaux pratiques. J'appris ainsi à manier l'aiguille, à choisir la couleur d'un fil, à faire des points réguliers et aussi fins que possible. Cela n'avait rien d'anodin, car Belle Lune, ma sœur cadette et moi confectionnions les chaussures que nous allions porter au cours de nos deux années de bandage. Il nous fallait des sandales pour la journée et des chaussons spéciaux pour la nuit, ainsi que plusieurs paires de chaussettes très serrées.

Plus important encore, ma tante commença à m'apprendre le *nu shu*. À l'époque, je ne comprenais pas pourquoi elle s'intéressait particulièrement à moi. Comme une idiote, je me disais que je devais peut-être donner le bon exemple à Belle Lune : si celle-ci s'appliquait à son tour, elle parviendrait à faire un meilleur mariage que sa mère. La vérité, c'est que ma tante espérait que nous serions liées à tout jamais, sa fille et moi, une fois cette écriture secrète introduite dans notre existence. Je ne percevais pas davantage le conflit que cela suscitait entre ma tante d'une part, ma mère et ma grand-mère de l'autre – ces dernières étant aussi illettrées en matière de *nu shu* que mon père et mon oncle dans l'écriture des hommes.

À l'époque, je n'avais jamais vu un seul exemple d'écriture masculine, aussi m'était-il impossible de faire la comparaison. Mais à présent, je sais que les caractères utilisés par les hommes sont plus épais, chacun remplissant l'intérieur d'un carré, tandis que notre *nu shu* fait plutôt penser à des pattes de mouche ou aux empreintes que laissent les oiseaux dans la poussière. Contrairement à l'écriture masculine, chaque caractère en *nu shu* ne représente pas un mot spécifique. Nos signes sont plutôt de nature phonétique. Ainsi, un même caractère peut servir à noter plusieurs mots, dont la prononciation est identique ; un seul caractère sert à noter les mots « paire » et « père », par exemple, mais le contexte permet généralement d'en déterminer le sens. Néanmoins, il faut être très attentive à ne pas commettre d'erreur sur ce plan. Beaucoup de femmes – à l'instar de ma mère et de ma grand-mère – n'ont jamais appris à écrire, mais connaissent tout de même une partie des histoires et des chansons du répertoire, dont beaucoup obéissent à un rythme régulier.

Ma tante m'apprit donc les règles du *nu shu*. Celui-ci peut servir à composer des lettres, des chansons, des récits autobiographiques, des recommandations ou des prières à la déesse – ainsi bien sûr que des contes populaires. On peut l'écrire à l'encre et au pinceau, sur du papier ou sur un éventail. On peut aussi le broder sur un mouchoir ou une pièce de tissu – ou le chanter devant un auditoire féminin. Mais il faut avant tout le lire et le conserver en secret. Car les deux règles les plus importantes concernant le *nu shu* sont les suivantes : les hommes ne doivent jamais apprendre l'existence de cette écriture, ni se retrouver d'une manière ou d'une autre en contact avec elle.

Nos compétences croissaient ainsi de jour en jour et les choses suivirent leur cours jusqu'à mon septième anniversaire. On rappela le devin pour la circonstance : il devait fixer une date unique pour le début de notre bandage à toutes les trois – puisque cela concernait aussi ma sœur cadette. Il ergota un bon moment, compara longuement nos huit caractères, mais finit par choisir la date la plus fréquemment retenue dans notre région – le vingt-quatrième jour du huitième mois lunaire – pour la cérémonie au cours de laquelle les fillettes dont on s'apprête à bander les pieds font leurs ultimes offrandes à la Demoiselle aux pieds menus, déesse protectrice du bandage.

Ma mère et ma tante se remirent à l'ouvrage, confectionnant de nouveaux bandages. On nous fit manger des brioches fourrées aux haricots rouges, afin que nos os acquièrent la souplesse de leur pâte. Dans les jours qui précédèrent le début du bandage, de nombreuses femmes du village nous rendirent visite, au premier étage. Les sœurs adoptives de ma sœur aînée vinrent nous souhaiter bonne chance, nous apportant d'autres pâtisseries et nous félicitant d'accéder ainsi au cercle des femmes. Une atmosphère de fête régnait dans la pièce. Tout le monde était joyeux, parlait, chantait et riait. Je sais aujourd'hui que bien des questions restaient alors en suspens. Personne ne m'avait prévenue par exemple des risques que j'encourais. C'est bien plus tard, une fois installée dans la famille de mon mari, que ma belle-mère m'a révélé qu'une fillette sur dix ne survivait pas à cette épreuve, non seulement dans notre district, mais dans l'ensemble de la Chine.

Tout ce que je savais, c'est que le fait d'avoir eu les pieds bandés faciliterait mon mariage et me rapprocherait du plus grand bonheur qu'une femme puisse connaître au cours de sa vie – celui d'engendrer un fils.

Pour que mes pieds soient considérés comme parfaits, il fallait qu'ils obéissent après le bandage aux sept critères suivants : ils devaient être minuscules, étroits, élancés, pointus et cambrés, tout en restant parfumés et doux au toucher. Parmi tous ces attributs, la taille est déterminante. L'idéal est de sept centimètres – environ la longueur d'un pouce. La forme vient ensuite : un pied parfait doit évoquer un bourgeon de lotus. Plein et rond au niveau du talon, il doit être pointu à l'extrémité, tout le poids reposant sur le gros orteil. Cela signifie que les autres doigts et la plante elle-même doivent être brisés, puis repliés, de manière à rejoindre le talon par en dessous. Au bout du compte, la fente située entre l'avant du pied et le talon doit être suffisamment profonde pour abriter dans son repli une grosse pièce de monnaie. Si je remplissais toutes ces conditions, le bonheur qui m'attendait serait absolu.

Le matin du vingt-quatrième jour du huitième mois lunaire, nous offrîmes à la Demoiselle aux pieds menus des boulettes de riz gluant, tandis que nos mères respectives plaçaient devant la statue de Guanyin les sandales miniatures qu'elles avaient confectionnées. Après quoi, elles rassemblèrent le matériel nécessaire : de l'alun, de l'astringent, des ciseaux, des coupe-ongles, ainsi que des aiguilles et du fil. Elles sortirent ensuite les bandes de tissu préparées de longue date : légèrement amidonnées, elles mesuraient cinq centimètres de large sur trois mètres de long. Toutes les femmes de la maison se rendirent alors à l'étage. Ma sœur aînée fermait la marche, portant un baquet d'eau bouillie dans lequel infusaient une racine de mûrier, des amandes pilées, de l'urine, des herbes et divers tubercules.

Étant la plus âgée, je passai la première, déterminée à manifester ma bravoure. Maman me lava soigneusement les pieds et les frotta ensuite avec de l'alun, dans le but de contracter les chairs et de limiter les inévitables sécrétions de pus et de sang. Elle me coupa les ongles aussi court que possible. Pendant ce temps, mes bandages trempaient dans l'eau, afin de mieux comprimer mes pieds une fois qu'ils auraient séché. Puis maman saisit l'extrémité de l'une des bandes, la plaça sur mon cou-de-pied et plaqua ensuite le tissu sur mes quatre petits orteils, de manière à entamer le processus qui allait peu à peu les ramener sous mon pied. Elle fit ensuite passer la bande autour de mon talon. Une autre boucle, autour de la cheville, lui permit de consolider les deux premières. Le but était que mes orteils et mon talon finissent par se rejoindre, aménageant entre eux une fente tout en dégageant mon gros orteil, sur lequel j'allais prendre appui pour marcher. Maman répéta les mêmes gestes jusqu'à ce que toute la bande y soit passée. Ma tante et ma grand-mère surveillaient l'opération par-dessus son épaule, s'assurant que le tissu était correctement serré. Enfin, maman cousit l'extrémité de la bande, pour éviter que le tissu se détende et que je puisse libérer mon pied.

Elle répéta l'opération avec mon autre pied, puis ma tante procéda de même avec Belle Lune. À un moment donné, ma sœur cadette descendit au rez-de-chaussée pour boire un verre d'eau. Lorsque les pieds de Belle Lune furent bandés, maman appela ma petite sœur, mais celle-ci ne répondit pas. Une heure plus tôt, c'est à moi qu'on aurait demandé de descendre pour aller la chercher : mais dorénavant, et durant les deux années qui allaient suivre, l'accès de l'escalier devait m'être interdit. Ma mère et ma tante partirent donc à sa recherche et, ne la trouvant pas dans la maison, allèrent explorer les environs. J'aurais voulu me précipiter vers la fenêtre pour voir ce qui se passait, mais mes pieds étaient déjà douloureux car la compression de mes os par les bandages extrêmement serrés me coupait la circulation. Je regardai Belle Lune : son visage blême reflétait bien son nom et des larmes ruisselaient le long de ses joues.

Du dehors, les voix de ma mère et de ma tante montaient jusqu'à nous :

— Petite sœur ! criaient-elles. Petite sœur !

Ma grand-mère et ma sœur aînée s'approchèrent de la fenêtre et regardèrent à travers les croisillons.

— *Aiya...*, murmura ma grand-mère.

Ma sœur aînée se tourna vers nous.

— Maman et notre tante sont chez les voisins, dit-elle. Entendez-vous les hurlements de notre petite sœur ?

Belle Lune et moi hochâmes négativement la tête.

— Maman traîne notre petite sœur dans la ruelle, poursuivit-elle.

Nous l'entendions à présent qui criait :

— Non, je ne monterai pas ! Non, je ne veux pas !

Ma mère la réprimandait vertement :

— Tu n'es qu'une bonne à rien... Tu fais honte à nos ancêtres.

C'étaient là des paroles terribles, mais que l'on entendait quasiment tous les jours au village.

Ma sœur cadette fut traînée de force jusqu'à l'appartement des femmes. Sitôt à l'intérieur, elle se remit sur ses pieds et courut se réfugier dans un coin de la pièce.

— Tu ne peux pas y échapper, lui dit ma mère.

Ma petite sœur regardait autour d'elle d'un air paniqué, cherchant en vain une cachette. Elle était prise au piège et rien ne pouvait empêcher l'irréparable de se produire. Ma mère et ma tante marchèrent droit sur elle. Elle fit une ultime tentative et parvint à se faufiler, échappant à l'étreinte des bras qui se tendaient vers elle. Mais ma sœur aînée la rattrapa. Ma petite sœur n'avait que six ans, elle lutta et se débattit pourtant comme une diablesse. Ma sœur aînée, ma tante et ma grand-mère la plaquèrent au sol, tandis que maman s'empressait de lui appliquer ses bandages. Pendant toute l'opération, ma sœur ne cessa pas un instant de hurler. Elle parvenait de temps à autre à libérer un de ses bras, mais on l'immobilisait aussitôt. Pendant une fraction de seconde, maman relâcha son étreinte et ma sœur réussit à dégager sa jambe, tandis que le bandage se défaisait autour de son pied et se déroulait comme un ruban d'acrobate. Belle Lune et moi contemplions la scène, horrifiées. Il n'était pas digne de se comporter ainsi. Mais nous ne pouvions qu'assister impuissantes à la scène, incapables de bouger car des douleurs de plus en plus violentes nous lançaient, remontant le long de nos jambes. Maman vint enfin à bout de sa tâche. Elle lâcha sur le sol le pied de ma sœur cadette, se releva et considéra la plus jeune de ses filles d'un air dégoûté, en se contentant de lui lancer :

— Bonne à rien !

Puis son regard se tourna vers moi, puisque j'étais la plus âgée.

— Debout ! me lança-t-elle.

L'ordre dépassait mon entendement. Mes pieds étaient déjà horriblement douloureux. Quelques instants plus tôt, j'avais été si sûre de mon courage… Et à présent, je luttais de toutes mes forces pour retenir mes larmes. Mais en vain.

Ma tante tapota l'épaule de Belle Lune.

— Mets-toi debout, lui dit-elle. Et marche.

Ma sœur cadette ne cessait de pleurer, allongée en travers du sol.

Maman me força sans ménagement à abandonner ma chaise. Le terme de *douleur* est bien trop faible pour décrire la sensation qui s'empara de moi. Mes orteils étaient bloqués, repliés sous la plante de mon pied, de telle sorte que mon corps entier reposait sur ces moignons. J'essayai de retrouver l'équilibre en m'appuyant sur mes talons. Lorsque ma mère s'en aperçut, elle me frappa sèchement.

— Marche ! s'exclama-t-elle.

Je m'exécutai de mon mieux. Tandis que j'avançais en titubant vers la fenêtre, maman se pencha et releva ma sœur cadette. Elle la poussa ensuite vers ma sœur aînée et dit à cette dernière :

— Fais-lui traverser la pièce de long en large. Au moins dix fois.

En entendant cela, je compris quelle épreuve quasiment surhumaine nous attendait. Voyant ce qui se passait, ma tante saisit la main de sa fille et la redressa d'un coup sec, l'obligeant à quitter sa chaise. Les larmes ruisselaient sur mon visage, tandis que maman me faisait traverser la pièce, et je percevais mes propres gémissements. Ma petite sœur se débattait toujours et essayait d'échapper à l'étreinte de notre sœur aînée. Ma grand-mère, dont le rôle consistait surtout à veiller au bon déroulement des opérations, saisit par l'autre bras ma sœur cadette. Flanquée de deux personnes plus fortes qu'elle, celle-ci n'était pas en mesure de résister : son corps était forcé d'obéir, mais cela ne signifiait pas que ses cris avaient cessé. Seule Belle Lune ravalait ses sentiments, montrant ainsi qu'elle était une fille obéissante, même si son rang était inférieur au nôtre.

Au bout de dix traversées de la pièce, ma mère, ma tante et ma grand-mère nous laissèrent tranquilles. Nous étions quasiment paralysées toutes les trois, tant la douleur physique était grande. Et pourtant, nous n'étions pas au bout de nos peines... Même l'estomac vide, la douleur nous donnait envie de vomir. Finalement, tout le monde alla se coucher. Quel soulagement c'était, de pouvoir s'allonger... Le simple fait d'avoir les pieds au même niveau que le reste du corps était en soi une libération. Mais à mesure que les heures s'écoulaient, une nouvelle souffrance vint nous tarauder. Nos pieds étaient en feu et brûlaient comme si nous les avions posés sur des charbons ardents. Des sons étranges, semblables à des miaulements, s'échappaient de nos lèvres. Ma pauvre sœur aînée dormait dans la même pièce que nous : elle nous réconforta de son mieux en nous racontant des contes de fées et en nous rappelant avec toute la douceur dont elle était capable qu'à travers cet immense pays qu'était la Chine, toutes les fillettes qui n'étaient pas de trop basse extraction se voyaient contraintes d'en passer par les mêmes épreuves pour devenir des épouses et des mères dignes de ce nom.

Aucune d'entre nous ne dormit cette nuit-là. Mais malgré l'intensité de la douleur que nous avions ressentie le premier jour, nous ne pouvions imaginer ce qui nous attendait le lendemain. Nous essayâmes toutes les trois de défaire nos bandages ; seule ma petite sœur parvint à libérer l'un de ses pieds. Maman la roua de coups, refit son bandage et l'obligea à faire dix traversées supplémentaires de la pièce en guise de punition. Pendant tout ce temps, elle la houspillait et la secouait sans ménagement, en lui répétant :

— Tu tiens donc tant que ça à devenir une soubrette de second rang ? Il n'est pas trop tard, tu as encore le choix...

Nous entendions cette menace depuis notre naissance, mais en vérité, aucune d'entre nous n'avait jamais vu de soubrette de second rang. Les gens étaient trop pauvres à Puwei pour s'offrir les services d'une de ces servantes aux grands pieds, qu'on disait un peu bornées et dotées d'un physique ingrat. Et nous n'avions pas davantage aperçu de renardes ni d'autres esprits, tout en croyant dur comme fer à leur existence. Aussi les menaces de notre mère suffirent-elles à convaincre ma sœur cadette, qui fut bien obligée d'obéir.

Le quatrième jour, on trempa nos pieds bandés dans un baquet d'eau chaude, avant de défaire nos bandages. Notre mère et notre tante examinèrent soigneusement nos ongles, ôtèrent les peaux mortes et frottèrent les callosités. Puis elles appliquèrent une nouvelle couche d'alun, ainsi qu'un parfum destiné à chasser l'odeur de la chair putréfiée. De nouveaux bandages nous furent ensuite posés, encore plus serrés qu'auparavant. Et les choses suivirent leur cours. Tous les quatre jours, les bandages étaient changés. Tous les quinze jours, nous avions droit à une nouvelle paire de sandales, chaque fois plus petite que la précédente. Les femmes du voisinage nous rendaient visite, elles nous apportaient des brioches fourrées aux haricots rouges, censées aider nos os à ramollir plus vite, ou des piments séchés, dans l'espoir que nos pieds adoptent la même forme effilée. Les sœurs adoptives de ma sœur aînée débarquaient toujours avec des petits présents et nous abreuvaient de conseils qui leur avaient été utiles, du temps de leur propre bandage. « Voici le pinceau dont je me sers pour la calligraphie, tu n'auras qu'à le mordiller : il est très pointu au bout, cela aidera tes pieds à devenir eux aussi délicats. » Ou encore : « Mange donc ces châtaignes d'eau, cela fait rétrécir les chairs plus vite. »

L'appartement des femmes s'était transformé en camp disciplinaire. Au lieu de nous livrer à nos occupations habituelles, nous passions notre temps à arpenter la pièce de long en large. Ma mère et ma tante ajoutaient chaque jour dix allées et venues supplémentaires. Notre grand-mère aussi était mise à contribution. Lorsqu'elle était fatiguée, elle restait allongée sur l'un des lits et dirigeait les opérations depuis sa couche. Quand les premiers froids arrivèrent, elle s'enveloppa de couettes supplémentaires. Et au fur et à mesure que les journées devenaient plus courtes et que la lumière décroissait, ses injonctions se firent également plus brèves et plus sèches. Elle finit par ne plus parler du tout, sauf en de rares occasions : elle se contentait de fixer ma sœur cadette, l'encourageant des yeux à poursuivre ses allées et venues.

Quant à nous, la douleur que nous éprouvions ne diminuait pas. Comment cela aurait-il été possible ? Mais nous apprîmes ainsi la première des leçons que doivent retenir les femmes : il est préférable d'obéir, dans notre propre intérêt. Dès ces premières semaines, l'image du destin qui nous attendait commença à se former en nous. Belle Lune serait resplendissante et stoïque, en toutes circonstances. Ma petite sœur serait une épouse irritable, jamais satisfaite et se plaignant sans arrêt. Et moi – à qui l'on prédisait un destin soi-disant hors du commun – j'accepterais mon sort sans discuter.

Un jour, au cours d'une énième traversée de la pièce, j'entendis soudain un bruit sec : l'un de mes orteils venait de se briser. Je pensais être la seule à l'avoir perçu, mais le son avait été si violent que toutes les personnes présentes l'avaient entendu. Le regard de ma mère se posa aussitôt sur moi. « Ne t'arrête pas ! me lança-t-elle. Les choses bougent enfin ! » Je continuai de marcher, bien que tout mon corps se soit mis à trembler. À la nuit tombée, mes huit petits doigts de pied s'étaient rompus l'un après l'autre, ainsi qu'il le fallait – seuls les deux gros orteils devaient être épargnés – mais on m'obligeait toujours à marcher. Je sentais mes os désarticulés qui flottaient dans mes sandales à chaque pas que je faisais. J'avais l'impression que mes pieds n'étaient plus qu'une bouillie gluante et douloureuse. L'atmosphère glaciale ne calmait pas les affreux élancements qui me vrillaient le corps. Maman n'était pas pour autant satisfaite de ma soumission. Ce soir-là, elle demanda à mon frère aîné d'aller lui cueillir un roseau souple et ferme au bord de la rivière. Et durant les deux jours qui suivirent, elle s'en servit pour me cingler les mollets et m'obliger à marcher, en dépit de mes souffrances. Le jour où l'on refit mes bandages, je trempai mes pieds dans l'eau comme à l'ordinaire, mais la séance de massage qui s'ensuivit, au cours de laquelle il fallut replier mes os, dépassa tout ce que j'avais enduré jusque-là. Maman s'en chargea elle-même, plaquant contre la plante de mes pieds mes orteils brisés. Jamais je n'avais eu droit de sa part à une telle preuve d'amour.

— Une femme digne de ce nom se tient à l'écart de la laideur, répétait-elle inlassablement, afin que ses paroles se gravent en moi. C'est seulement à travers la douleur qu'on acquiert la beauté – et à travers la souffrance qu'on atteint la paix. Aujourd'hui, c'est moi qui bande tes pieds : mais demain, tu en tireras les bénéfices.

Les orteils de Belle Lune cédèrent quelques jours plus tard, mais les os de ma petite sœur s'avéraient plus résistants. Maman chargea mon frère aîné d'une nouvelle mission : il devait cette fois ramener une poignée de cailloux qu'on allait placer dans les sandales de ma petite sœur, afin d'accentuer la pression et de hâter la fracture de ses orteils. Comme je l'ai dit, elle n'était pas du genre à se laisser faire, mais elle poussa cette fois-ci des cris encore plus perçants, à supposer que cela fût possible. Belle Lune et moi pensions qu'elle se comportait ainsi pour attirer l'attention. Après tout, maman me consacrait l'essentiel de son temps et de ses efforts. Mais le jour où l'on refit nos bandages, nous pûmes constater la différence entre l'état de nos pieds et ceux de ma sœur cadette. Certes, du pus et du sang suintaient à travers nos bandages, comme il était normal ; toutefois, dans le cas de ma sœur, ces liquides avaient une odeur et un aspect bien différents. Et tandis que ma peau et celle de Belle Lune avaient pris une pâleur mortelle, celle de ma sœur cadette était plus rouge qu'une pivoine.

Madame Wang vint nous rendre une nouvelle visite. Elle examina le résultat des efforts de ma mère et lui recommanda une infusion de plantes sauvages, destinée à soulager la douleur. J'attendis pour goûter cette amère décoction les premiers jours de neige, au cours desquels les os de mon cou-de-pied se brisèrent à leur tour. J'avais l'esprit encore embrumé, tant par la douleur que par cette potion médicinale, quand l'état de ma sœur cadette s'aggrava brusquement. Sa peau était devenue brûlante. Ses yeux luisaient de fièvre et de frayeur et son visage lunaire s'était creusé, prenant une teinte cireuse. Ma mère et ma tante étaient descendues préparer le repas de midi. Ma sœur aînée eut pitié de sa pauvre cadette et l'autorisa à aller s'étendre sur l'un des lits. Belle Lune et moi en profitâmes pour nous accorder un moment de répit, suspendant nos traversées incessantes de la pièce. Tout en redoutant qu'on nous surprenne en train de nous reposer, nous restâmes au chevet de ma petite sœur. Ma sœur aînée lui frottait les jambes, dans l'espoir de la soulager. Mais nous étions en plein hiver et portions toutes des vêtements épais et rembourrés. Avec notre aide, ma sœur aînée baissa le pantalon de notre sœur cadette, afin de pouvoir lui masser directement les mollets. Nous découvrîmes alors les affreuses zébrures rouges qui sillonnaient ses jambes, remontant depuis ses bandages et le long de ses cuisses pour disparaître dans les replis de sa culotte. Nous nous dévisageâmes un moment, avant d'examiner rapidement l'autre jambe, où les mêmes zébrures apparaissaient.

Ma sœur aînée descendit. Pour expliquer la découverte que nous venions de faire, il fallait qu'elle avoue avoir transgressé les consignes qu'on lui avait fixées. Aussi nous attendions-nous à entendre le bruit retentissant de la gifle qu'allait lui assener maman. Mais il n'en fut rien. Ma mère et ma tante se hâtèrent au contraire de regagner l'étage. Arrivées dans la pièce, elles contemplèrent la scène : ma sœur cadette étendue sur le dos, ses petites jambes dénudées et les yeux rivés au plafond ; ma cousine et moi à son chevet, attendant qu'on nous réprimande ; et ma grand-mère assoupie sous ses couettes. Ma tante se contenta d'un rapide coup d'œil et se hâta d'aller faire bouillir de l'eau.

Maman se dirigea vers le lit. Elle n'avait pas sa canne et traversa la pièce en claudiquant, comme un oiseau aux ailes brisées. Quant à aider sa propre fille, elle n'en était guère capable. Dès que ma tante fut de retour, maman entreprit de défaire ses bandages. Une odeur infecte se répandit aussitôt dans la pièce. Ma tante réprima un haut-le-cœur. Malgré la neige, ma sœur aînée déchira la feuille de papier de riz tendue dans l'encadrement de la fenêtre, afin d'évacuer la puanteur. Les pieds de ma sœur cadette apparurent enfin à l'air libre : ils étaient couverts d'un amas de pus verdâtre et le sang qui en suintait s'était coagulé, pareil à une flaque de boue putride. On fit rasseoir ma petite sœur, avant de plonger ses pieds dans une cuvette d'eau bouillante. Elle était tellement abattue qu'elle ne poussa même pas un cri.

Au fil des dernières semaines, ses hurlements avaient pris une intonation différente. Avait-elle pressenti dès le premier jour que quelque chose de grave risquait d'arriver ? Était-ce pour cela qu'elle avait manifesté une résistance aussi farouche ? Maman avait-elle commis une erreur fatidique, dans sa précipitation ? Le sang de ma petite sœur avait-il été contaminé, suite au mauvais ajustement de ses bandages ? Était-elle affaiblie par la malnutrition, comme Madame Wang l'avait prétendu à mon sujet ? Quel crime avait-elle commis dans sa vie antérieure pour mériter aujourd'hui une telle punition ?

Maman lui lava puis lui frotta les pieds pour éliminer l'infection. Ma petite sœur perdit connaissance. Dans la bassine, l'eau était devenue fétide, à cause de ces épanchements purulents. Maman retira finalement les moignons brisés du baquet et se mit en devoir de les sécher.

— Mère, dit-elle en s'adressant à sa belle-mère, vous avez plus d'expérience que moi. Venez m'aider, je vous en prie.

Mais ma grand-mère ne broncha pas sous ses couettes. Ma mère et ma tante discutèrent, pour savoir ce qu'il convenait de faire.

— Nous devrions laisser ses pieds à l'air, proposa maman.

— Tu sais bien que c'est la pire des solutions, rétorqua ma tante. La plupart de ses os sont déjà brisés. Si nous ne les rebandons pas, ils ne se mettront pas correctement en place. Elle se retrouvera estropiée jusqu'à la fin de ses jours. Et plus personne ne voudra l'épouser.

— Je préfère qu'elle soit en vie sans pouvoir se marier, plutôt que de la perdre.

— Mais elle n'aurait plus de valeur, ni le moindre avenir, répondit ma tante. En tant que mère, tu ne peux lui souhaiter une chose pareille.

Pendant qu'elles discutaient ainsi, ma sœur cadette ne faisait pas le moindre geste. On étala de l'alun sur sa peau, avant de lui rebander les pieds. Le lendemain, la neige tombait toujours et l'état de ma sœur avait empiré. Nous n'étions pas riches, mais papa affronta tout de même la tempête pour aller chercher le médecin du village. Celui-ci examina ma petite sœur et hocha la tête. C'était la première fois que je voyais quelqu'un faire ce geste, marquant l'impuissance où nous nous trouvons, lorsqu'il s'agit d'empêcher l'âme d'un être cher d'aller rejoindre le monde des esprits. On peut lutter, bien sûr, mais une fois la mort assurée de sa prise, il n'y a plus grand-chose à faire. Nous sommes voués à l'humilité et à la soumission face aux volontés de l'au-delà. Le médecin suggéra un cataplasme et une décoction d'herbes. Toutefois c'était un honnête homme et il connaissait notre situation.

— Je peux préparer cela pour votre petite fille, confia-t-il à papa, mais ce serait dépenser de l'argent pour une cause désespérée.

Les mauvaises nouvelles n'étaient pourtant pas terminées. Tandis que nous nous inclinions à plusieurs reprises pour saluer le médecin, il regarda autour de lui et aperçut ma grand-mère, enfouie sous ses couettes. Il marcha jusqu'à elle, toucha son front et écouta les pulsations secrètes mesurant son *chi*. Puis il releva les yeux et regarda mon père.

— Votre honorable mère est très malade, dit-il. Pourquoi ne m'en avez-vous pas parlé plus tôt ?

Comment papa pouvait-il répondre à une telle question sans perdre la face ? C'était un bon fils, mais avant tout un homme, et ces questions relevaient de la sphère domestique. Pourtant, veiller sur le bien-être de sa mère était le plus important de ses devoirs filiaux. Pendant qu'il était en bas, à fumer sa pipe aux côtés de son frère en attendant que l'hiver s'achève, deux personnes de sa maisonnée, à l'étage, étaient tombées dans les griffes d'esprits maléfiques.

Une fois de plus, chacun dans la famille se posa des questions. Passait-on trop de temps à s'occuper de gamines insignifiantes, au point de laisser dépérir la seule femme de valeur de notre foyer ? Toutes les allées et venues effectuées par ma petite sœur avaient-elles épuisé les réserves d'endurance et les forces de notre grand-mère ? Celle-ci, lasse d'entendre hurler la fillette, avait-elle réprimé son *chi*, pour ne plus endurer un tel vacarme ? Les esprits maléfiques qui s'étaient emparés de ma sœur cadette avaient-ils mis à profit leur passage pour faire une autre victime ?

Après une telle tourmente – et l'attention qui avait été accordée à ma petite sœur au cours des dernières semaines –, tous les regards se tournèrent à nouveau vers ma grand-mère. Mon père et mon oncle ne quittaient son chevet que pour aller manger, fumer leur pipe ou se soulager. Ma tante avait pris en charge tous les travaux domestiques, préparant les repas et faisant la lessive pour l'ensemble de la maisonnée, attentive aux besoins de chacun d'entre nous. Je ne vis pas maman fermer l'œil une seule fois durant toute cette période. En tant que première belle-fille, elle avait deux devoirs principaux dans la vie : mettre au monde des fils afin de perpétuer la lignée et s'occuper de la mère de son mari. Elle aurait dû surveiller avec plus d'attention l'état de santé de ma grand-mère. Au lieu de ça, elle s'était laissé bercer d'espoir, en concentrant son énergie sur mes perspectives d'avenir. Mais à présent, avec une détermination d'autant plus marquée qu'elle voulait rattraper sa négligence, elle accomplissait tous les rites nécessaires, préparant des offrandes spéciales destinées aux dieux ainsi qu'à nos ancêtres, alternant prières et chants et n'hésitant pas à donner son propre sang pour renflouer l'énergie vitale de ma grand-mère.

Chacun étant ainsi occupé au chevet de notre aïeule, on nous chargea, Belle Lune et moi, de surveiller ma sœur cadette. Nous n'avions que sept ans et ignorions les gestes ou les mots susceptibles de la soulager. Sa souffrance était immense, mais ce ne fut pas la pire de celles auxquelles j'eus le triste privilège d'assister au cours de ma vie. Elle mourut quatre jours plus tard, au terme de douleurs et de tourments injustes attendu son jeune âge. Ma grand-mère s'éteignit le lendemain. Personne ne la vit souffrir. Elle s'était peu à peu recroquevillée, rapetissant de jour en jour comme une chenille sous un tapis de feuilles à l'automne.

À cause du gel, le sol était trop dur pour que l'enterrement puisse avoir lieu. Deux des anciennes sœurs adoptives de ma grand-mère vinrent la veiller, psalmodiant des chants funèbres et enveloppant son corps de mousseline, l'habillant ainsi pour la vie qui l'attendait dans l'au-delà. C'était une vieille femme et sa vie avait été longue, de sorte que de nombreuses couches de vêtements l'enveloppaient pour son séjour dans l'éternité. Ma petite sœur n'avait que six ans. Sa courte existence ne lui avait pas permis d'accumuler les vêtements susceptibles de lui tenir chaud, ni les amis qu'elle devait retrouver dans l'au-delà. Elle ne possédait qu'une tenue d'hiver et une tenue d'été – et encore s'agissait-il de vêtements que nous avions portés avant elle, ma sœur aînée et moi. Ma grand-mère et ma sœur cadette passèrent ainsi la fin de l'hiver sous un linceul de neige.

Entre le décès de ma petite sœur, puis de ma grand-mère, et le jour de leur enterrement, beaucoup de choses changèrent dans l'appartement des femmes. Certes, nous accomplissions toujours nos incessantes traversées de la pièce. Nous baignions nos pieds tous les quatre jours et changions de sandales tous les quinze jours, enfilant des modèles de plus en plus étroits. Mais ma mère et ma tante nous surveillaient à présent avec une vigilance accrue. Et nous nous montrions circonspectes, de notre côté, sans pour autant nous plaindre ni opposer la moindre résistance. Lorsque le moment de notre bain de pieds arrivait, nous examinions les écoulements de pus et de sang avec autant d'attention que ma mère et ma tante. Chaque soir, lorsque nous nous retrouvions entre filles, et chaque matin avant de reprendre la routine quotidienne, ma sœur aînée vérifiait l'état de nos jambes, pour s'assurer qu'elles ne portaient pas les traces d'une infection sérieuse.

Il m'arrive souvent de repenser à ces premiers temps de notre bandage et je me souviens encore de certains dictons que ma mère, ma tante, ma grand-mère et même ma sœur aînée récitaient, pour nous encourager. L'un d'eux disait : « Épouse un poulet, ton ordinaire sera le poulet ; épouse un coq, ton ordinaire sera le coq. » Comme tant d'autres choses à cette époque, j'entendais ces mots sans en comprendre le sens. La taille de mes pieds allait déterminer la qualité de mon mariage. Plus ils seraient petits, plus cela pourrait être présenté à mes futurs beaux-parents comme un signe de ma discipline et de ma capacité à endurer les souffrances de l'enfantement, ainsi que les revers de fortune susceptibles de se présenter. La petitesse de mes pieds témoignerait aux yeux du monde de l'obéissance dont j'avais fait preuve à l'égard de ma famille, et notamment de ma mère, ce qui ne manquerait pas d'impressionner favorablement ma future belle-mère. Les chaussures que j'allais broder symboliseraient mon habileté à coudre et donc à effectuer d'autres travaux domestiques. Et même si je ne pouvais l'imaginer à l'époque, mes pieds devaient constituer un élément déterminant dans la fascination que j'allais exercer sur mon mari, lors des moments les plus intimes qu'un homme et une femme sont amenés à partager. Son désir de les voir et de les tenir dans ses mains ne devait jamais décroître, au fil de notre vie commune, même lorsque j'eus mis cinq enfants au monde et que le reste de mon corps, ayant perdu l'essentiel de ses attraits, ne s'avéra plus capable d'éveiller à lui seul l'élan nécessaire au commerce nocturne.

L'ÉVENTAIL

Six mois s'étaient écoulés depuis le début de notre bandage, deux depuis la mort de ma grand-mère et de ma sœur cadette. La neige avait fondu, la terre n'était plus aussi dure et les deux corps furent apprêtés pour l'enterrement. Il y a trois occasions dans la vie d'un Yao – et plus largement, de n'importe quel Chinois – où l'on dépense de l'argent sans compter : pour sa naissance, son mariage et son décès. Nous espérons tous naître et nous marier dans les meilleures conditions, mourir et être enterrés dignement. Mais le destin et les circonstances pèsent considérablement sur ces trois événements. Ma grand-mère était la matriarche de la famille et avait mené une vie exemplaire, tandis que ma sœur cadette n'avait encore rien accompli. Mon père et mon oncle rassemblèrent tout l'argent dont ils disposaient et commandèrent à un menuisier de Shangjiangxu un cercueil de bonne qualité destiné à ma grand-mère. Quant à ma petite sœur, papa et mon oncle lui construisirent une simple caisse en bois. Les sœurs adoptives de ma grand-mère revinrent pour l'occasion et les funérailles purent enfin avoir lieu.

J'eus une fois encore l'occasion de constater à quel point nous étions pauvres. Si nous avions été un peu plus riches, papa aurait sans doute fait édifier une arche commémorative à la mémoire de ma grand-mère. Il aurait fait appel à un devin afin de déterminer le lieu le plus approprié pour l'enterrement – c'est-à-dire ayant le meilleur *feng shui* – et loué un palanquin pour véhiculer sa fille et sa nièce, qui éprouvaient encore beaucoup de difficultés à marcher et ne pouvaient se rendre à pied jusqu'à l'emplacement de la tombe. Mais tout cela était impossible : maman dut me porter sur son dos et ma tante procéda de même avec Belle Lune. Notre modeste procession se rendit à l'endroit qui avait été retenu, à la lisière du terrain loué par notre famille. Mon père et mon oncle frappèrent le sol du front à tour de rôle, à plusieurs reprises. Maman s'inclina devant le tertre funéraire, implorant la clémence des esprits. Nous brûlâmes quelques faux billets mais la compagnie qui s'était jointe à notre procession n'eut pas droit à d'autres offrandes, en dehors de quelques pâtisseries.

Bien que ma grand-mère ne sût pas lire le *nu shu*, elle possédait encore les cahiers qui lui avaient été offerts le jour de son mariage, bien des années plus tôt. Ceux-ci furent rassemblés, ainsi que d'autres biens, par ses deux sœurs adoptives, qui les brûlèrent devant sa tombe afin que les mots l'accompagnent dans l'au-delà. Elles chantèrent ensemble : « Nous espérons que tu retrouveras nos autres sœurs et que vous serez heureuses ensemble. Ne nous oubliez pas. Même si la racine du lotus a été tranchée, les liens qui nous unissent ne sont pas dénoués. » Pas un mot ne fut prononcé en l'honneur de ma sœur cadette. Mon frère aîné lui-même ne trouva rien à dire. Comme elle ne savait pas encore écrire, ma tante, ma sœur aînée, Belle Lune et moi-même rédigeâmes des missives en *nu shu*, que nous brûlâmes ensuite, afin de la présenter aux mânes de nos ancêtres.

Nous n'étions qu'au début des trois années du deuil de ma grand-mère, mais la vie finit par reprendre son cours. La période la plus pénible de mon bandage était désormais derrière moi. Ma mère n'avait plus besoin de me battre et les douleurs elles-mêmes allaient en décroissant. Ce que nous avions de mieux à faire, Belle Lune et moi, c'était de rester assises en attendant que nos pieds prennent leur forme définitive. Aux premières heures du matin, sous la surveillance de ma sœur aînée, nous nous entraînions à faire de nouveaux points de couture. En fin de matinée, maman m'apprenait à filer le coton. En début d'après-midi, nous passions au tissage. Belle Lune et sa mère suivaient le même programme, dans un ordre inverse. Les fins d'après-midi étaient réservées à l'étude du *nu shu*, dont ma tante nous enseignait le vocabulaire dépouillé avec autant d'humour que de patience.

N'ayant plus à s'occuper de notre sœur cadette, ma sœur aînée, qui avait maintenant onze ans, reprit son apprentissage des arts domestiques : Madame Gao, l'entremetteuse locale, venait régulièrement négocier le contrat d'alliance, première des cinq étapes qui devaient aboutir au mariage – aussi bien pour mon frère que pour ma sœur aînés. Une fillette née à Gaojia, le village natal de Madame Gao, dans une famille comparable à la nôtre, avait été pressentie pour devenir la future épouse de mon frère aîné. L'entremetteuse faisait tant d'allées et venues entre les deux villages qu'elle pourrait régulièrement transmettre les lettres rédigées de part et d'autre en *nu shu*. En outre, ma tante était elle-même originaire de Gaojia et communiquerait ainsi plus aisément avec sa propre famille. Cela lui fit tellement plaisir que, des jours durant, chacun put la voir afficher un grand sourire, peu soucieuse d'exposer du même coup le spectacle de ses dents déchaussées.

Ma sœur aînée, dont chacun s'accordait à louer la beauté et le naturel posé, devait quant à elle se marier au sein d'une famille plus aisée que la nôtre, dans le lointain village de Getan. Nous étions tristes à l'idée de ne plus la voir aussi souvent, même si nous devions profiter de sa présence pendant six bonnes années encore d'ici le mariage, puis deux ou trois années supplémentaires avant qu'elle nous quitte pour de bon. Dans notre district, comme chacun sait, nous suivons la coutume du *buluo fujia* : les épouses attendent d'être enceintes pour aller s'établir définitivement dans la famille de leur mari.

Madame Gao ne ressemblait en rien à Madame Wang. À vrai dire, l'adjectif qui lui conviendrait le mieux serait probablement « vulgaire ». Alors que Madame Wang ne portait que des habits de soie, Madame Gao était vêtue de coton grossier. Et si les paroles de la première étaient aussi mielleuses qu'onctueuses, la seconde avait une propension à manifester ses sentiments qui évoquait plutôt les aboiements d'un chien lâché dans les rues d'un village. Elle montait fréquemment à l'étage et, juchée sur un tabouret, exigeait d'examiner les pieds de toutes les filles de la famille Yi. Il va sans dire que ma sœur aînée et Belle Lune s'exécutaient. Mais, bien que mon destin fût déjà entre les mains de Madame Wang, maman m'obligeait aussi à lui montrer les miens. Madame Gao ne tarissait pas d'éloges à leur sujet. « Le pli est aussi profond que celui de son antre secret ! s'exclamait-elle. Cette jeune fille va donner du bonheur à son mari ! » Ou encore : « La manière dont le talon forme une sorte de bourse tandis que la pointe du pied saille en avant va rappeler à son mari la forme de son propre membre. L'heureux homme va passer ses journées à se rappeler ses ébats nocturnes ! » À l'époque, je ne comprenais pas le sens de ces paroles. Lorsque ce fut le cas, j'eus rétrospectivement honte qu'elle ait tenu de tels propos devant ma mère et ma tante. Mais celles-ci riaient de bon cœur avec l'entremetteuse. Et nous, les trois filles, nous les imitions. Mais comme je l'ai dit, la signification de ces paroles nous échappait.

Cette année-là, le huitième jour du quatrième mois lunaire, ma sœur aînée et ses sœurs adoptives se réunirent chez nous, à l'occasion de la fête des Taureaux. Les cinq jeunes filles montraient déjà avec quelle efficacité elles mèneraient plus tard leur maisonnée, ayant revendu une partie du riz offert par leurs familles et utilisé cet argent pour financer leurs cérémonies. Chacune d'elles avait amené un plat de sa propre maison : de la soupe aux vermicelles de riz, des betteraves aux œufs couvés, des pieds de cochon à la sauce piquante, des fèves marinées et des gâteaux de riz sucrés. Mais elles cuisinaient aussi ensemble, se réunissant pour préparer la pâte des beignets qu'elles faisaient cuire à la vapeur, avant de les tremper dans une sauce de soja agrémentée d'huile piquante et de jus de citron. Elles mangeaient en gloussant et en se racontant des contes du folklore *nu shu*, tels que *L'Histoire de Sangu*, dans laquelle la fille d'un homme riche reste fidèle à son époux, malgré sa misère, et partage avec lui les aléas de l'existence, avant que leur fidélité ne soit récompensée et qu'ils accèdent au grade de mandarins ; ou *La Carpe magique*, dans laquelle un poisson prend la forme d'une belle jeune fille qui tombe amoureuse d'un brillant lettré, avant que ne soit révélée sa nature véritable.

Mais leur récit préféré était *L'Histoire de la femme qui avait trois frères*. Elles ne la connaissaient pas en entier, mais ce ne fut pas à maman qu'elles demandèrent d'animer l'échange des répliques : les sœurs adoptives implorèrent l'aide de ma tante, pour que celle-ci les guide à chaque étape de l'histoire. Belle Lune et moi nous étions jointes à leurs suppliques, parce que cette histoire appréciée de toutes et inspirée de faits réels – tout à la fois tragique et empreinte d'un humour sombre – était un bon moyen de nous exercer aux mélopées qui caractérisent la lecture de ce système d'écriture.

L'une des anciennes sœurs adoptives de ma tante lui avait jadis offert un mouchoir où était brodée l'histoire. Elle alla le chercher et déplia l'étoffe avec soin. Belle Lune et moi vînmes nous asseoir près d'elle, de manière à pouvoir suivre le texte brodé à mesure qu'elle le psalmodiait.

— Une femme jadis avait trois frères, commença ma tante. Si tous avaient pris femme, elle-même n'était pas mariée. Elle était vertueuse et travaillait d'arrache-pied, mais ses frères refusaient de constituer sa dot. Quel malheur ! Que pouvait-elle faire ?

La voix de ma mère répondit :

— Elle est si malheureuse qu'elle se rend au jardin et se pend à un arbre.

Belle Lune, ma sœur aînée, ses sœurs adoptives et moi, chantâmes en chœur :

— Son frère aîné traverse le jardin et fait mine de ne pas la voir. Son deuxième frère traverse le jardin et fait mine de ne pas voir qu'elle est morte. Son dernier frère la voit, fond en larmes et ramène son corps à la maison.

De l'autre côté de la pièce, maman releva les yeux et vit que je la regardais. Elle me sourit, heureuse peut-être de constater que je n'avais pas trébuché une seule fois en chantant.

Ma tante reprit le fil de l'histoire :

— Une femme jadis avait trois frères. Lorsqu'elle mourut, personne ne voulut se charger de son corps. Elle était vertueuse et travaillait d'arrache-pied, mais ses frères refusaient de s'occuper d'elle. Quelle cruauté ! Qu'allait-il donc arriver ?

— On l'ignore une fois morte comme on l'ignorait vivante, psalmodia ma mère, mais son corps commence à puer.

Ce fut à notre tour de chanter en chœur :

— Son frère aîné donne une pièce d'étoffe pour qu'on recouvre le corps. Son deuxième frère donne deux pièces d'étoffe. Son dernier frère l'enveloppe dans tous les tissus qui lui tombent sous la main, afin qu'elle n'ait pas froid dans l'au-delà.

— Une femme jadis avait trois frères, poursuivit ma tante. Maintenant qu'elle est vêtue pour son séjour dans l'au-delà, ses frères ne veulent pas dépenser d'argent pour son cercueil. Elle était vertueuse et travaillait d'arrache-pied, mais ses frères sont ladres et mesquins. Quelle injustice ! Trouvera-t-elle jamais le repos ?

— Abandonnée, abandonnée, psalmodia maman, elle songe à venir hanter les lieux.

Ma tante se servait de son doigt pour nous aider à suivre le texte, de caractère en caractère, même si nous n'étions pas encore assez familiarisées avec cette écriture pour les reconnaître tous.

— Le frère aîné déclare : inutile de se fendre d'un cercueil, il n'y a qu'à l'enterrer comme ça. Le deuxième frère déclare : utilisons la vieille caisse qui traîne au fond du hangar. Le dernier frère dit alors : voilà tout l'argent dont je dispose, allons lui acheter un cercueil.

Comme nous approchions de la fin, le rythme de l'histoire changea. Ma tante reprit :

— Une femme jadis avait trois frères. Au point où en est cette histoire, que va-t-il arriver à leur sœur ? Le frère aîné… est un grigou. Le deuxième… a un cœur de pierre. Quant au troisième… entendra-t-il la voix de l'amour ?

Les sœurs adoptives nous laissèrent achever l'histoire, Belle Lune et moi :

— Le frère aîné déclare : enterrons-la le long du sentier des buffles (sous-entendu : qu'elle se fasse piétiner pendant l'éternité). Le deuxième frère déclare : enterrons-la sous le pont (sous-entendu : que le courant l'emporte au loin). Mais le troisième frère – dont le cœur est bon et la piété filiale exemplaire – dit à son tour : enterrons-la derrière la maison, pour que chacun se souvienne d'elle. Et leur sœur, dont l'existence a été si malheureuse, connaît au bout du compte un grand bonheur dans l'au-delà.

J'aimais cette histoire. C'était amusant de la psalmodier avec le reste de la compagnie, mais depuis la mort de ma grand-mère et de ma sœur cadette, je comprenais mieux son message. L'histoire me montrait à quel point la valeur d'un être pouvait varier aux yeux des gens. Elle montrait également comment se comporter envers une personne aimée après son décès – aussi bien concernant le corps ou les habits funéraires, que l'endroit où il convenait de l'enterrer. Ma famille avait fait de son mieux pour suivre ces règles et je comptais agir de même, une fois épouse et mère.

Le lendemain de la fête des Taureaux, Madame Wang refit son apparition. J'avais fini par prendre ses visites en grippe, parce qu'elles suscitaient toujours une sorte d'appréhension au sein de notre maison. Bien sûr, tout le monde se réjouissait que ma sœur aînée puisse faire un bon mariage. Tout comme on se félicitait que mon frère aîné ait lui aussi cette possibilité et que notre famille envisage d'accueillir d'ici quelque temps sa première belle-fille. Mais nous venions tout de même d'être cruellement frappés. Nous avions procédé à un double enterrement. Même en mettant les sentiments de côté, ces heureuses perspectives – s'ajoutant à ces événements douloureux – supposaient de lourdes dépenses. Après les funérailles auxquelles il avait fallu procéder récemment, les deux mariages à venir représentaient beaucoup d'argent. La pression qui s'exerçait sur moi, concernant le glorieux avenir qui m'attendait, s'avérait du même coup plus pesante : derrière mon propre mariage se profilait, en clair, la survie de notre famille.

Madame Wang monta jusqu'à l'appartement des femmes, examina par politesse le travail de broderie de ma sœur aînée et la félicita pour son talent et son application. Puis elle s'assit sur un tabouret, s'adossant contre la fenêtre. Elle ne regardait pas dans ma direction. Maman, qui avait tout à fait pris conscience de sa récente primauté au sein de notre famille, fit signe à ma tante de lui apporter du thé. En attendant que celui-ci arrive, Madame Wang se contenta de parler de la pluie et du beau temps, des cérémonies qu'on allait bientôt célébrer au temple et d'une cargaison récemment arrivée de Guilin par la voie fluviale. Mais une fois le thé servi, elle en vint à l'affaire qui l'amenait.

— Honorable mère, commença-t-elle, nous avons déjà eu l'occasion d'évoquer les possibilités qui se présentaient, concernant votre fille. Un mariage dans une famille respectable de Tongkou semble assuré. J'ai d'ores et déjà noué dans ce sens un certain nombre de contacts. Et d'ici quelques années, je pourrai venir vous trouver, votre mari et vous, avec une demande d'alliance officielle. (Elle se rejeta en arrière, se redressa et s'éclaircit la gorge.) Mais c'est en pensant à une autre sorte d'alliance que je suis venue vous trouver aujourd'hui. Comme vous vous en souvenez peut-être, la première fois que nous nous sommes rencontrées, j'avais évoqué la possibilité pour Fleur de Lis de devenir *laotong*.

Madame Wang attendit que ces paroles aient produit leur effet avant de reprendre :

— Le village de Tongkou se trouve à moins d'une heure de marche. La plupart des familles qui y vivent appartiennent au clan des Lu. Il existe au sein de ce clan une *laotong* potentielle pour Fleur de Lis. Son nom est Fleur de Neige.

La réaction de maman me démontra – ainsi qu'à toutes les personnes présentes dans la pièce – que non seulement elle n'avait nullement oublié les propos tenus par Madame Wang, mais qu'elle n'avait cessé d'y réfléchir depuis lors.

— Et les huit caractères ? s'enquit-elle, d'une voix dont la douceur ne masquait pas la détermination. Sont-ils en conformité ? Je ne vois aucune raison de procéder à une telle alliance si leur correspondance n'est pas parfaite.

— Je me serais abstenue de venir vous trouver aujourd'hui si tel n'était pas le cas, répondit Madame Wang d'une voix égale. Fleur de Lis et Fleur de Neige sont toutes les deux de l'année du Cheval. Elles sont nées le même mois – non seulement le même jour mais à la même heure, si ce que m'ont affirmé leurs mères respectives est exact. Elles ont le même nombre de frères et de sœurs et occupent l'une et l'autre le troisième rang dans l'ordre des naissances au sein de leur famille.

— Mais…

Madame Wang leva la main, empêchant ma mère de poursuivre.

— Je réponds à votre question, avant même que vous me la posiez : oui, la troisième fille de la famille Lu a également rejoint ses ancêtres. Les circonstances de ces drames importent peu, car nul n'aime évoquer la perte d'un enfant, même lorsqu'il s'agit d'une fille.

Elle posa sur maman un regard dur, la mettant quasiment au défi de répliquer. Comme ma mère détournait les yeux, Madame Wang poursuivit :

— Fleur de Lis et Fleur de Neige sont de taille identique, d'égale beauté et – plus important encore – le bandage de leurs pieds a débuté le même jour. Par contre, l'arrière-grand-père de Fleur de Neige était un mandarin, un *jinshi*, ce qui signifie que leurs niveaux sociaux ne sont pas équivalents.

Madame Wang n'avait nullement besoin de nous expliquer que, si cette famille avait eu parmi ses ancêtres un mandarin de si haut rang, cela impliquait évidemment qu'elle jouissait de nombreuses relations et d'une grande aisance matérielle.

— Mais la mère de Fleur de Neige ne semble pas rebutée par une telle différence, étant donné que les deux fillettes ont tant d'autres choses en commun.

Maman acquiesça calmement, laissant au singe qui sommeillait en elle le temps de digérer ces nouvelles. Mais moi, j'aurais voulu me lever de ma chaise et courir jusqu'à la rivière en poussant des cris de joie, tellement j'étais excitée. Je regardai ma tante. Je m'attendais à voir un grand sourire éclairer son visage, révélant ses dents déchaussées, mais elle gardait au contraire les lèvres obstinément serrées, essayant de masquer sa satisfaction. Tout son corps était un modèle de maintien et d'immobilité, à l'exception de ses doigts qui s'agitaient nerveusement, comme un nid d'anguilles grouillant au fond d'un seau. Plus que nous autres, elle mesurait l'importance de cette discussion. Sans me faire remarquer, je lançai une ou deux œillades à Belle Lune et à ma sœur aînée, dont les yeux pétillaient de joie. Ah, nous allions avoir de quoi discuter ce soir, une fois tout le monde couché.

— J'entreprends généralement ce genre de démarche pendant la fête de la Mi-automne, quand les fillettes ont atteint l'âge de huit ou neuf ans, reprit Madame Wang. Mais dans ce cas précis, il m'a semblé qu'une alliance précoce pourrait s'avérer profitable à votre fille. Elle a beaucoup de qualités, sous bien des aspects, mais son apprentissage domestique pourrait être amélioré. Et il faut qu'elle acquière un comportement plus raffiné, avant de pouvoir être accueillie dans une maison de plus haute ascendance.

— Ma fille n'est pas exempte de défauts, acquiesça ma mère d'un air indifférent. Elle se montre souvent butée et désobéissante. Je ne suis pas sûre que ce projet d'alliance soit une très bonne idée. Mieux vaut être un grain de raisin imparfait dans la grappe de ses sœurs adoptives, plutôt que de décevoir une jeune fille d'un niveau supérieur au sien.

La joie que j'éprouvais quelques instants plus tôt fondit instantanément et un abîme s'ouvrit en moi. J'avais beau connaître ma mère, je n'étais pas assez mûre pour comprendre que ses propos désobligeants à mon endroit faisaient partie de la négociation, comme cela serait le cas le jour où mon père et l'entremetteuse se réuniraient pour discuter de mon mariage. Le fait de me déprécier protégeait mes parents des plaintes que pourraient éventuellement formuler par la suite la famille de ma *laotong* ou celle de mon futur mari. Cela pouvait aussi faire baisser le montant de la somme destinée à l'entremetteuse ou à la constitution de ma dot.

Madame Wang ne se laissa pas démonter.

— Il est naturel que vous réagissiez ainsi, dit-elle. Je partage moi-même la plupart de vos préoccupations. Mais assez parlé pour aujourd'hui…

Elle s'interrompit un moment, comme si une idée lui était venue, bien qu'il fût évident aux yeux de tous que chaque geste qu'elle faisait, chaque mot qu'elle prononçait avait été mûrement réfléchi. Elle glissa la main dans la manche de son vêtement et en sortit un éventail, avant de m'appeler auprès d'elle. Tout en me tendant l'objet, Madame Wang s'adressait à ma mère :

— Vous avez besoin d'un peu de temps, avant d'engager le destin de votre fille.

Je dépliai l'éventail et contemplai les mots inscrits sur l'un des plis, ainsi que la frise de feuillage qui en ornait le bord supérieur.

Maman considéra l'entremetteuse et lui dit d'une voix sévère :

— Vous donnez cet éventail à ma fille alors que nous n'avons même pas abordé, vous et moi, la question de vos honoraires...

Madame Wang chassa cette remarque d'un geste, comme elle l'aurait fait d'une vapeur nauséabonde.

— Ne vous souciez pas de cela, dit-elle. Vous n'aurez aucun honoraire à me verser, la famille de l'autre jeune fille me dédommagera bien assez. Et si votre fille accède par mon intermédiaire au statut supérieur de *laotong*, les honoraires que la famille de son futur époux me versera par la suite s'en trouveront forcément accrus. Pour ma part, cet arrangement me convient à merveille.

Elle se leva et s'apprêta à rejoindre l'escalier, mais se tourna brusquement, posa la main sur l'épaule de ma tante et lança à la cantonade :

— Encore une chose, à laquelle vous allez devoir réfléchir. Cette femme a fait du bon travail en élevant sa fille et je constate que Belle Lune et Fleur de Lis sont très liées. Si nous parvenons à un accord pour que Fleur de Lis devienne *laotong*, cela ne pourra que consolider ses chances de mariage à Tongkou. Et dans ce cas, il serait bon selon moi d'envisager que Belle Lune puisse également nouer une alliance dans la même bourgade.

Cette suggestion nous prit toutes de court. J'en oubliai les règles de bienséance et me tournai vers Belle Lune, qui paraissait aussi excitée que moi.

Madame Wang leva la main, en la pliant pour lui donner la forme d'un croissant de lune.

— Bien sûr, il est possible que vous vous soyez déjà assuré les services de Madame Gao. Et je ne voudrais en aucune manière interférer avec ses intérêts locaux.

Derrière ce dernier terme, elle entendait de toute évidence « inférieurs ». Ce point me démontra s'il en était besoin qu'en matière de tractations, ma mère ne pouvait guère rivaliser avec l'expérience de Madame Wang. L'entremetteuse s'adressa ensuite directement à maman :

— Je considère qu'une telle question relève en premier lieu de la sphère féminine. C'est l'une des rares décisions que vous aurez à prendre concernant votre fille, et éventuellement votre nièce. Il n'en demeure pas moins que le père doit exprimer son accord, avant que nous puissions pousser les démarches plus loin. Je vous laisse donc y réfléchir, en vous glissant un dernier conseil : le lit conjugal n'est peut-être pas le plus mauvais endroit pour plaider votre affaire.

Tandis que ma mère et ma tante raccompagnaient l'entremetteuse jusqu'à son palanquin, nous restâmes au milieu de la pièce, ma sœur aînée, Belle Lune et moi, nous étreignant mutuellement et échangeant des propos excités. Était-il possible qu'il m'arrive toutes ces choses merveilleuses ? Que Belle Lune elle aussi se marie un jour à Tongkou ? Que nous demeurions ainsi côte à côte, jusqu'à la fin de nos jours ? Ma sœur aînée, qui aurait pu éprouver quelque amertume en regard de son propre destin, se réjouissait au contraire et espérait que les vœux de l'entremetteuse se réaliseraient, sachant que l'ensemble de notre famille en bénéficierait.

Nous n'étions encore que des fillettes, mais en dépit de notre excitation nous savions nous comporter. Belle Lune et moi nous rassîmes, pour ne pas fatiguer nos pieds. D'un mouvement de tête, ma sœur aînée désigna l'éventail que je tenais toujours à la main.

— Quel message contient-il ? demanda-t-elle.

— Je n'arrive pas à tout déchiffrer, il va falloir que tu m'aides, dis-je en ouvrant l'objet.

Ma sœur aînée et Belle Lune se penchèrent par-dessus mon épaule et nous contemplâmes ensemble les caractères. Mais nous ne parvenions à en identifier que quelques-uns : *jeune fille, noble, féminin, foyer, vous, moi...*

Consciente qu'elle était la seule à pouvoir m'aider, ma tante remonta la première. Du bout du doigt, elle désigna l'un après l'autre chaque caractère. Je mémorisai aussitôt le texte : *J'apprends qu'une jeune fille de noble caractère, experte dans les arts domestiques, vit dans cette maison. Nous sommes nées toi et moi le même jour, la même année. Ne pourrions-nous unir également nos destins ?*

Avant que je puisse répondre à cette Fleur de Neige, beaucoup de choses devaient être examinées et soupesées par ma famille. Même si ma sœur aînée, Belle Lune et moi-même n'avions nullement notre mot à dire, nous passâmes des heures à écouter ma mère et ma tante en débattre, évoquant les diverses conséquences de l'alliance qui devait faire de moi une *laotong*. Ma mère était aussi fine que clairvoyante, mais ma tante était originaire d'une famille supérieure à la nôtre et ses connaissances étaient plus étendues. Néanmoins, étant celle qui occupait le rang le plus bas au sein de notre maisonnée, elle devait mesurer ses paroles, surtout depuis que ma mère exerçait pleinement son autorité sur elle.

— Devenir une *laotong*, c'est aussi important que de faire un bon mariage, déclarait généralement ma tante pour entamer la conversation.

Elle reprenait ensuite la plupart des arguments avancés par l'entremetteuse, mais en revenait toujours à celui qu'elle considérait comme le plus important :

— Le lien du *laotong* est le fruit d'une décision personnelle, entre deux jeunes femmes qui se jurent une affection et une fidélité éternelles. Tandis que le mariage ne relève pas d'un choix et n'a qu'un seul but : engendrer une descendance masculine.

Devant cette allusion à la descendance masculine, maman ne manquait jamais de réconforter sa belle-sœur :

— Tu as Belle Lune, ne l'oublie pas. C'est une bonne fille, dont chacun s'accorde à louer les qualités.

— Et qui me quittera à tout jamais une fois mariée. Tandis que tes deux fils resteront près de toi jusqu'à la fin de tes jours.

Les deux femmes finissaient toujours par achopper sur ce point douloureux et ma mère s'arrangeait pour orienter la conversation sur des questions plus immédiates.

— Si Fleur de Lis devient une *laotong*, reprenait ma mère, elle n'aura pas de sœurs adoptives et toutes les femmes de notre famille...

... *en ont eu avant elle*, voulait-elle dire. Mais ma tante l'interrompait :

— ... pourront lui en tenir lieu, lorsque cela s'avérera nécessaire. Et si tu estimes qu'il faut davantage de jeunes filles pour psalmodier dans l'appartement des femmes le jour où Fleur de Lis se mariera, tu pourras toujours proposer aux célibataires du voisinage de venir l'assister.

— Elles ne seraient pas assez proches, rétorquait ma mère.

— Mais elle aura sa *laotong* auprès d'elle. Le temps que ces deux fillettes soient en âge de se marier, il y aura eu plus d'intimité entre elles que nous n'en avons jamais connu, toi et moi.

Ma tante s'interrompit, comme toujours à ce stade de la conversation.

— Fleur de Lis a la possibilité de suivre un chemin différent de celui qui nous a amenées toi et moi au point où nous en sommes, reprit-elle au bout d'un moment. Le fait d'être une *laotong* accroîtra sa valeur et prouvera aux gens de Tongkou qu'elle est digne de faire un bon mariage au sein de leur village. Et comme le lien unissant deux *laotong* ne se termine pas avec leur mariage, nos relations avec les habitants de Tongkou s'en trouveront renforcées, tout comme la protection dont jouira ton mari – et l'ensemble de notre famille. Tous ces facteurs affermiront la position de Fleur de Lis au sein des femmes de sa belle-famille. Elle ne sera pas handicapée comme une femme affligée d'un visage ou de pieds disgracieux. Au contraire, outre ses pieds à la forme parfaite, elle aura déjà eu l'occasion de prouver sa loyauté, sa fidélité et son aisance à manier notre écriture secrète, en ayant été la *laotong* d'une jeune fille originaire de leur propre bourgade.

Cette conversation connaissait une infinité de variantes, dont je suivais quotidiennement les méandres. Ce qui me demeurait inconnu, c'était la teneur des propos dont ma mère entretenait mon père, lorsqu'ils se retrouvaient le soir dans le lit conjugal. Cette alliance allait coûter très cher à ma famille – cela allait de l'échange permanent de cadeaux entre les *laotong* ou du coût des repas lors des visites que nous rendrait Fleur de Neige, aux dépenses qu'allaient entraîner mes voyages à Tongkou – et nous n'en avions aucunement les moyens. Mais comme l'avait dit Madame Wang, c'était à maman de convaincre papa que l'idée méritait qu'on s'y arrête. Ma tante y contribua à sa façon, en suggérant de son côté à mon oncle que l'avenir de Belle Fleur était lié au mien. Ceux qui prétendent que les femmes n'ont aucune influence sur les décisions des hommes se trompent lourdement.

Ma famille finit par faire le choix que j'avais espéré. L'étape suivante consistait à savoir comment j'allais répondre à Fleur de Neige. Maman m'aida en ajoutant quelques broderies à une paire de chaussures que j'avais confectionnée en guise de cadeau initial. Mais elle n'était pas en mesure de me conseiller, concernant ma réponse écrite. Généralement, il convenait d'inscrire ce message sur un nouvel éventail. Mais j'avais une tout autre idée en tête, qui rompait avec la tradition. Lorsque j'avais aperçu la frise esquissée au bord de l'éventail, j'avais pensé au vieux dicton : « Graines de hyacinthes et papayes, vignes hautes, racines profondes. Des palmiers dans l'enceinte du jardin, aux racines profondes, survivent un millier d'années. » Cela résumait à mes yeux ce que j'attendais de notre relation : que nos destins s'avèrent inextricablement liés, à tout jamais. Et je voulais que cet éventail symbolise notre future union. Je n'avais que sept ans et demi, mais je pressentais le rôle qu'allait jouer cet objet, porteur par la suite de tant de messages secrets.

Une fois convaincue que ma réponse devait être inscrite sur l'éventail envoyé par Fleur de Neige, je demandai à ma tante de m'aider à rédiger le texte en *nu shu*. Nous en discutâmes plusieurs jours durant. Puisque je me montrais aussi excentrique en lui retournant son présent, il fallait que le message lui-même soit le plus conventionnel possible. Ma tante nota les phrases sur lesquelles nous étions tombées d'accord et je m'exerçai à les recopier, jusqu'à ce que mon écriture s'avère à peu près correcte. Une fois satisfaite, je frottai un peu d'encre dans l'encrier et y versai de l'eau, jusqu'à l'obtention d'un noir intense et profond. Puis je pris mon pinceau en le tenant bien droit, serré entre le pouce, le majeur et l'index, et le plongeai dans l'encre. Je commençai par peindre une minuscule fleur de neige sur le bord supérieur de l'éventail, au milieu de la frise. Pour inscrire mon message, je choisis le pli qui faisait suite à celui où Fleur de Neige avait tracé le sien, de sa belle calligraphie. Je commençai par une entrée en matière traditionnelle, enchaînant avec les phrases qui étaient de mise dans de telles circonstances :

Je t'écris. Sois, je t'en prie, attentive à mes paroles. Bien que pauvre et dénuée du moindre talent, indigne de franchir le portail de ta noble demeure, je t'écris aujourd'hui pour te dire que le sort a voulu que nos deux destinées soient réunies. Tes paroles emplissent mon cœur. Nous sommes une paire de canards mandarins, un pont jeté sur le cours d'une rivière. De toutes parts les gens envieront notre alliance. Oui, mon cœur se réjouit d'aller te retrouver.

Bien sûr, je n'éprouvais pas réellement de tels sentiments. Comment pourrait-on avoir idée de ce que sont

69

un amour profond, une amitié et un engagement éternels, quand on n'a que sept ans ? Nous ne nous étions même pas rencontrées. Et même si tel avait été le cas, ce genre de sentiments nous aurait été totalement étranger. Il s'agissait de simples mots, rédigés dans l'espoir qu'ils se réalisent un jour.

Je disposai sur un carré d'étoffe l'éventail et la paire de chaussures que j'avais confectionnée. D'innombrables questions se bousculaient en moi. N'étais-je pas de trop basse extraction pour la famille de Fleur de Neige ? N'allait-on pas remarquer, rien qu'à ma calligraphie, à quel point je lui étais inférieure ? Ou estimer que ma manière de rompre avec la tradition témoignait d'une mauvaise éducation ? Allait-on renoncer à cette alliance ? Ces pensées inquiétantes revenaient sans cesse me hanter, comme autant de fantômes : mais je ne pouvais plus rien faire, sinon attendre, poursuivre mes travaux dans l'appartement des femmes et laisser mes pieds au repos, afin que leurs os adoptent la forme souhaitée.

Quand Madame Wang vit ce que j'avais fait avec l'éventail, elle eut d'abord une moue désapprobatrice. Puis, au bout d'un moment, elle finit par opiner favorablement :

— Il s'agit bel et bien d'une alliance parfaite, dit-elle. Non seulement les caractères de ces deux fillettes correspondent point par point, mais leurs esprits sont de nature identique, sous l'influence du Cheval. Le résultat ne manquera pas d'être… intéressant.

Elle avait prononcé ce dernier mot de manière quasi interrogative, ce qui me conduisit à me poser à mon tour des questions au sujet de Fleur de Neige.

— Il faut à présent conclure les arrangements officiels, reprit-elle. Je propose d'accompagner les deux fillettes à Shexia, lors de la fête du temple de Gupo, afin d'établir le contrat qui va les unir. Je m'occuperai de tout ce qui concerne leur déplacement, ajouta-t-elle en se tournant vers ma mère. Elles n'auront que peu de chemin à parcourir.

Ayant prononcé ces mots, Madame Wang saisit les quatre extrémités du carré d'étoffe, les repliant sur l'éventail et les chaussons. Puis elle emporta le tout, afin de l'offrir à ma future *laotong*.

Fleur de Neige

Au cours des jours suivants, je ne tenais plus en place. Impossible de rester assise et de laisser mes pieds cicatriser en paix : je n'arrêtais pas de me répéter que j'allais faire la connaissance de Fleur de Neige. Ma mère et ma tante elles-mêmes s'étaient prises au jeu et se creusaient la cervelle pour savoir quels termes employer dans le contrat qui devait nous lier, alors qu'elles n'en avaient jamais eu un seul entre les mains. Lorsque le palanquin de Madame Wang s'arrêta devant le seuil de notre maison, j'étais déjà habillée de pied en cap, à la mode un peu simple de la campagne. Maman me porta sur son dos jusqu'au rez-de-chaussée, puis dans la ruelle. Dix ans plus tard, le jour de mon mariage, on devait me conduire de la même manière vers un autre palanquin : je redouterais alors la nouvelle vie qui m'attendait, emplie de tristesse à l'idée de devoir abandonner tout ce que j'avais connu jusque-là. Mais en me rendant à ce premier rendez-vous, j'étais gagnée au contraire par une certaine excitation. Fleur de Neige allait-elle me trouver à son goût ?

Madame Wang m'ouvrit la porte du palanquin et je me glissai dans l'espace réduit qui constituait l'intérieur du véhicule. Fleur de Neige était beaucoup plus belle que je ne l'avais imaginé. Ses yeux dessinaient deux amandes parfaites. Sa peau était très claire, ce qui indiquait qu'elle avait passé peu de temps en plein air dans ses premières années, contrairement à moi. Derrière elle était suspendue une tenture rouge, dont le halo coloré dessinait des reflets sur sa chevelure noire. Elle était vêtue d'une tunique de soie bleu ciel, ornée de broderies représentant des nuages, et portait les chaussures que j'avais confectionnées pour elle. Elle ne prononça pas un mot. Peut-être était-elle aussi intimidée que moi. Elle m'adressa néanmoins un sourire, que je lui rendis aussitôt.

Le palanquin ne comportait qu'un seul siège, aussi devions-nous nous serrer, toutes les trois. Pour ne pas déséquilibrer le véhicule, Madame Wang se plaça entre nous. Les porteurs nous soulevèrent et nous ne tardâmes pas à franchir au pas de course le pont qui se dressait à la sortie de Puwei. C'était la première fois que je montais à bord d'un palanquin. Nos porteurs étaient au nombre de quatre et couraient en évitant de trop nous secouer ; mais avec les rideaux tirés, la chaleur ambiante, le rythme étrange de leur course – sans parler de l'inquiétude qui s'était emparée de moi – je ne tardai pas à avoir mal au cœur. C'était également la première fois que je quittais mon village natal : même si j'avais pu apercevoir à travers la fenêtre le paysage environnant, je n'aurais pas su dire où nous nous trouvions, ni s'il restait encore beaucoup de chemin à parcourir. J'avais bien évidemment entendu parler de la fête du temple de Gupo. Qui ne la connaissait ? Les femmes s'y rendaient chaque année, le dixième jour du cinquième mois lunaire, afin que le ciel leur accorde d'engendrer un fils. On prétendait que des milliers de personnes assistaient à cette fête, nombre qui excédait largement mon entendement. En entendant de nouveaux bruits à travers le rideau du palanquin – des clochettes qui tintaient sur des carrioles tirées par des chevaux, les voix de nos porteurs qui criaient aux passants de s'écarter et celles des marchands ambulants qui haranguaient les visiteurs, les pressant d'acheter des bâtons d'encens, des bougies et d'autres objets destinés aux offrandes – je compris que nous étions arrivées à destination.

Le palanquin s'immobilisa et les porteurs le posèrent sans ménagement. Madame Wang se pencha, poussa la portière et sortit, après nous avoir ordonné de ne pas bouger. Je fermai les yeux, soulagée de ne plus être secouée et concentrant mon esprit sur mon estomac, dont les contractions étaient heureusement en train de s'apaiser. Une voix s'éleva soudain, interrompant le cours de mes pensées.

— Je suis heureuse que nous soyons arrivées. J'étais à deux doigts de me trouver mal. Qu'aurais-tu pensé de moi ?

J'ouvris les yeux et regardai Fleur de Neige. Sa peau déjà pâle était à présent livide, comme devait l'être la mienne, mais elle me dévisageait d'un air scrutateur, sans chercher à dissimuler sa curiosité. Elle finit par hausser les épaules et m'adressa ce sourire conspirateur que je ne devais pas tarder à connaître, chaque fois qu'une idée saugrenue lui traversait l'esprit. Elle tapota le coussin qui était à côté d'elle et ajouta :

— Jetons un coup d'œil dehors.

Nos huit caractères étaient conformes, mais l'élément central tenait au fait que nous étions nées toutes les deux sous le signe du Cheval. Ce qui signifiait notamment que nous étions portées vers l'aventure. Fleur de Neige me dévisagea à nouveau, en essayant d'évaluer mon degré d'intrépidité – encore modeste à l'époque, il faut bien l'avouer. Je pris une profonde inspiration et me rapprochai d'elle, tandis qu'elle écartait le rideau du palanquin. Je pouvais enfin mettre des visages sur les voix que j'entendais. Mais surtout, mes yeux étaient assaillis par un flot d'images, plus étonnantes les unes que les autres. De toutes parts se dressaient des échoppes tenues par des Yao, où s'empilaient des montagnes d'étoffes chatoyantes. Une troupe de musiciens aux costumes bariolés se rendait à une représentation d'opéra. Un homme passa juste à côté de nous, tenant un cochon en laisse. Jamais il ne m'était venu à l'idée qu'on puisse vendre un tel animal dans une foire. Des palanquins nous dépassaient sans cesse, amenant des femmes venues faire leurs offrandes au temple de Gupo. D'autres déambulaient en grand nombre dans la rue –

notamment d'anciennes sœurs d'adoption dispersées après leur mariage dans différents villages et qui profitaient de ce jour de fête pour se retrouver, vêtues de leurs plus beaux atours. Elles avançaient par petits groupes d'une démarche souple et gracieuse, en équilibre sur leurs « lis dorés ». Il y avait une telle diversité, une telle richesse de spectacles à contempler...

— Tu es déjà venue ici ? me demanda Fleur de Neige.

Voyant que je hochais négativement la tête, elle poursuivit :

— Moi, je suis venue plusieurs fois avec ma mère. On s'amuse toujours par ici, on va visiter le temple... Crois-tu que nous le ferons aujourd'hui ? Sans doute que non, il faudrait marcher trop longtemps. Mais j'espère bien que nous irons chez le marchand de taros. Maman m'y emmène toujours. Tu ne sens pas l'odeur, elle arrive jusqu'ici... Le vieux Zuo les prépare à merveille, c'est lui qui fait les meilleurs taros du comté.

Je me demandais combien de fois elle était déjà venue ici.

— Voici comment il procède, poursuivit Fleur de Neige. Il coupe les taros en dés et les fait frire de manière à ce qu'ils soient tendres à l'intérieur, mais croquants en surface. Puis il fait fondre du sucre dans une grande bassine. Tu as déjà mangé du sucre, Fleur de Lis ? Il n'y a rien de meilleur au monde. Lorsque le sucre se met à roussir, il y verse les dés de taros frits et les remue jusqu'à ce qu'ils soient bien imprégnés. Il les dispose ensuite sur une assiette et les sert à côté d'un bol d'eau glacée. Tu ne t'imagines pas à quel point le taro est brûlant, sous cette couche de sucre caramélisé. Il faut donc prendre un morceau du bout de ses baguettes et le plonger dans l'eau glacée : le taro se met à grésiller et durcit aussitôt. Et quand on mord dedans, on savoure tour à tour l'enveloppe de sucre croustillante, la partie frite et enfin, tout le moelleux du taro cuit. Il faut absolument que ma tante nous y emmène, tu n'es pas d'accord ?

— Ta tante ?

— Ah, tu parles donc ! Je me demandais si tu te contentais d'écrire de belles phrases.

— Je ne parle peut-être pas autant que toi, répondis-je, légèrement vexée.

Elle était l'arrière-petite-fille d'un mandarin de la cour impériale et savait beaucoup plus de choses qu'une simple fille de fermier.

Fleur de Neige me prit la main. La sienne était sèche et brûlante, elle devait consumer son *chi* en grande quantité.

— Ne t'inquiète pas, dit-elle. Cela ne me dérange pas que tu sois silencieuse. Je parle beaucoup trop, pour ce qui me concerne, et cela me cause régulièrement des ennuis, parce que je ne réfléchis pas assez. Mais toi, tu feras une épouse idéale, choisissant toujours ses paroles avec soin.

Vous imaginez la scène ? Dès le premier jour, nous nous entendions à merveille. Mais cela ne nous a pas empêchées de faire des impairs par la suite…

Madame Wang ouvrit à cet instant la porte du palanquin.

— Descendez, mesdemoiselles. Tout est arrangé. Dix pas vous suffiront pour rejoindre votre destination. Je me suis solennellement engagée envers vos mères respectives à ne pas vous faire marcher davantage.

Nous ne nous trouvions pas très loin de la boutique d'un papetier, ornée de banderoles rouges et de feuilles où étaient imprimés des vœux, des symboles du double bonheur ou des images peintes de la déesse de Gupo. Sur une table en devanture étaient empilés les articles aux couleurs les plus vives. Deux travées de part et d'autre permettaient aux clients de pénétrer dans l'échoppe, protégée du tohu-bohu de la rue par trois longues tables disposées sur les côtés. Au milieu de la boutique se dressait un petit bureau flanqué de deux chaises, où étaient installés de l'encre et des pinceaux. Madame Wang nous demanda de choisir une feuille de papier afin d'y rédiger notre contrat. Il m'était déjà arrivé de devoir faire un choix, mais il s'agissait toujours de choses insignifiantes, comme de savoir quel morceau de légume j'allais prendre une fois que mon père, mon oncle, mon frère aîné et le reste de ma famille se seraient servis. Mais là, je me sentais dépassée par les possibilités qui s'offraient à moi : j'aurais voulu saisir, palper, manipuler toutes les marchandises... Fleur de Neige, quant à elle, faisait preuve à sept ans et demi d'un plus grand discernement, ce qui prouvait la qualité de son éducation.

— Souvenez-vous, mesdemoiselles, qu'aujourd'hui c'est moi qui régale, lança Madame Wang. Mais vous avez d'autres achats à faire, aussi ne vous attardez pas trop.

— Bien sûr, ma tante, lui répondit Fleur de Neige, avant de me demander : Lequel préfères-tu ?

Je lui montrai une grande feuille de papier qui, ne serait-ce que par sa taille, me paraissait la plus appropriée pour l'occasion.

Fleur de Neige effleura du doigt son liseré doré.

— Cet or est de médiocre qualité, dit-elle avant de soulever la feuille face au ciel. Quant au papier, il est aussi transparent qu'une aile de libellule. Tu vois comme le soleil passe au travers ?

Elle reposa la feuille sur la table et me fixa droit dans les yeux, avec cette sincérité dans le regard qui la caractérisait.

— Il nous faut un papier qui témoigne à tout jamais du caractère durable et rare de notre relation...

J'avais de la peine à comprendre tout ce qu'elle disait. Elle utilisait un dialecte légèrement différent de celui dont j'avais l'habitude à Puwei, mais ce n'était pas la seule raison de mon incompréhension. J'étais encore mal dégrossie, alors qu'elle avait toute la distinction que lui procuraient ses origines. Et ses connaissances en matière de savoir-vivre dépassaient déjà largement celles de ma mère, et même de ma tante.

Elle me poussa à l'intérieur de la boutique en murmurant :

— Ils cachent toujours leurs meilleurs articles au fond.

Puis elle ajouta, sur un ton neutre :

— Eh bien, *laotong*, que penses-tu de celui-là ?

C'était la première fois que quelqu'un me demandait de regarder *pour de bon* quelque chose et je m'appliquai donc de mon mieux. Malgré mon inexpérience, je voyais bien la différence entre la feuille qu'elle me désignait et celle que j'avais choisie à l'extérieur. Son format était plus modeste et sa décoration moins criarde.

— Touche-la, me dit-elle.

Je pris la feuille entre mes doigts – il y avait dans sa texture quelque chose de consistant, de substantiel – et je la dressai devant le ciel, comme Fleur de Neige l'avait fait. Le papier était si épais que le soleil n'apparaissait au travers que comme un halo de lumière.

Tombées d'accord sans avoir eu besoin d'échanger un mot, nous tendîmes la feuille au marchand. Madame Wang régla l'achat, ainsi que la somme qui nous permettait d'utiliser le petit bureau situé au milieu de la boutique. Nous nous assîmes l'une en face de l'autre.

— À ton avis, me demanda Fleur de Neige, combien de fillettes se sont assises ici avant nous pour rédiger leur contrat ? Nous devons composer le plus beau qui ait jamais été écrit, ajouta-t-elle en fronçant légèrement les sourcils. Comment faudrait-il formuler les choses, selon toi ?

Je songeai aux phrases que ma mère et ma tante m'avaient suggérées.

— Nous sommes des filles, dis-je, et nous devons obéir aux règles…

— Oui, oui, cela va de soi, m'interrompit Fleur de Neige avec une certaine impatience. Mais ne crois-tu pas que ceci nous concerne vraiment toutes les deux ? Je veux dire : toi et moi ?

Je ne me sentais pas bien sûre de moi, alors qu'elle semblait savoir tant de choses. Elle était déjà venue ici – et moi, je n'étais jamais allée nulle part. Elle connaissait apparemment les termes qui devaient figurer dans notre contrat, alors que je devais m'en remettre à ce que ma mère et ma tante avaient *imaginé*, à ce sujet.

— Nous resterons *laotong* jusqu'à la fin de nos jours ? hasardai-je. Nous serons à tout jamais fidèles l'une à l'autre ? Nous travaillerons côte à côte dans l'appartement des femmes ?

Fleur de Neige me regardait droit dans les yeux, comme elle l'avait fait dans le palanquin. Je n'aurais pas su dire ce qu'elle pensait. Avais-je dit une bêtise ? Commis un impair ?

Quelques instants plus tard, elle saisit un pinceau et le trempa dans l'encre. Elle savait déjà, par le biais de notre éventail, que ma calligraphie était loin d'égaler la sienne. Mais lorsqu'elle se mit à écrire, je vis qu'elle reprenait la plupart de mes suggestions. Mes phrases et sa belle écriture virevoltaient de concert. Deux fillettes produisant un seul et même discours...

Nous pensions alors que les sentiments inscrits sur ce bout de papier dureraient éternellement, mais nous ne pouvions prévoir les remous qui nous attendaient. Pourtant, je me rappelle la plupart des termes employés ce jour-là. Comment en irait-il autrement ? Ils sont à jamais gravés dans mon cœur.

Nous deux, la petite Fleur de Neige du village de Tongkou et la petite Fleur de Lis du village de Puwei, jurons d'être toujours fidèles l'une à l'autre. Nous nous soutiendrons réciproquement et épancherons nos cœurs. Nous parlerons à voix basse et broderons ensemble dans l'appartement des femmes. Nous pratiquerons la Triple Obéissance et les Quatre Vertus. Nous suivrons l'enseignement de Confucius concernant les femmes et nous nous comporterons toujours dignement. En ce jour, nous déclarons l'une et l'autre dire la vérité et attestons la réalité du lien qui nous unit. Sur dix mille *li*, nous serons deux courants descendant la même rivière. Pendant dix mille ans, nous serons deux fleurs du même jardin. Jamais une divergence, jamais un mot méchant n'auront cours entre nous. Nous serons *laotong* jusqu'à notre mort et nos cœurs s'en réjouissent.

Madame Wang nous contempla d'un air solennel, tandis que nous apposions nos signatures en *nu shu* au bas de la feuille.

— Je suis heureuse que vous ayez contracté ce lien, dit-elle. Entre deux *laotong*, comme entre un homme et une femme unis par le mariage, la douceur s'allie à la douceur, la beauté à la beauté, l'intelligence à l'intelligence. Mais contrairement à ce qui arrive parfois dans le mariage, votre relation restera exclusive. Pas question de concubines en ce qui vous concerne, ajouta-t-elle en s'accordant un petit rire feutré. Vous m'entendez, mesdemoiselles ? Vous avez scellé l'union de deux cœurs que rien ne devra séparer : ni la solitude ni l'éloignement. Ni vos éventuels désaccords, ni la différence de vos mariages respectifs. Pas plus que vous ne devrez permettre à d'autres fillettes – et plus tard à d'autres femmes – de s'immiscer entre vous.

Nous refîmes en sens inverse les dix pas qui nous séparaient du palanquin. Pendant de longs mois, marcher avait été un tel supplice... Mais aujourd'hui, j'avais l'impression d'être Yao Niang, la première femme à avoir eu de très petits pieds. Lorsque cette créature légendaire dansait sur un lotus doré, elle donnait l'illusion de flotter sur un nuage. À son image, je me sentais soulevée à chacun de mes pas par un bonheur immense.

Les porteurs nous emmenèrent jusqu'au centre de la foire. Lorsque nous fîmes halte, cette fois-ci, nous étions au beau milieu du marché. Au sommet d'un petit remblai, j'aperçus les tuiles vertes du temple et les murs rouges de l'enceinte, ornés de bas-reliefs dorés. Madame Wang nous glissa à chacune une pièce d'argent dans la main, en nous disant d'acheter des cadeaux pour célébrer cette journée. On ne m'avait jamais laissée choisir quelque chose par moi-même et encore moins, il va de soi, confié de l'argent pour que je le dépense à ma guise. Je serrais religieusement ma pièce, tout en tenant la main de Fleur de Neige. Je me demandais ce qui pourrait bien lui faire plaisir, mais il y avait tellement de merveilles autour de moi que je ne savais plus où donner de la tête.

Heureusement, Fleur de Neige prit une nouvelle fois l'initiative.

— Je sais où il faut aller ! s'exclama-t-elle.

Elle s'élança comme si elle s'apprêtait à courir mais s'arrêta au bout de quelques pas, le visage crispé de douleur.

— J'oublie toujours ces fichus pieds, gémit-elle.

Les miens avaient dû cicatriser plus vite et une bouffée de déception m'envahit à l'idée que nous n'allions pas pouvoir explorer les lieux comme nous l'aurions – enfin, comme *je l'aurais* souhaité.

— Marchons lentement, dis-je. Nous n'avons pas besoin de tout visiter cette fois-ci...

— ... puisque nous reviendrons ici l'an prochain, compléta Fleur de Neige en serrant fortement ma main.

Quel spectacle devions-nous présenter : deux *laotong* le jour de leur première sortie, marchant tant bien que mal sur leurs pieds vacillants, houspillées par une vieille entremetteuse aux vêtements voyants qui courait derrière elles en criant : « Tenez-vous correctement, ou nous rentrons immédiatement à la maison ! » Heureusement, nous n'eûmes pas à aller bien loin. Fleur de Neige me poussa tout à coup dans une échoppe qui vendait des articles de broderie.

— Nous sommes pour l'instant dans nos années d'enfance, dit-elle en inspectant l'étalage de fils multicolores. Jusqu'à notre mariage, nous allons passer l'essentiel de notre temps au sein de l'appartement des femmes, à faire de la broderie et à converser ensemble. Si nous effectuons nos achats avec soin, nous pourrons engranger des souvenirs qui nous accompagneront des années durant.

Une fois dans la boutique, nous nous aperçûmes que nous avions les mêmes goûts. Nous étions attirées par les mêmes couleurs, tout en choisissant certains fils qui nous plaisaient moins, mais qui pouvaient s'avérer utiles pour compléter un motif – le détail d'une feuille ou l'ombre d'une fleur. Nous tendîmes ensuite nos piécettes au marchand et rejoignîmes le palanquin, nos emplettes à la main. Une fois à l'intérieur, Fleur de Neige supplia Madame Wang de nous accorder une dernière faveur :

— S'il vous plaît, ma tante, emmenez-nous chez le marchand de taros ! S'il vous plaît…

Comprenant que Fleur de Neige utilisait cette épithète familière pour infléchir l'attitude un peu hautaine de Madame Wang, et encouragée une fois encore par la hardiesse de ma *laotong*, je joignis ma supplique à la sienne :

— S'il vous plaît, ma tante…

Madame Wang pouvait difficilement se dérober, alors que nous la tirions par la manche chacune de notre côté et la pressions de céder à ce nouveau caprice, avec une insistance qu'on aurait à peine tolérée de la part d'un fils aîné.

Elle finit par céder, en nous avertissant qu'une telle faveur n'était pas prête de se reproduire.

— Je suis une pauvre veuve et dépenser autant d'argent pour entretenir deux rameaux sans valeur ne peut que nuire à mon crédit dans le comté. Vous voulez donc que je me retrouve sur la paille ? Que je meure abandonnée de tous ?

Elle avait prononcé ces paroles sur le ton abrupt et tranchant qui lui était familier, mais tout était déjà préparé à notre intention lorsque nous arrivâmes chez le marchand. Une petite table avait été dressée, et trois tonneaux installés autour en guise de sièges.

Le propriétaire arriva, brandissant d'un air jovial un poulet encore vivant.

— Je choisis toujours la meilleure qualité pour vous, Madame Wang, s'exclama le vieux Zuo.

Quelques minutes plus tard, il vint déposer sur notre table une marmite que des braises maintenaient au chaud, dans un compartiment spécial. Un potage agrémenté de ciboule et de gingembre bouillonnait à l'intérieur, avec les morceaux du poulet qu'on venait de nous présenter. Une sauce tiède à base de ciboule, d'ail et de petits morceaux de gingembre imprégnés d'huile de sésame nous fut également servie en accompagnement. Une assiette de pois frais et de gousses d'ail sautés complétait le menu. Le repas fut un vrai régal : nous attrapions les morceaux de poulet les plus savoureux du bout de nos baguettes et les mâchions avec délice, avant de recracher les os par terre. Mais je n'oubliais pas de garder un peu de place pour le dessert aux taros dont Fleur de Neige m'avait chanté les louanges. Tout ce qu'elle m'avait dit s'avéra exact, au détail près – y compris la manière dont le sucre chaud grésillait une fois plongé dans l'eau.

Je saisis la théière et nous versai du thé à toutes les trois, comme j'en avais l'habitude à la maison. Mais lorsque je l'eus reposée, j'entendis Fleur de Neige émettre un petit claquement de langue désapprobateur. Une fois de plus, j'avais fait quelque chose de travers, mais j'ignorais quoi. Elle posa sa main sur la mienne, la guida vers la théière et m'aida à faire pivoter l'objet, afin que son bec ne soit plus pointé vers Madame Wang.

— Ce n'est pas correct de laisser le bec tourné en direction de quelqu'un, me dit-elle doucement.

J'aurais dû rougir de honte. Au lieu de ça, je ressentis de l'admiration pour la bonne éducation de ma *laotong*.

À notre retour, les porteurs s'étaient endormis sous les barres du palanquin. Mais Madame Wang eut tôt fait de les réveiller en claquant dans ses mains et nous nous mîmes aussitôt en route. Pendant le trajet du retour, l'entremetteuse nous autorisa à rester assises côte à côte, bien que cela déséquilibrât le poids du palanquin et rendît plus malaisé le travail des porteurs. En y repensant, je revois à quel point nous étions jeunes – deux fillettes qui se mettaient à glousser pour un rien, admiraient leurs fils de couleur en se tenant par la main et soulevant le rideau en douce dès que Madame Wang se mettait à somnoler, pour regarder le monde défiler à travers la fenêtre. Nous étions tellement occupées que nous ne ressentîmes aucun malaise cette fois-ci, malgré les cahots du palanquin qui oscillait, secoué par les porteurs sur le chemin défoncé.

Ainsi se déroula notre première visite à Shexia et au temple de Gupo. Madame Wang nous y reconduisit l'année suivante et nous fîmes à cette occasion nos premières offrandes dans le temple. Elle nous y ramena quasiment tous les ans, jusqu'à ce que nous soyons sorties de l'enfance. Une fois mariées, et lorsque les circonstances le permettaient, nous nous retrouvions à Shexia une fois par an, Fleur de Neige et moi, pour y faire des offrandes dans l'espoir que le ciel nous accorde d'engendrer un fils. Nous allions également faire nos emplettes à la mercerie afin de poursuivre nos travaux de broderie en utilisant chacune les mêmes fils de couleur. Et nous ne manquions pas, en fin de journée, d'aller nous assurer que les taros caramélisés du vieux Zuo étaient toujours aussi succulents.

Nous rejoignîmes Puwei au crépuscule. Ce jour-là, j'avais fait beaucoup plus que de nouer une simple amitié à l'extérieur du cercle familial : j'avais signé un contrat pour devenir la *laotong* d'une autre fillette. Je ne voulais pas que cette journée prenne fin, tout en sachant que cela allait nécessairement être le cas, sitôt que nous aurions atteint la maison. Je me voyais quitter le palanquin et suivre des yeux les porteurs qui emmèneraient Fleur de Neige, tandis que celle-ci agiterait sa petite main dans l'interstice du rideau pour m'adresser un dernier au revoir, avant de disparaître à l'angle de la ruelle. J'ignorais encore que mon bonheur n'était pas destiné à s'interrompre aussi vite.

Le palanquin s'immobilisa et je mis pied à terre. Mais Madame Wang demanda à Fleur de Neige de descendre à son tour.

— Au revoir, mesdemoiselles. Je reviendrai chercher Fleur de Neige d'ici quelques jours.

L'entremetteuse se pencha hors du palanquin, pinça la joue de ma *laotong* et ajouta :

— Comporte-toi correctement. Ne te plains pas. Utilise tes yeux et tes oreilles, pour que ta mère soit fière de toi.

Comment décrire l'impression que je ressentis, à l'instant où nous nous retrouvâmes côte à côte, devant le seuil de ma maison ? Mon sentiment était au-delà du bonheur, mais je n'ignorais pas ce qui nous attendait, une fois à l'intérieur. J'avais beau aimer ma famille, je savais que Fleur de Neige était habituée à un environnement plus reluisant. Et elle n'avait apporté aucun vêtement, aucun nécessaire de toilette.

Maman sortit pour nous accueillir. Elle m'embrassa puis se tourna vers Fleur de Neige, passa un bras autour de ses épaules et lui fit signe de franchir le seuil de notre demeure. En notre absence, ma mère, ma tante et ma sœur aînée s'étaient démenées pour rendre la pièce principale un peu plus présentable. Elles avaient sorti les ordures, évacué le linge qui séchait et les assiettes qui traînaient. Le sol en terre battue avait été balayé, puis arrosé à grande eau, ce qui lui avait redonné un peu de fraîcheur.

Fleur de Neige fut présentée à tous les membres de ma famille, y compris à mon frère aîné. Lorsque l'heure du dîner arriva, elle plongea ses baguettes dans sa tasse de thé afin de les nettoyer. En dehors de ce geste, elle se débrouilla de son mieux pour masquer ses sentiments. Mais mon cœur la connaissait déjà trop bien : Fleur de Neige se forçait à sourire et à faire bonne figure. D'après moi, elle ne pouvait manquer d'être consternée par la manière dont nous vivions.

La journée avait été longue et nous étions épuisées. Lorsque vint le moment de monter à l'étage, j'eus à nouveau un serrement de cœur ; mais là aussi, les femmes de la maisonnée s'étaient montrées efficaces. La literie avait été aérée et le désordre qui caractérisait d'ordinaire nos activités à peu près résorbé : toutes les affaires étaient à leur place, en piles ordonnées. Maman nous montra une cuvette d'eau fraîche destinée à notre toilette, ainsi que trois tenues différentes : deux provenaient de ma garde-robe, l'autre appartenait à ma sœur aînée. Ces vêtements fraîchement repassés étaient destinés à Fleur de Neige, pour le temps où elle serait notre invitée. Je la laissai utiliser la cuvette en premier, mais elle s'humecta à peine le visage, soupçonnant l'eau de ne pas être parfaitement propre, à mon humble avis. Puis elle saisit du bout des doigts la tenue de nuit que je lui tendais et la souleva d'un air suspicieux, comme s'il s'était agi d'un filet de poisson pourri et non du pyjama le plus récent de ma sœur aînée. Elle regarda ensuite autour d'elle et s'aperçut que nous avions toutes les yeux braqués sur elle. Voyant cela, elle se déshabilla sans un mot et enfila la tenue. Nous allâmes ensuite nous étendre l'une à côté de l'autre. Ce soir-là, et pendant toute la durée du séjour de Fleur de Neige, ma sœur aînée devait partager le lit de Belle Lune.

Maman vint nous souhaiter bonne nuit. Puis elle se pencha, m'embrassa et me murmura à l'oreille :

— Madame Wang nous a expliqué comment procéder. Dors en paix, ma petite.

Et c'est ainsi que nous nous retrouvâmes côte à côte, sous une simple couette en coton. Nous n'étions que deux gamines, mais malgré la fatigue de la journée, nous ne pûmes nous empêcher de bavarder encore un moment, en évitant de hausser le ton. Fleur de Neige me demanda de lui parler de ma famille, et moi de la sienne. Je lui racontai comment ma petite sœur était morte et elle m'apprit que la sienne avait succombé à une mauvaise angine. Je lui expliquai que le nom de notre village, Puwei, signifiait dans notre dialecte « village de la Beauté Commune ». Elle me révéla de son côté que Tongkou signifiait « village de la Bouche de Bois » et que je comprendrais pourquoi lorsque je viendrais lui rendre visite.

Le clair de lune tombait à travers les croisillons de la fenêtre, illuminant le visage de Fleur de Neige. Ma sœur aînée et Belle Lune s'étaient endormies, mais nous continuions de parler. On nous enseigne en tant que femmes à ne jamais faire allusion à nos pieds bandés : il s'agit là d'un sujet déplacé et indigne de nous, tout juste susceptible d'enflammer les passions masculines. Mais nous étions des enfants et le processus de notre bandage n'était pas encore terminé. Il ne s'agissait pas d'évoquer de vieux souvenirs, comme je le fais aujourd'hui, mais la douleur et les souffrances que nous éprouvions à l'époque. Fleur de Neige me raconta qu'à l'insu de sa mère, elle était allée trouver son père et l'avait supplié d'avoir pitié d'elle. Il avait presque failli se laisser attendrir, ce qui aurait condamné Fleur de Neige à mener par la suite une existence de vieille fille dans la maison de ses parents, ou de soubrette de second rang dans un autre foyer.

— Mais dès qu'il eut allumé sa pipe, poursuivit Fleur de Neige, mon père oublia sa promesse. Le voyant plongé dans ses rêveries, ma mère et ma tante s'emparèrent de moi, me forcèrent à monter à l'étage et me ligotèrent sur une chaise. C'est pour cette raison que, comme le tien, mon bandage a commencé avec un an de retard.

Une fois son destin scellé de la sorte, elle ne l'avait pourtant pas accepté de gaieté de cœur. Au contraire, elle s'était débattue comme un beau diable au cours des premiers mois, allant même jusqu'à arracher un jour la totalité de ses bandages.

— Ma mère me rebanda les pieds et me ligota encore plus solidement à la chaise, la fois suivante.

— Inutile de lutter contre son destin, dis-je. Tout cela est écrit d'avance.

— C'est ce que ma mère me répète sans arrêt, répondit Fleur de Neige. Lorsqu'elle me détachait, c'était pour m'obliger à marcher, afin que mes os se brisent. Ou lorsque je devais me servir du pot de chambre, évidemment. Pendant tout ce temps, je regardais à travers les croisillons de notre fenêtre. Je voyais les oiseaux voler, les nuages défiler, la lune tour à tour croissante et décroissante. Il se passait tellement de choses dans le ciel que j'en oubliais presque ce qui se déroulait à l'intérieur de la pièce.

Ces sentiments me donnaient le frisson ! Fleur de Neige avait vraiment ce désir d'indépendance propre au signe du Cheval – à ceci près que son cheval avait des ailes qui l'emportaient bien loin de la terre, tandis que le mien était nettement plus lourdaud. Mais cette sorte de désinvolture, ou de résistance à l'égard des barrières qui cloisonnaient nos vies, me faisait déjà frémir intérieurement.

Fleur de Neige se tourna vers moi et nous nous retrouvâmes face à face. Elle posa sa main sur ma joue et dit :

— Je suis heureuse que nous soyons *laotong*.

Puis elle ferma les yeux et s'endormit d'un coup.

Allongée à ses côtés, regardant son visage au clair de lune et ressentant la pression délicate de sa menotte sur ma joue, tout en percevant le rythme régulier de sa respiration, je me demandais comment j'allais obtenir d'elle le genre d'amour dont je rêvais.

Amour

On s'attend à ce que nous aimions nos enfants, nous autres femmes, à peine sont-ils sortis de notre ventre… Mais laquelle d'entre nous n'a pas ressenti une cruelle déception en découvrant qu'elle venait de mettre au monde une fille ? Ou une panique croissante – même s'il s'agissait du fils tant attendu – en berçant sous le regard désapprobateur de sa belle-mère son nourrisson qui n'arrêtait pas de pleurer ? Même si nous aimons nos filles de tout notre cœur, nous devons les élever en leur apprenant à souffrir. Nous aimons nos fils plus que tout au monde, mais nous sommes exclues de leur univers et du monde extérieur des hommes. Nous sommes censées aimer notre époux dès l'instant où a été contracté le lien qui nous unit à lui, alors que nous devrons attendre des années avant de découvrir son visage. On nous enseigne d'aimer nos beaux-parents, mais nous débarquons dans leur famille en étrangère et avec le rang le plus bas, à peine mieux traitées qu'une domestique. On exige que nous aimions et honorions les ancêtres de notre mari et nous exécutons donc les rites et les devoirs appropriés, même si notre cœur se porte plus volontiers vers nos propres ancêtres. Nous aimons nos parents parce qu'ils prennent soin de nous, mais ils nous considèrent comme les branches les plus inutiles de l'arbre familial : nous épuisons leurs ressources et ils nous élèvent pour nous voir partir un jour dans une autre famille. Quel que soit le bonheur que nous éprouvons dans notre foyer d'origine, nous savons toutes que cette séparation sera inéluctable. Nous aimons donc notre famille en ayant conscience que cet amour prendra fin dans la tristesse d'un départ. Ces diverses variétés d'amour naissent du devoir, de la reconnaissance ou du respect. Comme le savent les femmes de notre district, elles sont généralement source de tristesse, de mésentente et de violence.

Mais l'amour qui unit deux *laotong* est de nature bien différente. Comme l'avait dit Madame Wang, cette relation est le fruit d'un choix délibéré. Il est exact que nous n'éprouvions pas, Fleur de Neige et moi, tous les sentiments que nous avions affichés sur notre éventail dans nos premiers messages. Mais lorsque nos regards s'étaient croisés pour la première fois dans le palanquin, j'avais senti passer entre nous un courant particulier – comme une étincelle. Toutefois, une étincelle ne suffit pas à chauffer une pièce, pas plus qu'un grain de riz ne porte la récolte à lui seul. L'amour véritable, profond et sincère, a besoin de temps pour se développer. À l'époque, je ne concevais pas qu'il puisse dévaster un cœur comme un buisson qui s'enflamme. Je le comparais plutôt aux jeunes pousses de riz que j'avais aperçues lors de mes promenades le long de la rivière, avec mon frère aîné, du temps où j'en avais encore le droit. Peut-être allais-je parvenir à faire croître notre amour comme un paysan fait pousser sa récolte – c'est-à-dire en travaillant d'arrache-pied, sans se décourager, et avec l'aide de la nature. C'est drôle que cela me revienne aussi précisément à l'esprit, aujourd'hui encore... Je savais si peu de choses de la vie. Mais assez toutefois pour raisonner comme un paysan ! Ainsi, petite fille – quémandant à mon père une feuille de papier ou à ma sœur aînée un bout de tissu prélevé sur son trousseau – je préparais le terrain où planter mes graines grâce au *nu shu*. Madame Wang, quant à elle, me tenait lieu de digue d'irrigation. Lorsqu'elle faisait halte chez nous, pour s'assurer de la bonne évolution de mon bandage, je lui remettais ma missive – qu'il s'agisse d'une lettre ou d'un mouchoir brodé – et elle la transmettait à Fleur de Neige.

Rien ne pousse jamais sans le concours du soleil – seul élément qui échappe vraiment au contrôle du paysan. Pour moi, le soleil arrivait avec les réponses de Fleur de Neige. Lorsque je recevais un message de sa part, nous nous réunissions toutes pour le déchiffrer, car elle utilisait déjà nombre d'images et de caractères qui excédaient de loin le savoir de ma tante.

Je lui tenais des propos banals, propres à une gamine de mon âge : *Je vais bien. Et toi ?* À quoi elle répondait : *Deux oiseaux ont fait halte dans les hauteurs d'un arbre. Ensemble ils prennent leur envol dans le ciel.* Si je lui écrivais : *Aujourd'hui maman m'a appris à faire des gâteaux de riz gluant, enveloppés dans des feuilles de taro,* Fleur de Neige pouvait fort bien me dire en retour : *Aujourd'hui j'ai regardé à travers les croisillons de ma fenêtre. J'ai pensé au phénix qui s'élève, cherchant une compagne, et j'ai songé à toi.* Lorsque je lui disais : *Une date appropriée vient d'être fixée pour le mariage de ma sœur aînée,* elle me répondait : *Ta sœur vient d'accéder à la deuxième marche du long escalier qui mène au mariage. Elle passera heureusement quelques années encore à tes côtés.* Lorsque je lui demandais : *Je veux tout apprendre et tu es si savante : puis-je être ton élève ?* elle me rétorquait : *J'apprends aussi auprès de toi. C'est pour cela que nous sommes une paire de canards mandarins, édifiant leur nid ensemble.* Et si j'avais écrit : *Mes connaissances sont superficielles et mon écriture grossière, mais j'aimerais que tu sois là pour converser avec toi le soir,* elle se contentait de répondre : *Deux rossignols chantent dans les ténèbres.*

Ses propos m'amusaient et m'inquiétaient à la fois. Elle était intelligente et beaucoup plus cultivée que moi. Mais ce n'était pas cela qui me préoccupait. Dans chacun de ses messages, elle faisait allusion aux oiseaux, à l'envol, à la fuite hors du monde. À cette époque déjà, elle voulait échapper à l'univers qui se présentait à elle. Et moi, malgré mon appréhension, j'aurais bien voulu me jucher sur ses ailes et prendre à mon tour mon essor.

Si l'on excepte l'envoi de l'éventail, au tout début, Fleur de Neige ne prit plus l'initiative de m'adresser quoi que ce soit par la suite et se contenta de répondre à mes divers courriers. Cela ne me dérangeait pas. Je l'arrosais, l'entretenais, la nourrissais avec mes lettres et elle réagissait en m'offrant chaque fois un nouveau bourgeon. Une seule chose me tracassait. Je voulais la revoir. Elle aurait dû m'inviter chez elle à son tour, mais cette invitation tardait à venir.

Un jour, Madame Wang vint nous rendre visite, munie cette fois de l'éventail. Je ne l'ouvris pas en entier, me contentant de déployer les trois premiers plis et de faire apparaître les premiers mots que m'avait envoyés Fleur de Neige, ma propre réponse, puis son nouveau message :

Si ta famille en est d'accord, j'aimerais venir te voir au cours du onzième mois. Nous pourrions ainsi nous asseoir côte à côte, manier l'aiguille et choisir la couleur de nos fils en conversant ensemble.

Dans la frise du haut, elle avait ajouté au feuillage une autre fleur au tracé délicat.

Le jour convenu, j'attendais derrière la fenêtre que le palanquin apparaisse à l'angle de la ruelle. Lorsqu'il s'arrêta devant notre maison, j'aurais voulu dévaler l'escalier et me précipiter dehors pour accueillir ma *laotong*. Mais c'était impossible. Maman sortit sur le perron et la porte du palanquin s'ouvrit. Fleur de Neige en émergea. Elle portait la même tunique bleu ciel que la première fois, avec des broderies en forme de nuages – je finis par croire que c'était sa tenue de voyage, qu'elle la mettait sans doute à chacune de ses visites afin de ne pas embarrasser ma famille, beaucoup moins riche que la sienne.

Elle n'avait apporté aucune tenue de rechange et aucune nourriture, respectant ainsi la tradition.

Madame Wang lui fit les mêmes recommandations que la fois précédente, la pressant de bien se comporter et de ne pas se plaindre, afin que sa mère soit fière d'elle. Debout dans la ruelle, Fleur de Neige lui répondit : « Oui, ma tante », mais je voyais bien qu'elle ne l'écoutait pas, parce qu'elle avait les yeux tournés vers ma fenêtre et cherchait à distinguer les contours de mon visage derrière les croisillons.

Maman porta Fleur de Neige à l'étage. À peine eut-elle mis pied à terre qu'elle se lança dans un discours interminable, sans qu'on puisse l'arrêter. Elle haussait la voix, murmurait, s'esclaffait tour à tour, sur le ton de la confidence, de l'ironie ou de l'admiration. Elle ne ressemblait plus du tout à la fillette dont les rêves d'évasion m'inquiétaient un peu. Elle avait tout simplement envie de jouer, de plaisanter, de se distraire et surtout de parler, de parler sans répit, comme une gamine de son âge.

Je lui avais dit que je voulais être son élève, aussi commença-t-elle le jour même à m'enseigner certaines des règles qui composent *Le Livre des femmes* : ne jamais montrer les dents en souriant, ne jamais élever la voix en s'adressant à un homme… Mais voulant elle aussi se mettre à mon école, elle me demanda ensuite de lui apprendre à fabriquer ces fameux gâteaux de riz gluant. Elle me posa aussi des questions bizarres, concernant la manière dont on puisait de l'eau ou dont on nourrissait les cochons. Je me mis à rire, parce que toutes les gamines savent ce genre de choses. Mais Fleur de Neige me jura que ce n'était pas son cas. J'en conclus qu'elle se moquait de moi. Mais elle insista, en me disant qu'elle était vraiment ignorante en ces matières. Ce fut alors au tour des autres de se moquer de moi :

— Peut-être as-tu oublié comment on puise de l'eau, lança ma sœur aînée.

— Ou comment on nourrit les cochons, ajouta ma tante.

C'en était trop ! Folle de rage, je me mis debout, les poings sur les hanches, et les dévisageai toutes avec irritation. Mais en les voyant me regarder d'un air hilare, ma colère se dissipa et j'eus envie de les faire rire davantage.

Et ce fut certes un amusant spectacle, dans l'appartement des femmes, que de me voir tituber à travers la pièce sur mes pieds encore douloureux, faisant mine d'aller chercher de l'eau au puits ou de me pencher pour ramasser de l'herbe, puis de la mélanger aux épluchures et aux autres ordures ménagères. Belle Lune riait si fort, nous dit-elle, que cela lui donnait envie de faire pipi. Ma sœur aînée, d'ordinaire si sérieuse et absorbée par ses travaux de couture, étouffa un petit rire dans la manche de sa tunique. Lorsque je me tournai vers Fleur de Neige, je vis que ses yeux brillaient et qu'elle battait des mains d'un air ravi. Les choses se passaient ainsi, avec elle. Il suffisait qu'elle débarque ici et prononce trois mots pour me faire accomplir des choses que je n'aurais jamais imaginées. Par sa seule présence, cette pièce que je voyais depuis toujours comme l'enclos des secrets, de la douleur et de l'affliction, se trouvait transformée en une oasis de lumière, de bonne humeur et de gaieté.

En dépit de ses leçons prétendant qu'il fallait toujours s'adresser aux hommes sur un ton de grande humilité, elle n'arrêtait pas de palabrer avec mon père et mon oncle, les faisant rire à leur tour à longueur de repas. Mon plus jeune frère était sans cesse pendu à ses basques ou juché sur ses genoux, comme un petit singe. Il y avait tellement de vie en elle… Partout où elle allait, elle mettait tout le monde de bonne humeur. Elle nous était supérieure – chacun en avait conscience – mais s'arrangeait pour que cela ait l'air d'une aventure. À nos yeux, Fleur de Neige était comme un oiseau rare qui se serait échappé de sa cage et aurait atterri au milieu de notre basse-cour. Et nous nous amusions autant qu'elle.

Ce fut bientôt l'heure de la toilette, avant de nous mettre au lit. Je me rappelais le malaise que j'avais éprouvé lors de la première visite de Fleur de Neige. Je l'incitai à se laver la première, mais elle refusa. Si j'étais passée d'abord, l'eau n'aurait plus été assez propre pour elle. Mais quand je l'entendis me dire : « Nous n'avons qu'à nous débarbouiller ensemble », je compris que mon patient travail de petite paysanne avait porté ses fruits. Nous nous penchâmes toutes les deux au-dessus de la cuvette, nous aspergeant simultanément d'eau fraîche. Fleur de Neige me donna ensuite un coup de coude. Je regardai l'eau et aperçus nos deux visages qui se reflétaient à la surface de la cuvette, au milieu des rides provoquées par les gouttes qui s'écoulaient, aussi bien de ses joues que des miennes. Fleur de Neige eut un petit rire et m'aspergea du bout des doigts. En cet instant de partage, face à face au-dessus de la cuvette, je sus que ma *laotong* m'aimait pour de bon, elle aussi.

ÉTUDE

Fleur de Neige me rendit régulièrement visite au cours des trois années suivantes, une fois tous les deux mois environ. Sa tunique bleu ciel brodée de nuages céda la place à un autre ensemble en soie lavande rehaussée de blanc – étrange association de couleurs pour une fillette de son âge. Mais à peine arrivée dans l'appartement des femmes, elle se changeait et enfilait les vêtements que ma mère avait confectionnés pour elle. Ainsi étions-nous *laotong*, « âmes sœurs », aux yeux de tous et non seulement dans le secret de notre cœur.

Je ne m'étais toujours pas rendue à Tongkou, le village natal de Fleur de Neige. Je ne posais jamais de question à ce sujet, pas plus que je n'entendais les adultes évoquer le caractère inhabituel de la situation. Un jour pourtant, au cours de ma neuvième année, je surpris une conversation entre ma mère et Madame Wang. Elles se trouvaient toutes les deux dehors, sur le seuil de la maison, et leurs répliques parvenaient jusqu'à moi à travers la fenêtre.

— Mon mari dit que c'est toujours à nous de faire des frais pour entretenir Fleur de Neige, murmurait maman, en espérant que nul ne surprendrait ses propos. À chacune de ses visites, nous devons puiser de l'eau supplémentaire pour sa nourriture et sa toilette. Il aimerait savoir quand Fleur de Lis se rendra à son tour à Tongkou, puisque les choses sont censées se dérouler ainsi.

— Elles se déroulent *normalement* ainsi, quand les *huit* caractères coïncident à la perfection, lui rappela Madame Wang. Mais nous savons que tel n'est pas le cas, du moins pour l'un d'entre eux – et non des moindres. Fleur de Neige a noué une alliance avec une famille qui lui est inférieure. (L'entremetteuse marqua une pause, avant d'ajouter :) Je ne vous ai pas entendue émettre la moindre objection à ce sujet, lorsque j'ai entrepris mes démarches.

— Non, mais…

— De toute évidence, vous ne comprenez pas comment se présente la situation, poursuivit Madame Wang d'un air outragé. Je vous ai dit dès le début que j'espérais trouver à Tongkou un parti pour Fleur de Lis. Mais jamais une alliance ne pourra se conclure si l'époux potentiel entrevoit votre fille avant le jour du mariage. De surcroît, la famille de Fleur de Neige n'est pas précisément satisfaite de cette différence de statut social. Vous devriez lui être reconnaissante au contraire de ne pas avoir exigé qu'un terme soit mis au lien qui l'unit à votre fille. Bien sûr, il n'est jamais trop tard pour procéder à un tel changement, si votre mari le souhaite vraiment. Les ennuis qui en résulteraient ne concerneraient que moi.

Que pouvait rétorquer ma mère ?

— Je me suis mal exprimée, lui dit-elle. Je vous en prie, Madame Wang, entrez donc… Voulez-vous un peu de thé ?

J'avais bien perçu la honte et l'inquiétude que ressentait ma mère ce jour-là. Elle ne pouvait en aucun cas risquer de compromettre une telle relation, même si cela faisait peser un fardeau supplémentaire sur les épaules de notre famille.

Vous vous demandez peut-être comment j'avais réagi en apprenant que la famille de Fleur de Neige m'estimait inférieure à elle ? Eh bien, cela ne me faisait ni chaud ni froid, parce que je savais déjà que je ne méritais pas l'affection de ma *laotong*. Je faisais tous les jours de gros efforts pour qu'elle m'accorde autant d'amour que j'en ressentais pour elle. Quant à ma mère, j'étais désolée ou plus exactement gênée à son égard. Elle avait cruellement perdu la face devant Madame Wang. Mais à vrai dire, les soucis de mon père, l'embarras de ma mère et l'inflexibilité de Madame Wang m'indifféraient passablement. Il m'aurait assurément été possible d'aller à Tongkou sans risquer le moins du monde d'y être aperçue par mon futur époux, mais je n'avais pas besoin de m'y rendre en chair et en os pour connaître la vie qu'y menait ma *laotong*. Celle-ci m'en avait déjà raconté bien plus concernant son village, sa famille et son foyer que je n'aurais pu en découvrir de mes propres yeux. Toutefois les choses n'en restèrent pas là.

Madame Wang et Madame Gao étaient depuis toujours en bisbille au sujet de leurs territoires. En tant qu'entremetteuse officielle des habitants de Puwei, Madame Gao avait d'ores et déjà négocié un bon mariage pour ma sœur aînée et déniché dans un autre village une jeune fille susceptible d'épouser mon frère aîné. Elle espérait donc jouer un rôle identique pour Belle Lune et moi. Mais Madame Wang – qui avait d'autres visées, concernant mon avenir – avait non seulement changé le cours de mon destin et celui de ma cousine, mais aussi celui de Madame Gao : ce n'était plus dans l'escarcelle de cette dernière que l'argent allait tomber. Et comme on le sait, une femme mesquine rumine toujours sa revanche.

Madame Gao se rendit donc à Tongkou pour proposer ses services à la famille de Fleur de Neige. La nouvelle ne mit guère de temps à parvenir aux oreilles de Madame Wang. Et même si leur querelle ne nous concernait pas directement, l'affrontement se déroula entre nos murs, un jour où Madame Wang était venue chercher Fleur de Neige : elle découvrit sa rivale dans la pièce principale, en train de grignoter des graines de potiron et de discuter avec mon père de l'organisation de la cérémonie destinée à déterminer la date du mariage de ma sœur aînée. Aucun mot ne fut prononcé

en présence de mon père – les deux femmes ne manquaient tout de même pas *à ce point* d'éducation.
Madame Gao aurait d'ailleurs fort bien pu éviter
l'affrontement en s'éclipsant une fois ses affaires terminées. Mais au lieu de ça, elle monta à l'étage, s'affala
sur une chaise et entreprit de vanter ses talents d'entremetteuse. De toute évidence, elle soufflait sur les braises pour attiser le feu. Madame Wang ne supporta pas
très longtemps ce manège.

— Seule une chienne en chaleur serait assez folle
pour se risquer dans mon village en cultivant le vague
espoir de m'enlever l'une de mes nièces, lança-t-elle.

— Tongkou n'est nullement votre village, Grande
Sœur, répondit Madame Gao d'une voix doucereuse. Si
vous exerciez vos talents dans ce bourg, pourquoi vien-
driez-vous rôder autour de Puwei ? Selon vos critères,
Fleur de Lis et Belle Lune devraient relever de ma juri-
diction. Est-ce que je me mets à pleurnicher comme
une gamine en bas âge pour une telle bagatelle ?

— J'ai l'intention de nouer d'excellentes alliances
pour ces deux fillettes. Et il en ira de même pour Fleur
de Neige. Je doute que vous puissiez prétendre à un tel
résultat.

— N'en soyez pas si sûre. Vous ne vous êtes pas si
bien débrouillée que ça, concernant sa sœur aînée.
Étant donné les circonstances, je me sens même mieux
placée que vous pour m'occuper de Fleur de Neige.

J'ai omis de préciser que Fleur de Neige était présente
dans la pièce et assistait à cet échange de politesses, où
sa sœur et elle étaient traitées comme de vulgaires sacs
de riz que deux maquignons se seraient disputés. Elle
se tenait aux côtés de Madame Wang, attendant que
celle-ci la ramène chez elle. Dans ses mains se trouvait
le carré de tissu qu'elle venait de broder et qu'elle tri-
potait entre ses doigts, en tirant sur les fils. Elle ne relevait pas les yeux mais je voyais que son visage et ses
oreilles étaient devenus écarlates. Parvenue à ce stade,
la discussion aurait pu s'envenimer. Au lieu de cela,
Madame Wang tendit sa main sillonnée de rides et la

posa doucement sur l'épaule de Fleur de Neige. Jusqu'à cet instant, je n'aurais pas soupçonné que l'entremetteuse fût susceptible d'accorder sa pitié ou son réconfort à quelqu'un.

— Je n'adresse pas la parole aux femmes qui se vautrent dans la boue du ruisseau, lança-t-elle sèchement. Viens, Fleur de Neige. Un long chemin nous attend.

Cet incident nous serait probablement sorti de l'esprit si les deux entremetteuses n'étaient restées à couteaux tirés par la suite. Dès que Madame Gao apprenait que le palanquin de sa rivale arrivait à Puwei, elle revêtait ses habits les plus voyants, étalait sur ses joues son fard le plus criard et venait rôder autour de notre maison comme... eh bien, ma foi, comme une chienne en chaleur.

Lorsque nous atteignîmes l'âge de onze ans, Fleur de Neige et moi, nos pieds étaient définitivement cicatrisés. Les miens étaient d'une fermeté et d'une taille quasi parfaites, puisqu'ils mesuraient très exactement sept centimètres. Ceux de Fleur de Neige étaient légèrement plus longs et ceux de Belle Lune un peu plus encore, mais d'une forme exquise. Ce dernier point, ajouté aux excellentes connaissances qu'elle avait acquises en matière domestique, faisait de ma cousine un parti très enviable. Maintenant que l'épreuve du bandage était derrière nous, Madame Wang entama les démarches qui devaient aboutir à nos fiançailles respectives, en vue de notre mariage. Nos huit caractères furent comparés à ceux de nos futurs époux et les dates fixées pour les cérémonies.

Comme Madame Wang l'avait prédit, la perfection de mes « lis dorés » me permit de contracter des fiançailles pour le moins inattendues. Elle était parvenue à nouer pour moi une alliance avec la famille Lu, la plus respectable de Tongkou. L'oncle de mon futur époux était un mandarin *jinshi*, qui avait reçu de nombreuses terres de l'empereur, au titre de l'inféodation. L'oncle Lu,

100

comme on l'appelait, n'avait pas d'enfant. Il vivait dans la capitale et s'en remettait à son frère pour l'administration de son vaste domaine. Mon beau-père était en fait le chef du village – c'était lui qui louait des parcelles aux paysans et collectait l'impôt – et chacun supposait que mon futur époux hériterait un jour de sa charge. Quant à Belle Lune, elle devait se marier dans la même bourgade, au sein d'une famille d'un rang moins élevé. Son futur époux était le fils d'un fermier qui travaillait sur une terre quatre fois plus vaste que celle de mon père et de mon oncle. Pour nous, cela représentait une étendue immense, bien inférieure pourtant à celle dont mon futur beau-père avait la charge.

— Belle Lune, Fleur de Lis, nous dit Madame Wang, vous êtes aussi proches que deux sœurs. Et vous allez vous retrouver dans la même situation que ma sœur et moi-même, qui nous sommes toutes les deux mariées à Tongkou. Nous avons connu bien des malheurs, mais nous avons eu la chance de passer toute notre vie l'une près de l'autre.

Et c'était en effet un grand bonheur pour Belle Lune et moi de pouvoir partager ainsi nos années « de riz et de sel », en tant qu'épouses et mères, jusqu'à ce que le veuvage nous impose de rester « assises au calme ».

Fleur de Neige pour sa part devait se marier un peu à l'écart de Tongkou, dans le village voisin de Jintian – c'est-à-dire le « village de la Plaine ». Madame Wang nous certifiait que nous pourrions apercevoir le village et même la maison de Fleur de Neige depuis nos propres fenêtres, Belle Lune et moi. Mais on ne nous dit pas grand-chose de la famille à laquelle Fleur de Neige devait être unie, sinon que son futur époux était natif de l'année du Coq. Ce qui ne laissa pas de nous préoccuper : on sait qu'il ne s'agit pas d'une association idéale, le coq ayant tendance à venir se jucher sur le dos du cheval.

— Ne vous inquiétez donc pas, mesdemoiselles, nous rassura Madame Wang. Le devin a étudié de près l'ensemble des éléments d'eau, de feu, de terre, de métal et de bois. Je vous assure qu'il ne s'agit nullement d'un de ces cas où l'eau et le feu sont condamnés à vivre ensemble. Tout se passera bien.

Et nous lui fîmes confiance.

Les familles de nos fiancés respectifs nous envoyèrent leurs premiers cadeaux sous forme d'argent, de viande et de gâteaux. Mon oncle et ma tante reçurent ainsi une cuisse de cochon, tandis que papa et maman eurent droit à un porc entier, déjà rôti, qui fut découpé en morceaux et réparti à Puwei entre l'ensemble de nos proches, en guise de présents. Nos parents répondirent en envoyant à nos futures familles du riz et des œufs, symboles de fertilité. Il n'y avait plus après ça qu'à attendre l'étape suivante : que nos futurs beaux-parents proposent une date pour la célébration des mariages.

Imaginez notre bonheur. Notre avenir était assuré. Nos futures familles avaient une position bien meilleure que la nôtre. Nous étions encore suffisamment jeunes pour croire que notre bonté suffirait à résoudre les problèmes que nous pourrions rencontrer auprès de nos belles-mères. Nous avions certes du pain sur la planche. Mais par-dessus tout, nous étions heureuses de pouvoir rester proches l'une de l'autre.

Ma tante continuait à nous enseigner le *nu shu*, et notre éducation se poursuivait aussi au contact de Fleur de Neige qui, à chacune de ses visites, ne manquait pas de nous apprendre de nouveaux caractères. Il lui arrivait d'en dénicher certains en farfouillant dans les cahiers de son frère – car nombre de caractères *nu shu* sont la version simplifiée de ceux qu'utilisent les hommes. Mais les autres lui étaient transmis par sa mère, particulièrement versée dans les arcanes de notre écriture secrète. Nous passions des heures à nous exercer pour les reproduire, traçant les traits du bout des doigts dans la paume de nos mains. Ma tante nous recommandait toujours de faire très attention en les employant, car en raison de leur caractère phonétique, nous nous exposions à un certain nombre de confusions.

— Chaque mot doit être replacé dans son contexte, nous rappelait-elle toujours à la fin de notre leçon quotidienne. Bien des drames peuvent résulter d'une simple erreur d'interprétation.

Une fois cette exhortation formulée, ma tante nous récompensait de nos efforts en nous racontant une nouvelle fois l'histoire romantique de la femme qui était à l'origine de cette écriture secrète, dans notre région :

— Voici bien longtemps, à l'époque des Song, il y a sans doute plus de mille ans, l'empereur Zhezong cherchait à travers le royaume une nouvelle concubine. Il voyagea longuement et finit par arriver dans notre contrée, où il entendit parler d'un fermier nommé Hu, un homme de bon sens et d'une certaine éducation qui vivait dans le village de Jintian – oui, celui-là même où notre Fleur de Neige doit aller s'installer après son mariage. Maître Hu avait un fils, un lettré de haut rang qui avait brillamment réussi aux concours impériaux. Mais la personne qui intriguait le plus l'empereur était la fille aînée du fermier, dont le nom était Yuxiu. Il aurait été difficile de la considérer comme une branche inutile, car son père avait veillé à son éducation. Elle avait appris l'écriture des hommes et pouvait réciter de nombreux poèmes classiques. Elle connaissait l'art de la danse et du chant. Quant à ses travaux de broderie, ils étaient d'une délicatesse remarquable. Tout cela convainquit l'empereur qu'elle ferait une excellente concubine impériale. Il rendit visite à maître Hu, négocia avec lui le départ de sa fille et, peu après, Yuxiu se mit en route pour rejoindre la capitale. Une histoire qui finit bien, me direz-vous ? Sous un certain angle, oui. Maître Hu reçut de très nombreux présents et Yuxiu connut la vie de la cour, l'univers « du jade et de la soie ». Mais je vous certifie, jeunes filles, que même une personne aussi fine et cultivée qu'elle ne put éviter la douleur et la peine qui l'envahirent le jour où elle quitta sa famille natale. Comme les larmes coulaient sur les joues de sa mère ! Comme ses sœurs pleuraient, submergées de tristesse ! Mais aucune d'entre elles n'éprouvait une plus grande douleur que Yuxiu elle-même.

Nous connaissions déjà le début de l'histoire. La séparation de Yuxiu et de sa famille marquait seulement le commencement de ses tribulations – et de sa constante affliction. En effet, elle ne réussit pas à capter très longtemps l'intérêt de l'empereur, qui se lassa rapidement de son beau visage, rond comme la lune, de ses yeux en amande, de ses lèvres aussi rouges que des cerises. Et ses talents – aussi remarquables aient-ils paru dans le district de Yongming – s'avérèrent insignifiants, comparés à ceux des autres dames de la cour. Pauvre Yuxiu… Rien ne la prédisposait aux intrigues du palais. Les autres épouses et les concubines impériales n'avaient que faire d'une fille de la campagne. En proie à la tristesse et à la solitude, elle n'avait aucun moyen de communiquer avec sa mère et ses sœurs sans que ses messages tombent sous le regard d'autrui. Un mot déplacé de sa part aurait suffi à la faire décapiter ou jeter au fond d'un puits, condamnée au silence éternel dans les souterrains du palais.

— Jour et nuit, poursuivait ma tante, Yuxiu gardait ses sentiments par-devers elle. Les méchantes femmes de la cour, tout comme les eunuques, la regardaient avec mépris faire ses travaux de broderie ou pratiquer la calligraphie, et ne manquaient jamais une occasion de se moquer d'elle. « Quel style négligé ! » s'exclamaient-elles. Ou encore : « Regardez donc cette petite guenon qui nous arrive de la campagne et qui essaie d'imiter l'écriture des hommes ! » Toutes ces remarques témoignaient de leur cruauté. Mais Yuxiu ne cherchait nullement à imiter l'écriture des hommes. Elle la transformait au contraire, l'élaguait, la féminisait, allant même parfois jusqu'à inventer de nouveaux caractères, qui n'avaient rien à voir avec ceux qu'ils employaient. L'air de rien, elle était en train d'inventer un code secret, qu'elle allait utiliser pour écrire à sa mère et ses sœurs.

Nous nous étions souvent demandé, Fleur de Neige et moi, comment ces dernières étaient parvenues à déchiffrer le code secret de Yuxiu et, ce jour-là, ma tante ajouta à son récit une explication à ce propos :

— Peut-être un eunuque bien intentionné avait-il réussi à leur faire passer une lettre dans laquelle Yuxiu révélait sa méthode. À moins que ses sœurs, après n'y avoir tout d'abord rien compris, aient peu à peu déchiffré son système et ses caractères simplifiés. Quoi qu'il en soit, au bout d'un certain temps, les femmes de sa famille inventèrent à leur tour de nouveaux caractères phonétiques, qu'elles interprétaient en fonction du contexte – tout comme vous, jeunes filles, apprenez à le faire aujourd'hui. Mais ce sont là des précisions qui relèvent de la sphère des hommes, ajouta-t-elle d'un air sévère, en nous rappelant que ces questions n'étaient pas de notre ressort. Ce que nous enseigne la vie de Yuxiu, c'est qu'elle a découvert le moyen de partager les sentiments qu'elle éprouvait et que cette méthode s'est transmise jusqu'à nous, à travers d'innombrables générations.

Nous restâmes un moment silencieuses, songeant au destin de cette concubine solitaire. Puis ma tante se mit à chanter et nous l'imitâmes toutes les trois, tandis que maman nous écoutait en silence. C'était une chanson triste, dont la tradition prétendait qu'elle remontait aux pleurs versés par Yuxiu elle-même. Et nos voix aujourd'hui faisaient écho à sa tristesse ancienne :

Mes mots sont imprégnés des larmes de mon cœur
Invisible révolte, qu'aucun homme ne voit
Mais l'histoire de nos vies a un masque tragique
Ô ma mère, ô mes sœurs, de grâce écoutez-moi !

Les dernières notes flottèrent un instant dans l'air, avant de s'échapper à travers les croisillons de la fenêtre et de se dissiper dans la ruelle.

— Souvenez-vous bien, jeunes filles, ajouta ma tante, que tous les hommes ne sont pas empereurs, mais que toutes les filles doivent un jour quitter leur foyer pour aller se marier. Yuxiu a inventé le *nu shu* pour que les femmes de notre district puissent conserver leurs liens avec leurs familles d'origine.

Nous ramassâmes nos aiguilles et reprîmes nos travaux de broderie. Le lendemain, ma tante nous raconterait une fois encore cette histoire.

L'année de nos treize ans, à Fleur de Neige et moi, le champ de nos études s'étendit brusquement dans plusieurs directions. Fleur de Neige avait reçu une brillante éducation artistique au sein de sa famille. Mais en matière de travaux domestiques, elle n'en savait vraiment pas lourd : aussi me suivait-elle à la trace dans mes diverses activités. Nous nous levions à l'aube pour allumer le feu de la cuisine. Après avoir fait la vaisselle, nous préparions la nourriture destinée aux cochons. À midi, nous sortions quelques instants pour aller cueillir des légumes frais dans le potager. Puis nous préparions le repas. Autrefois, c'était ma mère et ma tante qui se chargeaient de ces corvées, mais elles se contentaient désormais de superviser notre travail. Nous passions l'après-midi dans l'appartement des femmes et lorsque le soir arrivait, nous aidions à préparer et à servir le dîner.

Chaque jour, chaque instant qui passait comportait une nouvelle leçon. Toutes les jeunes filles de notre maisonnée – et je compte Fleur de Neige parmi elles – s'appliquaient à leurs tâches. Belle Lune était particulièrement douée en couture, alors que Fleur de Neige et moi manquions de la patience nécessaire. J'aimais faire la cuisine, mais le tissage et la broderie ne me passionnaient guère. Aucune parmi nous n'aimait faire le ménage, mais Fleur de Neige témoignait à cet égard d'une maladresse particulière. Ma mère et ma tante se gardaient cependant de la houspiller au même titre que ma cousine et moi, lorsque le sol n'était pas balayé comme il fallait ou que les vêtements paternels étaient mal repassés. Je crois qu'elles faisaient preuve d'indulgence à son égard, sachant que Fleur de Neige aurait plus tard des domestiques et serait ainsi dispensée de ces corvées. Pour ma part, j'interprétais différemment sa maladresse. Jamais elle n'apprendrait à faire correctement le ménage, parce qu'elle avait l'air de flotter au-dessus des contingences pratiques de l'existence.

Nous apprenions aussi au contact des hommes de ma famille, même si ce n'était pas de la manière qu'on pourrait croire. Jamais mon père et mon oncle ne nous auraient directement enseigné quelque chose, cela aurait été inconvenant à leurs yeux. Mais je découvrais la nature des hommes en observant le comportement de Fleur de Neige et la façon dont mon père et mon oncle réagissaient à son égard. Le *congee* est l'un des plats les plus simples qui soient à préparer – il suffit de jeter une poignée de riz dans une grande marmite d'eau bouillante et de le laisser cuire en remuant sans arrêt, pendant un bon moment. Nous laissions donc Fleur de Neige s'en occuper pour le repas du matin. Depuis qu'elle s'était aperçue que papa aimait la ciboule, elle ne manquait jamais d'en rajouter une portion supplémentaire dans son bol. Pour le dîner, ma mère et ma tante s'étaient toujours contentées de dresser le couvert sur la table, en laissant les hommes se servir. Mais Fleur de Neige faisait le tour de la table en leur présentant les plats à tour de rôle, le buste et la tête inclinés, commençant par mon père, puis mon oncle et mon frère aîné, avant de terminer par mon petit frère. Elle se tenait juste assez en retrait par rapport à eux pour ne pas manifester une trop grande intimité, sans jamais se départir d'une grâce exquise. Et je compris qu'en raison des prévenances qu'elle avait pour eux, ils faisaient à leur tour attention et évitaient de manger bruyamment, de cracher par terre ou de se gratter le ventre une fois la dernière bouchée avalée. Ils lui adressaient au contraire un sourire et échangeaient quelques mots avec elle.

Ma soif de connaissance débordait largement ce qu'on enseigne d'ordinaire dans l'appartement des femmes – et même la stricte étude du *nu shu*. Je voulais en savoir davantage, concernant mon avenir. Heureusement, Fleur de Neige adorait parler et elle faisait souvent allusion à Tongkou. Elle avait désormais fait de nombreux allers et retours entre les deux villages et connaissait le trajet par cœur.

— Quand tu partiras habiter chez ton mari, m'expliquait-elle, tu traverseras la rivière, puis de nombreuses rizières, en prenant la direction des collines qu'on aperçoit à la sortie de Puwei. Tongkou est édifié au creux de ces collines qui, comme leurs habitants, résisteront à tout. C'est du moins ce que prétend mon père. À Tongkou, nous sommes à l'abri des tremblements de terre, de la famine et des pillards. Le *feng shui* y est d'une rare perfection.

Comme j'écoutais Fleur de Neige, l'image de Tongkou ne cessait de grandir dans mon imagination. Mais ce n'était rien comparé à ce que je ressentais lorsqu'elle me parlait de mon mari et de ma future belle-famille. Ni Belle Lune ni moi n'étions présentes lorsque mon père et mon oncle avaient discuté avec Madame Wang, mais nous connaissions le décor dans ses grandes lignes, comme n'importe qui dans la région. Tous les gens qui vivaient à Tongkou appartenaient au clan des Lu et nos futures familles étaient prospères. C'était là l'essentiel, aux yeux de nos parents, mais nous aurions voulu en savoir davantage concernant nos maris, nos belles-mères et les femmes au milieu desquelles nous allions devoir vivre. Seule Fleur de Neige pouvait répondre à ces questions.

— Tu as de la chance, Fleur de Lis, me dit-elle un jour. J'ai vu le fils Lu que tu vas épouser, c'est mon cousin au troisième degré. Ses cheveux ont des reflets bleu nuit et il est gentil avec les filles. Il a partagé un gâteau de lune avec moi, alors que rien ne l'y obligeait.

Elle m'apprit que mon futur époux était natif de l'année du Tigre, un signe intrépide et fougueux comme le mien, ce qui était de bon augure pour notre association. Elle me révéla ensuite un certain nombre de choses qu'il était nécessaire que je sache avant d'aller m'établir dans la famille Lu.

— C'est une maison où il y a beaucoup de va-et-vient, m'expliqua-t-elle. En tant que chef du village, maître Lu reçoit de nombreux visiteurs, venus parfois de très loin. Par ailleurs, beaucoup de gens vivent sous son toit. Il n'a pas de filles, mais des belles-filles viendront s'y ajouter par la suite. Tu seras la première d'entre elles, aussi ton rang sera-t-il élevé au début. Si tu mets assez vite un fils au monde, ta position sera définitivement assurée. Ce qui ne veut pas dire que tu n'auras pas à connaître le même genre de problèmes que Yuxiu, la concubine de l'empereur. Bien que l'épouse de maître Lu lui ait donné quatre fils, il a eu trois concubines. Il y était d'ailleurs pratiquement contraint, en tant que chef de village : c'était une manière de manifester sa puissance, aux yeux de la population.

Cela aurait dû me tracasser davantage. Après tout, si le père avait pris des concubines, il était vraisemblable que le fils fasse de même. Mais j'étais si jeune, et si innocente, que cela ne me vint pas à l'esprit. Et même si tel avait été le cas, jamais je n'aurais imaginé les conflits qui pouvaient en résulter. Mon univers se limitait à mes parents, à ma tante et à mon oncle – je ne voyais pas au-delà.

Fleur de Neige se tourna vers Belle Lune qui, comme à l'ordinaire, attendait patiemment que nous lui prêtions attention, et lui dit :

— Je suis heureuse pour toi aussi, Belle Lune. Je connais très bien la famille qui va t'accueillir. Ton futur époux, comme tu le sais, est natif de l'année du Sanglier. Il est d'un naturel robuste, aimable et réfléchi. Avec ton caractère réservé, tu ne manqueras pas de t'entendre à merveille avec lui. Encore une association parfaite.

— Et ma belle-mère ? s'enquit timidement Belle Lune.

— Cette Madame Lu vient tous les jours rendre visite à ma mère. Elle a bon cœur, davantage même que je ne pourrais jamais te le révéler.

Des larmes s'étaient mises à briller dans les yeux de Fleur de Neige. Le phénomène était si inhabituel que nous nous mîmes à pouffer, Belle et Lune et moi, croyant qu'il s'agissait d'un jeu. Ma *laotong* se ressaisit immédiatement.

— Un fantôme est venu me chatouiller les yeux ! s'exclama-t-elle avant de se joindre à nos rires puis de reprendre son discours au point où elle l'avait laissé : Tu seras très heureuse, Belle Lune. Tout le monde t'aimera du fond du cœur. Et mieux encore, tu pourras te rendre chaque jour dans la maison de Fleur de Lis, tellement vous vivrez à proximité l'une de l'autre.

Fleur de Neige reposa ensuite les yeux sur moi.

— Ta belle-mère est très traditionaliste, me dit-elle. Elle respecte scrupuleusement les règles qui s'appliquent aux femmes. Elle est très mesurée dans ses propos et vêtue avec soin. Et lorsque des invités arrivent, il y a toujours du thé chaud pour eux, prêt à être servi.

Fleur de Neige m'ayant appris comment il fallait se comporter dans ces diverses circonstances, je ne redoutais guère de commettre un impair.

— Il y a plus de domestiques dans cette maisonnée qu'il n'y en a jamais eu dans ma famille, reprit-elle. Tu n'auras donc pas à faire la cuisine, sauf éventuellement pour préparer un plat particulier à l'intention de ta belle-mère. Et tu n'auras pas à t'occuper de tes enfants à leur naissance, sauf bien sûr si tu le souhaites.

Lorsque je l'entendais me tenir de pareils propos, je me demandais si elle avait toute sa raison. Mais je lui posai d'autres questions au sujet de mon beau-père. Elle réfléchit un moment avant de me répondre :

— Maître Lu est d'un naturel généreux et compatissant. Ce qui ne l'empêche pas d'être rusé, sans quoi il ne serait pas chef du village. Tout le monde le respecte et respectera de la même manière son fils et sa belle-fille. Tu as beaucoup de chance, ajouta-t-elle en me fixant de ses yeux pénétrants.

Avec le tableau qu'elle m'avait dressé, comment aurais-je imaginé mon existence à Tongkou autrement qu'aux côtés d'un mari attentionné et entourée de fils affectueux, proches de la perfection ?

Le domaine de mes connaissances commençait à s'étendre largement au-delà de mon village. Fleur de Neige et moi étions déjà allées cinq fois à Shexia : chaque année, nous escaladions les marches du temple de Gupo et allions déposer nos offrandes devant l'autel, en faisant brûler de l'encens. Puis nous nous rendions au marché, où nous achetions du papier et des fils de couleur. Nous finissions toujours la journée en allant faire honneur aux taros caramélisés du vieux Zuo. Aussi bien à l'aller qu'au retour, nous profitions du sommeil de Madame Wang pour mettre le nez hors du palanquin et contempler le paysage. Nous apercevions les petits sentiers qui partaient de la route principale et rejoignaient d'autres villages, un peu plus loin. Nous longions des rivières et des canaux. Nos porteurs nous apprenaient que c'était grâce à ces voies d'eau que la région était reliée au reste du pays. Enfermées dans l'appartement des femmes, nous n'avions guère idée de ce qui se passait au-delà de nos quatre murs. Mais les hommes de notre district n'étaient pas contraints au même isolement. S'ils le voulaient, ils pouvaient fort bien voyager et se rendre à peu près n'importe où par bateau.

À cette époque, Madame Wang et Madame Gao débarquaient chez nous à tout bout de champ, tels deux volatiles affolés. Pensez-vous qu'une fois nos engagements officiellement conclus, ces deux-là allaient nous laisser en paix ? Elles devaient au contraire nous surveiller, nous flatter et conspirer sans répit, afin de ne pas compromettre leur investissement. Tout pouvait tourner court, du jour au lendemain. De toute évidence, elles se faisaient du souci pour ces quatre mariages censés se succéder au sein de la même famille. Comment mon père allait-il parvenir à réunir la somme exigée par la famille de la future épouse de mon frère aîné, sans parler de la dot des trois filles et – c'était là l'essentiel – des honoraires destinés aux deux entremetteuses ? Mais durant l'été de mes treize ans, la bataille que celles-ci se livraient dégénéra brusquement et franchit un palier supplémentaire.

Tout commença de manière on ne peut plus banale. Nous étions à l'étage et Madame Gao – visant implicitement la nôtre – se plaignait que les familles de la région ne payaient pas leurs honoraires à temps.

— La récente révolte des paysans dans les collines environnantes rend la situation difficile pour tout le monde, souligna-t-elle. Les marchandises n'arrivent plus et ne partent pas davantage. Plus personne n'a de liquidités. J'ai entendu dire que certaines jeunes filles avaient dû rompre leurs engagements, parce que leurs familles n'étaient pas en mesure de réunir la dot. Elles vont devoir se contenter du rôle de soubrettes de second rang.

Que la situation soit devenue difficile dans notre district n'était un secret pour personne. Mais ce que déclara ensuite Madame Gao nous surprit davantage :

— La petite demoiselle Fleur de Neige elle-même n'est pas à l'abri d'un tel risque. Il est encore temps pour moi de songer à lui trouver un parti plus approprié.

J'étais heureuse que Fleur de Neige ne fût pas dans la pièce pour entendre une telle insinuation.

— Vous parlez d'une famille qui compte parmi les plus distinguées du comté, rétorqua Madame Wang d'une voix qui n'était plus du tout mielleuse, mais aussi tranchante qu'un rasoir.

— Vous voulez sans doute dire *comptait*, Grande Sœur... Le chef de cette famille a perdu beaucoup d'argent au jeu. Sans parler de ce que lui ont coûté ses nombreuses concubines.

— Il n'a fait que se plier aux exigences de sa charge et de sa position sociale. Mais votre ignorance vous sera pardonnée : tout ce qui est élevé vous est naturellement étranger.

— Ah, vous me faites bien rire ! s'exclama Madame Gao. Et vous ne manquez pas d'aplomb, de débiter ainsi vos mensonges comme autant de vérités ! Tout le comté est au courant de la situation de cette famille. Ajoutez à cela les rébellions locales, les mauvaises récoltes et le laisser-aller ambiant. Nul besoin d'être devin pour entrevoir ce qui risque d'en découler...

Ma mère se leva brusquement.

— Madame Gao, lança-t-elle, je vous suis reconnaissante de ce que vous avez fait pour mes enfants. Mais il se trouve que ce sont *encore* des enfants et qu'ils n'ont pas à entendre des propos de ce genre. Je ne vais donc pas vous retenir plus longtemps, car je suis sûre que d'autres visites vous attendent.

Maman tira pratiquement Madame Gao de son siège et la poussa vers l'escalier. Dès qu'elles furent hors de vue, ma tante versa du thé à Madame Wang, qui était restée immobile sur sa chaise, le regard dans le vague, plongée dans ses pensées. Puis elle cligna des yeux, parcourut la pièce du regard et m'appela auprès d'elle. J'avais treize ans et elle m'effrayait encore : j'avais fini par l'appeler « ma tante » mais dans mon esprit elle était toujours la redoutable Madame Wang. Lorsque je me fus approchée, elle m'attira contre elle, m'empoigna par les bras et referma ses cuisses autour de moi, comme elle l'avait fait lors de sa première visite.

— Ne répète jamais à Fleur de Neige ce que tu viens d'entendre, me dit-elle. Tu as compris : *jamais*. C'est une jeune fille innocente, il est inutile que les saletés proférées par cette vieille rombière lui corrompent l'esprit.

— Oui, ma tante.

— *Jamais !* insista-t-elle en me secouant comme un prunier.

— Je vous le promets.

Sur le moment, je n'avais pas compris la moitié des paroles qui avaient été échangées. Et même si tel avait été le cas, qu'est-ce qui aurait pu me pousser à rapporter à Fleur de Neige de semblables ragots ? Je l'aimais et je n'aurais pas voulu la blesser en lui répétant les propos venimeux de Madame Gao.

J'ajouterai seulement ceci : maman avait dû en parler à papa, parce qu'à compter de ce jour Madame Gao ne fut plus jamais autorisée à franchir le seuil de notre demeure. Les tractations qu'il fallut mener par la suite avec elle se déroulèrent à l'extérieur : quelques sièges étaient placés pour l'occasion dans la ruelle, devant notre maison. Cela montre à quel point mes parents respectaient Fleur de Neige. Elle était ma *laotong* mais ils l'aimaient autant que moi, comme leur propre fille.

Le dixième mois de ma treizième année arriva. Derrière les croisillons de la fenêtre, le ciel d'été chauffé à blanc cédait lentement la place au bleu intense et profond de l'automne. Un mois nous séparait encore du mariage de ma sœur aînée. La famille de son futur époux lui avait fait porter ses ultimes présents. Ses sœurs adoptives avaient vendu l'un de leurs vingt-cinq *jin* de riz afin de lui acheter des cadeaux. Elles étaient venues s'installer chez nous, dans l'appartement des femmes, pour passer auprès d'elle les dernières journées précédant le mariage. D'autres femmes du village débarquaient à l'improviste pour échanger quelques mots, prodiguer leurs conseils et témoigner leur sollicitude. Vingt-huit jours durant, nous psalmodiâmes les chants et les récits traditionnels. Ses sœurs adoptives aidaient la future mariée à terminer ses ultimes travaux de couture et à emballer les chaussures qu'elle avait confectionnées pour chacune des femmes de sa nouvelle famille. Nous travaillions toutes ensemble à la composition des cahiers qui allaient être remis à ma sœur aînée le troisième jour de son mariage et qui devaient servir à la présenter aux autres femmes de son nouveau foyer. Nous nous efforcions bien sûr de choisir les termes les plus appropriés, afin de mettre ses qualités en avant.

Trois jours avant le départ de ma sœur aînée pour son nouveau foyer, eut lieu la journée dite « du Grand Chagrin ». Maman se plaça sur la quatrième marche de l'escalier menant à l'étage, le pied droit sur la marche supérieure, et entonna une complainte :

— Fille aînée, psalmodia-t-elle, tu étais une perle au creux de ma main. Mes yeux sont baignés de larmes, coulant le long de mon visage. Il y aura bientôt une place vide ici.

En réponse à la tristesse de ma mère, ma sœur aînée, ses sœurs adoptives et les femmes du village émirent à leur tour une plainte lancinante : *ku, ku, ku…*

Ce fut ensuite au tour de ma tante, qui chanta sur le même rythme que ma mère. Comme à son ordinaire, elle essayait de se montrer optimiste, au milieu de l'amertume ambiante :

— Je suis dénuée de beauté et de qualités, mais j'ai toujours voulu manifester ma bonne humeur. J'ai aimé mon mari, et il m'a aimée. Nous formons une paire de canards mandarins un peu disgracieux, mais nous avons connu beaucoup de bonheur au cours de notre union et j'espère qu'il en ira de même pour toi.

Mon tour étant arrivé, j'élevai la voix :

— Grande sœur, mon cœur saigne à l'idée de te perdre. Si nous avions été deux frères, rien ne nous aurait séparées. Nous serions restées ensemble, comme l'ont été notre père et notre oncle, comme le seront notre frère aîné et notre petit dernier. La maison paraîtra bien vide sans toi.

Voulant lui faire le plus beau don possible, je psalmodiai ensuite une litanie que m'avait récemment apprise Fleur de Neige, concernant ses futurs devoirs :

— Tout le monde doit s'habiller, même s'il se met à faire froid en été ou chaud en hiver : confectionne donc des vêtements pour ta famille sans qu'il soit nécessaire qu'on t'en prie. Même si la table déborde de nourriture, laisse tes beaux-parents se servir en premier. Travaille sans relâche et garde ces trois règles présentes à l'esprit : à l'égard de tes beaux-parents, sois toujours respectueuse et prévenante ; à l'égard de ton mari, sois toujours attentive et conciliante ; à l'égard de tes enfants, sois toujours affectueuse et exemplaire. Si tu respectes ces règles, tu seras bien traitée dans ton nouveau foyer. Et ton cœur sera en paix.

Ce fut ensuite au tour de ses sœurs adoptives. Elles avaient aimé ma sœur aînée, qui s'était toujours montrée prévenante envers elles. Une fois qu'elles seraient toutes mariées, leur petite congrégation se trouverait dissoute. Il ne leur resterait plus que le souvenir de ces journées passées ensemble à tisser et à broder. Et les mots inscrits dans leurs cahiers de mariage, qui leur apporteraient un peu de consolation au cours des années à venir. Quand l'une d'entre elles viendrait à mourir, les autres assisteraient aux funérailles et brûleraient ces pages rédigées jadis, afin d'accompagner la défunte dans l'au-delà. Et même si le départ de ma sœur aînée leur serrait le cœur, elles espéraient sincèrement qu'elle serait heureuse.

Une fois que tout le monde eut chanté et pleuré à satiété, Fleur de Neige intervint à son tour :

— Au lieu de chanter pour toi, dit-elle, j'aimerais te montrer ce que nous avons trouvé, ta sœur et moi, pour que tu sois toujours présente à nos côtés.

À ces mots, elle tira notre éventail de sa manche, l'ouvrit et lut les quelques mots que nous y avions inscrits : « *Grande Sœur et tendre amie, généreuse et douce, ton souvenir brille en nous.* » Elle montra ensuite à ma sœur aînée la petite fleur rose qui la représentait et qu'elle avait ajoutée à la frise ornant le bord de l'éventail.

Le lendemain, tout le monde rassembla des feuilles de bambou et alla remplir des seaux d'eau. Lorsque la nouvelle famille de ma sœur aînée arriva, nous leur jetâmes des feuilles, geste symbolique destiné à montrer que l'amour des nouveaux époux garderait toujours la fraîcheur du bambou. Puis nous lançâmes en l'air le contenu des seaux, pour signifier à la famille du marié que son épouse était aussi pure que cette eau nourricière. Des rires et des cris accompagnèrent ces démonstrations qui n'étaient pas dénuées de malice.

Les heures défilaient, rythmées par les repas et les crises de larmes. Le trousseau de la mariée avait été exposé et tout le monde faisait des commentaires élogieux sur la qualité de ses broderies. Toute la journée, et au cours de la nuit suivante, je la trouvai particulièrement belle, malgré ses yeux brouillés de larmes. Le lendemain matin, elle monta dans le palanquin qui allait l'emmener dans sa nouvelle famille. L'assistance fut encore arrosée, aux cris de : « Marier sa fille, c'est comme vider son seau ! » Nous accompagnâmes la procession jusqu'à la sortie du village et la regardâmes franchir le pont puis quitter Puwei. Trois jours plus tard, nous expédiâmes au village où allait s'établir ma sœur aînée une offrande de gâteaux de riz gluant, accompagnant les cahiers que nous avions rédigés et qui devaient être lus à voix haute dans son nouveau foyer. Au lendemain de cette cérémonie, notre frère aîné monta à bord de la carriole familiale et alla chercher notre sœur pour la ramener à la maison, ainsi que la coutume l'exigeait. À l'exception de quelques visites conjugales en cours d'année, elle allait encore vivre parmi nous jusqu'au terme de sa première grossesse.

Mon souvenir le plus précis quant au mariage de ma sœur aînée, concerne son retour au printemps suivant, après qu'elle fut allée rendre visite à la famille de son mari. Elle d'ordinaire si calme – assise à l'écart sur son tabouret, plongée dans ses travaux de couture et n'élevant jamais la voix, n'émettant jamais la moindre objection – s'effondra brusquement, tomba à genoux sur le sol et fondit en larmes, serrant ma mère dans ses bras et plongeant son visage dans les plis de sa robe. Sa belle-mère était tyrannique, elle passait son temps à se plaindre et à la critiquer. Son mari était inculte et grossier. Il fallait qu'elle aille puiser de l'eau et qu'elle fasse la lessive pour toute la famille. Ses mains étaient encore gercées, à cause des travaux qu'on l'obligeait à accomplir. Ces gens refusaient même de la nourrir et disaient pis que pendre de notre famille, sous prétexte que nous ne lui donnions pas de la nourriture en quantité suffisante lorsqu'elle leur rendait visite.

Nous nous étions repliées dans un coin, Belle Lune, Fleur de Neige et moi, poussant de petits gémissements qui témoignaient de notre compassion. Mais au fond de nous – et cela n'ôtait rien à la peine que nous éprouvions pour ma sœur aînée –, nous avions la certitude qu'une telle chose ne nous arriverait jamais. Maman caressait les cheveux de ma sœur et tapotait son dos secoué de sanglots. Je m'attendais à ce qu'elle lui dise de ne pas s'inquiéter, que ses soucis n'étaient que temporaires. Mais pas un mot ne sortit de ses lèvres. D'un air désemparé, elle se tourna vers ma tante, requérant son aide.

— J'ai maintenant trente-huit ans, dit ma tante d'une voix où la résignation l'emportait. J'ai mené une vie misérable. Je suis née dans une bonne famille, mais mon visage ingrat et mes pieds disgracieux ont forgé mon destin. Pourtant, même une femme souffrant d'une tare de même nature que la mienne – qu'elle soit stupide ou laide, muette ou mal formée – finit par trouver un mari, car un homme est toujours en mesure d'engendrer un fils, même s'il n'est pas très futé. Mon père m'a unie à la meilleure famille qu'il pouvait dénicher pour moi. Et j'ai pleuré à cette époque comme toi aujourd'hui. Mais le sort s'est acharné sur moi et je me suis avérée incapable de mettre au monde un garçon. Je suis devenue un fardeau pour ma belle-famille. J'aurais voulu avoir un fils et mener une vie heureuse. Et je préférerais que ma fille ne soit pas obligée de se marier, qu'elle reste au contraire près de moi pour partager mes regrets. Mais tel est le lot des femmes. On ne peut échapper à son sort. Tout est prédestiné.

La révélation de pareils sentiments constituait pour nous un véritable choc, provenant de ma tante – la seule personne de la famille sur laquelle nous avions toujours compté pour détendre l'atmosphère et dont la bonne humeur nous avait constamment soutenues, au fil de nos divers apprentissages. Belle Lune serra fortement ma main dans la sienne. Ses yeux s'étaient emplis de larmes à l'énoncé de ces cruelles vérités, qui n'avaient jusqu'alors jamais été formulées. Du reste, je ne m'étais jamais interrogée au sujet de la vie ingrate qu'avait pu mener ma tante. Mais à présent, en songeant aux années écoulées, je comprenais que derrière ce visage souriant, elle avait sans doute caché et surmonté bien des désillusions.

Ces paroles ne furent pas pour réconforter ma sœur aînée, cela va sans dire. Ses sanglots s'amplifièrent, tandis qu'elle faisait mine de se boucher les oreilles. Il fallait absolument que maman intervienne. Mais lorsqu'elle prit la parole, les mots qu'elle prononça émanaient de la part la plus profonde, la plus obscure et la plus négative du *yin* – c'est-à-dire de sa part féminine.

— Tu es mariée, lui dit-elle sur un ton qui semblait étrangement détaché. Tu vas aller vivre dans un autre village. Ta belle-mère est cruelle. Ton mari ne se soucie pas de toi. Nous préférerions que tu n'aies pas dû partir, mais toutes les filles doivent un jour se marier. Et toutes finissent par s'en accommoder. Tu peux pleurer, nous supplier de revenir parmi nous. Et nous pouvons de notre côté souffrir de ton départ. Mais ni toi ni nous n'avons le moindre choix. Un vieux proverbe le dit on ne peut plus clairement : « Si une fille ne se marie pas, elle n'a pas la moindre valeur ; si le feu ne rase pas la montagne, la terre ne sera jamais fertile. »

LE TEMPS DES CHIGNONS

Première brise

Nous étions maintenant dans notre quinzième année, Fleur de Neige et moi. Nos cheveux étaient coiffés en chignon dans le style « du Phénix », ce qui indiquait que nous n'allions plus tarder à nous marier. Nous travaillions avec application à la constitution de nos trousseaux respectifs. Nous parlions d'une voix douce et marchions avec grâce sur nos pieds en forme de lis. Nous étions devenues de vraies lettrées en matière de *nu shu*, et lorsque nous étions séparées nous nous écrivions pratiquement tous les jours. Une fois par mois, le sang sortait de notre corps. Nous participions aux travaux domestiques, faisant la vaisselle et la lessive, cousant et brodant, balayant le sol et cueillant des légumes dans le potager. Nous étions déjà considérées comme des femmes à part entière, sans endosser pourtant les responsabilités qui sont propres aux épouses. Nous avions toujours la liberté de nous voir quand nous le souhaitions et de passer des heures ensemble à l'étage, penchées l'une contre l'autre et échangeant nos secrets à voix basse, tout en brodant. Nous partagions cet amour dont j'avais tant rêvé lorsque j'étais enfant.

Cette année-là, Fleur de Neige vint séjourner chez nous pour toute la durée de la fête de la Première Brise, qui a lieu pendant la période la plus chaude de l'année, quand les réserves de la saison précédente sont pratiquement épuisées et que la nouvelle récolte n'a pas encore eu lieu. À cette occasion, les épouses – qui ont traditionnellement le rang le plus bas dans toutes les familles – sont renvoyées pour quelques jours et parfois même plusieurs semaines dans leurs foyers d'origine. On qualifie ce moment de « fête », mais c'est plutôt l'occasion pour les belles-familles de chasser de chez elles les bouches indésirables.

Ma sœur aînée venait tout juste de s'établir définitivement dans sa belle-famille. Elle était sur le point de mettre au monde son premier enfant et ne pouvait décemment pas se déplacer pour l'occasion. Maman était en visite dans sa propre famille et avait emmené mon petit frère avec elle. Ma tante s'était également rendue dans son village natal et Belle Lune était allée s'installer en compagnie de ses sœurs adoptives, à l'autre bout de Puwei. L'épouse de mon frère aîné passait dans sa famille la fête de la Première Brise, en compagnie de sa petite fille qui venait de naître. Quant à mon père, mon oncle et mon frère aîné, ils étaient ravis de se retrouver entre hommes. Une fois que nous leur avions servi leur ration de thé chaud, de tabac et de tranches de pastèque, ils nous laissaient en paix, Fleur de Neige et moi. C'est ainsi que pendant trois jours et trois nuits d'affilée, nous nous retrouvâmes seules toutes les deux dans l'appartement des femmes.

La première nuit, nous nous étions étendues côte à côte, encore vêtues de nos tenues d'intérieur, les pieds enveloppés dans nos bandages et nos chaussons de nuit. Nous avions poussé le lit sous la fenêtre à croisillons pour bénéficier d'un peu de fraîcheur, mais il n'y avait pas la moindre brise, malgré les circonstances, et nous baignions dans une chaleur étouffante. La lune ne tarderait plus à être pleine et ses rayons se reflétaient à travers les croisées sur nos visages inondés de sueur. La nuit suivante, comme il faisait encore plus chaud, Fleur de Neige suggéra que nous ôtions nos vêtements de dessus.

— Il n'y a personne, ajouta-t-elle. Nul n'en saura rien.

Cela nous soulagea un peu, mais la chaleur était encore accablante. Lors de la troisième nuit que nous passâmes seules, la lune était pleine et la pièce nimbée d'une lueur bleutée. Lorsque nous eûmes la certitude que les hommes s'étaient endormis, nous nous défîmes de tous nos vêtements, de dessus comme de dessous, et nous retrouvâmes ainsi entièrement nues, à l'exception de nos bandages et de nos chaussons. Nous sentions la brise effleurer nos corps, mais elle manquait décidément de fraîcheur et nous avions toujours aussi chaud que si nous étions restées habillées.

— Ça ne suffit pas, dit Fleur de Neige, formulant à voix haute la pensée qui venait de me traverser l'esprit.

Elle s'assit et saisit notre éventail. Puis elle l'ouvrit et se mit à l'agiter lentement, de long en large, au-dessus de mon corps. L'air qui caressait ma peau n'avait rien perdu de sa chaleur, mais la sensation était loin d'être désagréable. Toutefois, au bout d'un moment, Fleur de Neige fronça les sourcils, referma l'éventail et le reposa. Ses yeux scrutèrent mon visage, puis se posèrent sur mon cou, mes seins, et descendirent le long de mon ventre. J'aurais dû me sentir gênée, vu la manière dont elle me regardait. Mais après tout, elle était ma *laotong* et il n'y avait pas de quoi avoir honte.

Relevant les yeux, je vis Fleur de Neige porter son index à ses lèvres, d'où saillait l'extrémité de sa langue, rose et luisante à la lueur du clair de lune. D'un geste d'une extrême délicatesse, elle humecta le bout de son doigt et le posa sur mon ventre, où elle dessina d'abord un trait vers la gauche, puis un autre vers la droite, suivi d'un signe qui ressemblait à une double croix. Ce contact mouillé sur ma peau était d'une telle fraîcheur que j'en eus la chair de poule. Je fermai les yeux et laissai l'onde se diffuser en moi. Puis, d'un seul coup, la sensation d'humidité disparut. Lorsque j'entrouvris les paupières, Fleur de Neige avait les yeux plongés dans les miens.

— Alors ? me lança-t-elle avant d'ajouter, sans attendre ma réponse : De quel caractère s'agit-il ?

Je compris brusquement ce qu'elle venait de faire : elle avait dessiné sur mon ventre un caractère *nu shu*. Cela faisait des années que nous procédions ainsi, traçant avec un bâton des caractères dans la poussière ou les recopiant du bout du doigt dans le creux de nos mains.

— Je recommence, dit-elle. Mais fais attention.

Elle lécha à nouveau son doigt, tout aussi gracieusement que la première fois. Dès que je sentis ce contact humide sur mon ventre, je ne pus m'empêcher de fermer les yeux. J'avais le souffle coupé et une impression de lourdeur avait gagné l'ensemble de mon corps. Un trait vers la gauche pour le début du mot, un autre en sens inverse, puis deux traits à droite et deux à gauche, formant une double croix. Cette fois encore, je gardai les yeux fermés jusqu'à ce que mes frissons se soient dissipés. Lorsque je les rouvris, Fleur de Neige me fixait d'un air interrogateur.

— « Le lit », dis-je.

— Exact, me dit-elle avant d'ajouter à voix basse : Ferme les yeux, je vais en écrire un autre.

Elle traça cette fois un caractère d'une taille beaucoup plus modeste, tout contre ma hanche droite. Je le reconnus sur-le-champ : il s'agissait du verbe « éclairer ».

Lorsque je le lui dis, elle se pencha et rapprocha son visage du mien en murmurant :

— Très bien.

Le caractère suivant fut tracé d'un seul geste, en travers de mon ventre, rejoignant ma hanche opposée.

— « Clair de lune », dis-je.

Puis je rouvris les yeux et récitai : « Le lit est éclairé à la lueur du clair de lune. »

Fleur de Neige sourit en constatant que j'avais reconnu le premier vers d'un poème de la dynastie des Tang, qu'elle m'avait appris autrefois. Puis nous changeâmes de position. Comme elle l'avait fait tout à l'heure, je contemplai un moment son corps offert à mon regard : son cou élancé, les deux petits monts de ses seins, l'étendue plane de son ventre, attirante comme un carré de soie qu'on s'apprête à broder, les os de ses hanches qui saillaient de part et d'autre, un triangle identique au mien et, enfin, ses deux jambes fuselées qui allaient se perdre dans ses chaussons de nuit en soie rouge.

Il faut se souvenir que je n'étais pas encore mariée et restais parfaitement ignorante des jeux auxquels se livrent les hommes et les femmes. Plus tard seulement, j'appris qu'il n'y a rien de plus intime pour une femme que ses chaussons de nuit, et rien de plus excitant pour un homme que de voir apparaître, tranchant sur leur éclat rouge, la peau nue de sa compagne. Pourtant, cette nuit-là, je dois reconnaître que mon regard s'y attarda... Il s'agissait de ceux que Fleur de Neige portait en été. En les brodant, elle avait entremêlé aux motifs les figures des Cinq Malédictions – c'est-à-dire les mille-pattes, les crapauds, les scorpions, les serpents et les lézards. Il s'agissait là des symboles traditionnellement employés pour conjurer les maux que l'été est suscep-tible d'engendrer : la peste, le choléra, la typhoïde, le typhus et la malaria. Ses broderies étaient parfaites, comme l'était son corps tout entier.

J'humectai mon doigt, sans quitter des yeux la blan-cheur de sa peau. Lorsque mon index mouillé se posa sur son ventre, juste au-dessus du nombril, je sentis qu'elle retenait son souffle. Ses seins se soulevèrent, son ventre se creusa et tout son corps fut parcouru de fris-sons.

— « Moi », dit-elle.

C'était exact. J'écrivis le caractère suivant juste en dessous de son nombril.

— « Croire », dit-elle.

Puis je procédai comme elle l'avait fait, inscrivant le caractère suivant, « briller », contre sa hanche droite et le suivant, « neige », contre sa hanche gauche. Elle connaissait le poème, aussi s'agissait-il moins de recon-naître les mots que de les éprouver physiquement, à même la peau, en les déchiffrant de la sorte. Je m'étais jusqu'alors contentée des parties du corps que Fleur de Neige avait choisies quelques instants plus tôt. Mais je devais maintenant trouver un nouvel emplacement.

J'optai pour l'infime renfoncement, d'une douceur extrême, marquant la jonction de ses côtes, juste au-dessus de l'estomac. Je savais d'expérience que l'endroit est très sensible au toucher, que le geste soit empreint de violence ou de tendresse. Fleur de Neige frémit, tandis que mon doigt y traçait le caractère désignant l'« aube ».

Il me fallait encore inscrire deux mots pour compléter le vers. J'avais bien une idée mais j'hésitai un peu, laissant quelques instants mon index en suspens, sur la pointe de ma langue. Puis, enhardie par la chaleur, le clair de lune et la douceur de sa peau contre la mienne, je posai mon doigt mouillé sur l'un de ses seins. Fleur de Neige entrouvrit les lèvres et laissa échapper un petit gémissement. Elle ne me dit pas de quel caractère il s'agissait et je ne le lui demandai pas. Mais avant de tracer le dernier, je m'allongeai contre elle, afin de mieux mesurer la réaction de son corps à mon contact. Après avoir léché mon doigt, je traçai le caractère et vis la pointe de son sein durcir en se redressant. Nous restâmes parfaitement immobiles, durant quelques instants. Puis, les paupières encore closes, Fleur de Neige murmura le vers en entier : « Je crois voir briller la neige, à l'aube d'un matin d'hiver. »

Elle se tourna sur le côté pour me faire face et posa tendrement sa main sur ma joue, comme elle l'avait fait lors de la première nuit que nous avions passée ensemble, des années plus tôt. Son visage brillait au clair de lune. Puis elle laissa sa main glisser plus bas le long de mon cou, de ma poitrine et de mon flanc, jusqu'à ma hanche.

— Il nous reste deux vers, dit-elle.

Elle se rassit et je m'étendis sur le dos. J'avais trouvé qu'il faisait chaud, les nuits précédentes : mais à présent, bien qu'étant nue au clair de lune, j'avais l'impression qu'un feu brûlait en moi, plus ardent que les flammes dont les dieux nous accablent, au rythme des saisons.

J'essayai de me concentrer, mais je compris soudain où elle comptait tracer le premier caractère. Elle s'était reculée jusqu'au bord du lit et avait soulevé mes pieds, pour les poser sur ses genoux. Elle se mit à écrire à l'intérieur de ma cheville gauche, juste au-dessus de mon chausson de soie rouge. Lorsqu'elle eut terminé, elle reporta son attention sur ma cheville droite. Puis elle passa alternativement d'une jambe à l'autre, sans jamais descendre en dessous des bandages. Sièges de tant de douleurs et de peines, mais aussi de noblesse et de fierté, mes pieds frémissaient de plaisir. Cela faisait huit ans que nous étions *laotong*, mais jamais nous n'avions été aussi proches.

Lorsqu'elle eut terminé, je prononçai le vers :

— « Levant les yeux, j'admire la pleine lune dans le ciel. »

J'avais hâte qu'elle connaisse à son tour la sensation que je venais d'éprouver. Je soulevai ses pieds et les posai en travers de mes cuisses, choisissant l'emplacement qui s'était avéré pour moi le plus sensible : le petit creux situé entre l'os de la cheville et le tendon arrière de la jambe. J'y traçai le caractère qui signifie aussi bien « s'incliner » que « se courber jusqu'à terre ». Sur son autre cheville, j'inscrivis « moi ».

Je reposai ses pieds et dessinai un nouveau caractère sur sa cuisse. Puis un autre au-dessus du genou. Quant aux deux derniers, je décidai de les placer tout en haut, à la jonction de ses cuisses : je me penchai et me concentrai, afin qu'ils soient absolument parfaits. Mais au lieu de me servir de mon doigt, je me contentai de souffler doucement à l'endroit désiré, sachant la sensation que cela allait déclencher en elle : sa toison frémissait à la croisée de ses jambes, comme en réponse à mon geste.

Après cela, nous récitâmes toutes les deux l'ensemble du poème :

Le lit est éclairé à la lueur du clair de lune
Je crois voir briller la neige à l'aube d'un matin d'hiver
Levant les yeux, j'admire la pleine lune dans le ciel
Baissant le front, je songe à ma ville natale.

Chacun sait que ce poème fait allusion à un lettré qui,
au cours d'un voyage, éprouve la nostalgie de son pays
d'origine. Mais ce soir-là, et ce sentiment ne m'a jamais
quittée par la suite, j'ai eu l'impression qu'il parlait de
nous. Fleur de Neige était ma terre natale – tout comme
j'étais la sienne.

BELLE LUNE

Belle Lune revint le lendemain et nous nous remîmes à l'ouvrage. Plusieurs mois auparavant, les dates de nos mariages respectifs avaient été officiellement fixées par nos belles-familles, ainsi que celles du premier versement du « prix de la mariée » : il s'agissait pour l'essentiel de gâteaux et de viande de porc, ainsi que de coffres en bois destinés à accueillir par la suite les trousseaux que nous étions chargées de constituer. Les tissus nécessaires nous étaient également parvenus.

Je vous ai déjà expliqué que ma mère et ma tante fabriquaient elles-mêmes les vêtements de la famille. Depuis quelque temps déjà, nous nous étions mises au tissage, Belle Lune et moi. Le terme d'artisanat me semble particulièrement adapté pour désigner notre mode de production. Mon père et mon oncle faisaient pousser le coton, qui était récolté par les femmes. Quant à la cire d'abeille dont nous avions besoin pour fixer la teinture des motifs, nous ne nous en servions qu'avec parcimonie, tant nous étions économes.

À l'inverse, je voyais bien la différence entre les vêtements de mon trousseau de mariage et ceux que portait Fleur de Neige – qu'il s'agisse de ses tuniques, de ses pantalons ou même des ornements de sa coiffure – qui étaient tous taillés dans les meilleurs tissus et d'une coupe particulièrement élégante. Celui de ses ensembles qui avait ma préférence à l'époque était en soie indigo. Ses motifs complexes et la coupe de la veste étaient sans équivalent, comparés aux tenues qu'affichaient les femmes mariées de Puwei. Pourtant, Fleur de Neige la portait avec autant de grâce que de nonchalance, jusqu'à ce qu'elle finisse par s'user. Ce que j'essaie de dire, c'est que ce vêtement m'avait inspirée : je voulais confectionner à mon tour des tenues adaptées à la vie quotidienne qui m'attendait à Tongkou.

Le coton que m'avait envoyé ma belle-famille dépassait en qualité tout ce que je connaissais. Il était doux au toucher, sans le moindre défaut, d'un tissage complexe et teint dans cet indigo dense et profond que prisent tant les Yao. En recevant un tel présent, je compris que j'avais encore beaucoup de choses à apprendre et à maîtriser. Mais ce coton lui-même n'était rien comparé à la soie qui l'accompagnait, d'une perfection sans pareille tant pour les tons que pour la qualité. Il y avait de la soie rouge, réservée au mariage mais aussi aux célébrations du Nouvel An, aux anniversaires et aux diverses festivités ; des soies pourpres et vertes, qui convenaient à l'état de jeune mariée ; d'un gris-bleu, évoquant la couleur du ciel avant l'orage ; et d'un bleu-vert, comme celle d'un étang en été, que je porterais plus tard, une fois devenue matrone, puis veuve. D'autres, bleu foncé ou noires, étaient destinées à la gente masculine de mon futur foyer. Certaines étaient unies, d'autres brodées de motifs représentant des nuages, des pivoines ou le symbole du Double Bonheur.

Il était hors de question que j'utilise à ma guise les rouleaux de coton ou de soie que m'avait adressés ma belle-famille. Ils étaient destinés à la préparation de mon trousseau, comme ceux que Belle Lune et Fleur de Neige avaient reçus de leur côté. Nous devions confectionner une quantité de couettes, de taies d'oreiller, de chaussures et de vêtements les plus divers, censés nous servir jusqu'à la fin de nos jours : chez les Yao, une femme ne doit jamais rien recevoir de sa belle-famille après son mariage. Le plus laborieux, et le plus difficile à faire, c'étaient les couettes… Le temps que cela demandait ! Pourtant, un dicton prétend que plus on emmène de couettes chez ses beaux-parents, plus on a de chances d'avoir des enfants : aussi en avions-nous confectionné des quantités impressionnantes.

Ce qui était particulièrement agréable à faire, c'étaient les chaussures. Nous en fabriquions pour nos maris, nos belles-mères, nos beaux-pères et tous les membres de notre futur foyer : frères, sœurs, belles-sœurs – sans parler des enfants. (J'avais de la chance, pour ma part, car mon mari était l'aîné et n'avait que trois frères cadets. Les chaussures des hommes n'ayant pas d'ornements, cela ne me demandait pas trop de temps. La tâche de Belle Lune était autrement plus lourde : son futur mari était fils unique mais, outre ses parents, sa famille comptait aussi ses cinq sœurs, son oncle, sa tante et leurs trois enfants...) Nous devions également en confectionner seize paires à notre propre usage, à savoir quatre paires pour chacune des saisons. Plus encore que le reste, ces articles allaient être examinés avec une attention particulière. Mais cela n'entamait pas notre bonheur : nous y mettions tout le soin dont nous étions capables, depuis la fabrication des semelles jusqu'au dernier point de broderie. La confection des chaussures nous permettait d'exercer nos talents, tant sur le plan technique qu'esthétique. C'était aussi pour nous un signe d'espoir : dans notre dialecte, en effet, le mot « chaussure » se prononce de la même manière que le mot « enfant ». Comme pour les couettes, plus nous faisions de paires de chaussures, plus notre descendance avait de chances d'être nombreuse. La seule différence, c'est que les chaussures nécessitent délicatesse et précision, alors que les couettes requièrent davantage d'endurance et d'énergie. Comme nous étions trois jeunes filles à travailler côte à côte, nous nous trouvions lancées dans une compétition tout amicale : c'était à celle qui broderait sur ses chaussures les plus jolis motifs, après s'être assurée de leur résistance et de leur solidité.

Nos belles-familles nous avaient envoyé des modèles de semelles. Nous n'avions pas encore rencontré nos futurs maris et nous ignorions donc s'ils étaient avenants ou s'ils avaient le visage grêlé, mais nous connaissions la taille de leurs pieds… Nous étions des jeunes filles romantiques, comme il est de mise à cet âge – et nous nous imaginions toutes sortes de choses concernant nos futurs époux, à partir de ces simples semelles. Si certaines devaient se révéler exactes, la plupart n'avaient rien à voir avec la réalité.

Nous nous servions de ces modèles pour découper dans du coton les contours des semelles, que nous collions ensuite trois par trois. Nous en fabriquions plusieurs lots et les laissions sécher sur le rebord de la fenêtre. Puis nous les cousions ensemble, de manière à former une semelle épaisse et résistante. La plupart du temps, les gens se contentent de répéter sur le côté le même motif, en forme de grain de riz, mais nous voulions impressionner nos futures familles et brodions des motifs différents pour chaque destinataire : un papillon déployant ses ailes pour le mari, un chrysanthème en fleur pour la belle-mère, un grillon sur sa branche pour le beau-père. Tout ce travail pour de simples semelles… Mais pour nous, c'étaient autant de messages adressés à ceux qui, nous l'espérions, nous accueilleraient avec amour une fois que nous serions mariées.

Comme je l'ai dit, il régnait une chaleur épouvantable cette année-là, lors de la fête de la Première Brise. À l'étage, nous étouffions littéralement. Et la situation était à peine plus supportable au rez-de-chaussée. Nous buvions du thé, en espérant que cela nous rafraîchirait. Mais même vêtues de nos vestes et de nos pantalons les plus légers, nous souffrions le martyre. Aussi passions-nous notre temps à échanger des souvenirs d'enfance évoquant la fraîcheur. Je parlais de la journée où j'avais marché pieds nus dans la rivière. Belle Lune se souvenait avoir couru un jour à travers champs à la fin de l'automne, tandis que l'air froid lui cinglait les joues. Fleur de Neige avait voyagé jadis dans le Nord avec son père et connu le vent glacial qui souffle de la Mongolie. Mais à la longue, au lieu de nous soulager, ces évocations finissaient par constituer une torture supplémentaire.

Mon père et mon oncle finirent par avoir pitié de nous. Ils étaient bien placés pour juger de la canicule, travaillant tous les jours sous un soleil de plomb. Mais nous étions pauvres. Nous n'avions pas de patio où nous réfugier, ni de terrain boisé où des porteurs auraient pu nous conduire, à l'ombre des arbres – aucun endroit, à vrai dire, où nous aurions pu nous asseoir en plein air, à l'abri des regards. À la place, utilisant de vieux vêtements, papa dressa avec l'aide de mon oncle un dais à notre intention, au nord de la maison. Ils disposèrent ensuite sur le sol des couettes d'hiver molletonnées, afin que nous puissions nous y installer.

— Les hommes sont aux champs pendant la journée, dit mon père, et personne ne risque de vous voir. En attendant qu'il fasse un peu moins chaud, vous n'avez qu'à venir vous réfugier ici toutes les trois. Mais surtout, pas un mot à vos mères !

Belle Lune avait l'habitude de se rendre à pied chez ses sœurs adoptives. Mais pour ma part, je n'avais plus eu l'occasion de me retrouver en plein air à Puwei depuis ma tendre enfance. Bien sûr, il m'arrivait de mettre le nez dehors, pour monter dans le palanquin de Madame Wang ou pour aller cueillir des légumes dans le potager. Mais en dehors de ça, je devais me contenter de regarder la ruelle sur laquelle donnait notre maison, à travers les croisillons de la fenêtre. Et il y avait belle lurette que je n'avais pas respiré l'atmosphère du village.

Nous subissions encore la chaleur, mais nous étions absolument ravies. Assises à l'ombre, profitant enfin d'une légère brise comme nous y invitaient ces jours de fête, nous mettions la dernière main à nos récents travaux de broderie. Belle Lune était absorbée par la finition de ses chaussures de mariage en soie rouge, la plus précieuse de toutes les paires qu'elle avait à faire. Le motif représentait des fleurs de lotus roses et blanches en pleine éclosion, symboles de pureté et de fertilité. Fleur de Neige venait de terminer une paire en soie bleu ciel décorée de nuages, destinée à sa belle-mère, et l'avait posée à côté d'elle sur la couette. La vue de ces chaussures me comblait de bonheur, peut-être parce qu'elles me rappelaient la tenue que portait Fleur de Neige le premier jour de notre rencontre. Mais ma *laotong* n'était pas du genre à se laisser arrêter par la nostalgie : elle s'était déjà attaquée à la paire suivante, destinée cette fois-ci à son propre usage, et faisait alterner les fils de soie pourpres et blancs. Une fois le motif bicolore entièrement brodé, les caractères devaient former l'expression « nombreux enfants ». Fleur de Neige allait fréquemment chercher son inspiration dans le ciel pour ses travaux de broderie. Cette fois, c'étaient des oiseaux et d'autres créatures ailées qui apparaissaient peu à peu sous ses points minuscules. Quant à moi, j'étais en train de terminer une paire de chaussures à l'attention de ma belle-mère. La taille de son pied était légèrement supérieure à la mienne et j'étais remplie de fierté à l'idée qu'il lui faille ainsi reconnaître que j'étais digne d'épouser son fils, ne serait-ce que pour la finesse de mes pieds. Je n'avais pas encore été présentée à ma belle-mère et j'ignorais donc tout de ses goûts, mais pendant ces journées caniculaires j'étais totalement obnubilée par le manque de fraîcheur dont nous souffrions. Mon motif couvrait toute la chaussure et représentait un groupe de femmes prenant le frais sous des saules, au bord d'un cours d'eau. Il s'agissait d'une simple fantaisie de ma part, mais guère plus absurde au fond que les oiseaux mythologiques que Fleur de Neige brodait à mes côtés.

Nous formions un beau tableau, installées sur nos couettes, les jambes repliées : trois jeunes filles promises à de bonnes familles, travaillant dans la joie à la constitution de leur trousseau et démontrant leurs bonnes manières aux gamins du village… En effet, des petits garçons allant chercher du bois ou conduisant à la rivière le buffle familial s'arrêtaient pour parler avec nous. Des fillettes qui passaient, un bébé dans les bras, nous permettaient de bercer un instant leur petit frère ou leur petite sœur. Nous essayions de nous représenter ce que cela allait être, de nous occuper de nos propres enfants. De vieilles veuves dont il n'y avait rien à redouter faisaient halte pour bavarder avec nous, examiner nos broderies et s'extasier sur la blancheur de notre teint.

Le cinquième jour, Madame Gao nous rendit visite. Elle revenait du village de Getan, où elle était en train de négocier une alliance, et en avait profité pour apporter à ma sœur aînée le courrier que nous lui avions confié. Celle-ci l'avait chargée en retour d'une lettre à notre intention. Aucune parmi nous n'aimait Madame Gao. Toutefois, on nous avait élevées dans le respect de nos aînés. Nous lui proposâmes du thé, mais elle déclina notre offre. N'ayant aucun argent à grappiller auprès de nous, elle se contenta de me tendre la lettre et regagna son palanquin. Nous la suivîmes des yeux, jusqu'à ce qu'elle ait disparu à l'angle de la rue. J'utilisai ensuite mon aiguille à broder pour décacheter le sceau en colle de riz qui fermait la lettre. Étant donné ce qui devait advenir un peu plus tard ce jour-là, et parce que ma sœur, lorsqu'elle écrivait en *nu shu,* employait beaucoup d'expressions toutes faites, je puis reconstituer de mémoire la quasi-totalité de sa lettre :

Fleur de Lis,

À ma famille.
Aujourd'hui je m'empare du pinceau, mon cœur se tourne vers ma maison natale.
J'écris à ma famille – bien des choses à mes chers parents, à ma tante et à mon oncle.
Quand je pense aux jours anciens, je ne puis retenir mes larmes.
J'éprouve toujours autant de tristesse d'avoir quitté mon foyer.

Mon ventre est très gros à cause du bébé et il fait terriblement chaud par ici.

Ma belle-famille est méchante.

C'est moi qui fais tout le travail domestique.

Avec cette chaleur, impossible de se sentir bien.

Chère sœur, chère cousine, prenez soin de papa et maman.

Nous autres femmes, pouvons seulement espérer que nos parents vivent âgés.

Ainsi aurons-nous toujours un foyer où revenir à l'occasion des jours de fête.

Dans notre village natal, il y aura toujours des gens pour nous chérir.

Je vous en prie, soyez bonnes envers nos parents.

VOTRE FILLE, SŒUR ET COUSINE

Après avoir lu la lettre, je fermai les yeux, plongée dans mes pensées. La joie était pour moi, les larmes pour ma sœur aînée... J'étais heureuse que la coutume m'impose d'attendre la naissance d'un premier enfant pour aller m'installer dans la maison de mon mari. Deux ans devaient encore s'écouler avant mon mariage et, qui sait, quelques années encore avant que je ne m'établisse de manière définitive dans ma belle-famille.

Je fus brusquement tirée de ma rêverie par un bruit qui ressemblait à un sanglot. Je rouvris les yeux et regardai Fleur de Neige. La stupéfaction s'était peinte sur son visage, tandis qu'elle fixait quelque chose sur sa droite. Je suivis son regard : Belle Lune avait porté la main à son cou et semblait respirer avec difficulté.

— Que se passe-t-il ? demandai-je.

La poitrine de Belle Lune se creusait, tandis qu'elle faisait de visibles efforts pour avaler de l'air en émettant des sons affreux, que je n'oublierai jamais : *euur-euur-euur...*

Elle me fixait de ses beaux yeux. Sa main s'était immobilisée, crispée à la base de son cou. Elle ne cherchait même pas à se relever. Elle demeurait assise, les jambes repliées sous elle, conservant l'apparence d'une jeune fille confortablement installée à l'ombre des arbres par une chaude après-midi, ses travaux de broderie sur les genoux. Mais je vis aussitôt que, sous sa main, son cou s'était mis à gonfler.

— Fleur de Neige, va chercher de l'aide ! lançai-je d'une voix affolée. Appelle mon père et mon oncle, vite !

Du coin de l'œil, je vis Fleur de Neige tenter de courir et se hâter du mieux qu'elle pouvait sur ses pieds minuscules. Elle qui n'élevait jamais la voix se mit soudain à pousser des cris stridents :

— Au secours ! Au secours !

Je gagnai à genoux l'autre extrémité de la couette pour me rapprocher de Belle Lune et j'aperçus alors une guêpe, en train d'agoniser sur la chaussure qu'elle brodait. Son dard devait s'être planté dans la gorge de ma cousine. Je saisis sa main et la serrai dans la mienne. Elle entrouvrit la bouche. À l'intérieur, sa langue avait triplé de volume et était en train de l'étouffer.

— Que puis-je faire ? demandai-je. Veux-tu que j'essaie d'enlever ce dard ?

Nous savions l'une et l'autre qu'il était déjà trop tard.

— Veux-tu de l'eau ? repris-je.

Belle Lune était dans l'incapacité de me répondre. L'air ne pénétrait plus en elle que par ses narines et chaque inspiration lui coûtait un nouvel effort.

J'entendis Fleur de Neige qui criait, quelque part dans le village :

— Oncles ! Grand frère ! S'il vous plaît ! Venez nous aider !

Les gamins qui passaient nous voir ces jours derniers s'étaient attroupés autour de la couette et regardaient bouche bée Belle Lune dont le cou, la langue, les paupières et les mains avaient horriblement gonflé. Sa peau, qui avait toujours eu la pâleur de la lune dont elle portait le nom, avait viré du rose à l'écarlate, puis au violet. On aurait dit une créature sortie d'une histoire de fantômes. Quelques veuves de Puwei avaient surgi et assistaient à la scène, hochant la tête d'un air compatissant.

Le regard de Belle Lune croisa le mien. Sa main avait tellement enflé que ses doigts ressemblaient à des saucisses et sa peau était si tendue qu'elle paraissait sur le point d'éclater. Je caressai doucement ce qui n'était plus qu'un poignet monstrueux.

— Belle Lune, écoute-moi, l'implorai-je. Ton père va arriver d'un instant à l'autre : attends-le, je t'en prie. Il t'aime tant… Nous t'aimons tous, Belle Lune… Est-ce que tu m'entends ?

Les vieilles femmes s'étaient mises à pleurer et les enfants se serraient les uns contre les autres. La vie était rude au village. Qui pouvait se targuer parmi nous de n'avoir jamais vu la mort ? Mais il était rare de voir quelqu'un manifester un tel courage, une telle impassibilité – et rayonner d'une telle présence, au cours de ses derniers instants.

— Tu as été une bonne cousine, dis-je. Je t'ai toujours profondément aimée et toute ma vie j'honorerai ta mémoire.

Belle Lune tenta une fois encore de respirer : on aurait dit une vieille porte rouillée grinçant lentement sur ses gonds. Elle ne parvenait pratiquement plus à avaler la moindre gorgée d'air.

— Belle Lune…

L'horrible son prit fin. Ses yeux ne formaient plus que deux fentes étroites dans son visage affreusement déformé. Mais à son regard, on voyait bien qu'elle n'avait rien perdu de sa lucidité. Elle avait entendu chacun des mots que j'avais prononcés. Durant les ultimes instants de sa vie – alors qu'elle ne pouvait plus inspirer ni expirer le moindre souffle d'air – j'eus l'impression qu'elle m'adressait en rafales toute une série de messages. *Dis à maman que je l'aime. Dis à papa que l'aime. Dis à tes parents que je leur suis reconnaissante de tout ce qu'ils ont fait pour moi. Et que nul ne souffre à cause de moi.* Puis sa tête bascula en avant et retomba sur sa poitrine.

Personne ne fit un geste. Toute la scène alentour était plongée dans la même immobilité que le paysage inachevé, brodé sur mes chaussures. Seul le bruit étouffé des sanglots témoignait qu'il se passait quelque chose d'anormal.

Mon oncle surgit en courant dans la ruelle et bouscula les gens qui s'étaient attroupés pour atteindre la couette où nous étions assises, Belle Lune et moi. Ma cousine avait gardé une attitude si paisible qu'il eut d'abord une bouffée d'espoir. Mais l'expression de mon visage – et de celui de tous les membres de l'assemblée – dissipa aussitôt ses illusions. Un cri terrible jaillit alors de lui, tandis qu'il tombait à genoux. Lorsqu'il vit dans quel état était le visage de sa fille, ses plaintes redoublèrent. Les plus jeunes enfants prirent la fuite en courant. Mon oncle transpirait tellement, à cause de son travail dans les champs et de la course qu'il venait de faire, que je sentais l'odeur qui émanait de lui. Les larmes giclaient de ses yeux et coulaient le long de son nez, de ses joues et de son menton, avant de disparaître dans les plis de sa tunique déjà inondée de sueur.

Mon père arriva lui aussi et s'assit près de moi. Quelques instants plus tard, mon frère aîné fendit la foule à son tour, tout essoufflé, portant Fleur de Neige sur son dos.

Mon oncle ne cessait de parler à sa fille :

— Réveille-toi, ma petite. Réveille-toi. Je vais aller chercher ta mère. Elle a besoin de toi. Réveille-toi, je t'en prie.

Son frère – c'est-à-dire mon père – le saisit par le bras.

— C'est inutile, dit-il.

Mon oncle avait adopté une position bizarre, semblable à celle de Belle Lune : la tête penchée en avant, les mains sur les genoux, les jambes repliées sous lui. On aurait dit une réplique de sa fille, à ceci près que des larmes coulaient de ses yeux et que son corps était secoué par les vagues d'une douleur incontrôlable.

— Veux-tu la porter ou préfères-tu que je m'en charge ? lui demanda mon père.

Mon oncle secoua négativement la tête. Sans un mot, il déplia l'une de ses jambes et prit fermement appui sur le sol avant de se redresser. Puis il souleva le corps de Belle Lune et l'emporta à la maison. Nous étions tous tellement bouleversés que nous ne savions plus trop ce que nous faisions. Seule Fleur de Neige gardait vaguement la tête froide : elle se dirigea vers la table, dans la pièce principale, et enleva les tasses que nous avions installées à l'avance pour que les hommes les trouvent à leur retour des champs. Mon oncle y étendit Belle Lune. Chacun pouvait voir à présent de quelle manière le venin avait ravagé son visage et son corps. Je ne cessais de me répéter intérieurement : tout cela a eu lieu voici à peine cinq minutes…

Une fois encore, Fleur de Neige prit les choses en main :

— Excusez-moi, dit-elle, mais il faut songer à prévenir les autres.

Comprenant qu'il allait devoir annoncer à son épouse la mort de Belle Lune, mon oncle se remit à sangloter de plus belle. J'avais moi-même de la peine à me représenter la manière dont ma tante allait réagir. Belle Lune avait été le seul vrai bonheur de sa vie. J'avais été tellement choquée par ce qui venait d'arriver à ma cousine que je n'avais même pas eu le temps d'éprouver le moindre sentiment. Mais brusquement, mes jambes fléchirent et les larmes envahirent mes yeux, tant à cause de la douleur que représentait la perte de ma cousine que de la pitié que m'inspiraient mon oncle et ma tante. Fleur de Neige passa son bras autour de mes épaules et me conduisit vers un fauteuil, sans cesser de lancer des directives :

— Grand frère, cours jusqu'au village natal de ta tante ! J'ai un peu d'argent sur moi, utilise-le pour lui louer un palanquin. Puis pars vite chercher ta mère et ramène-la ici. Il va falloir que tu la portes, comme tu l'as fait pour moi tout à l'heure. Peut-être ton frère cadet pourra-t-il t'aider… Mais dépêche-toi, ta tante va avoir besoin d'elle.

Il ne nous restait plus qu'à attendre. Mon oncle s'était assis sur un tabouret, devant la table, et pleurait tellement que la tunique de Belle Lune était inondée de ses larmes. Mon père essayait de le réconforter, mais comment y serait-il parvenu ? Sa douleur était inconsolable. Les gens qui colportent à tout vent que les Yao n'ont que mépris pour leurs filles sont tout simplement des menteurs. Nous n'avons sans doute guère de valeur en tant que filles, étant élevées pour le bénéfice d'une autre famille. Mais nous n'en sommes pas moins aimées et chéries, malgré les efforts que chacun fait pour ne pas trop s'attacher à nous. Sinon, pourquoi trouverait-on si fréquemment dans notre écriture secrète des phrases comme : « J'étais comme une perle dans le creux de sa main » ? Sans doute essayons-nous, une fois mères à notre tour, de ne pas nous lier de trop près à nos filles. C'est en tout cas ce que j'ai tenté plus tard de faire avec la mienne, mais comment y serais-je parvenue ? Je l'avais allaitée tout autant que mes fils, elle venait sans cesse se réfugier sur mes genoux et finit par me faire honneur en devenant une femme de qualité, particulièrement versée dans l'art du *nu shu*. Mon oncle, quant à lui, venait de perdre à tout jamais sa petite perle.

Je regardais le visage de Belle Lune, me rappelant combien nous avions été proches. Nos pieds avaient été bandés le même jour. Et nos fiançailles conclues dans le même village. Nos vies semblaient inexorablement liées. Et maintenant, nous nous retrouvions séparées pour l'éternité.

Autour de nous, Fleur de Neige s'affairait. Elle prépara du thé, auquel nul ne toucha. Puis elle partit explorer la maison, à la recherche de vêtements de deuil en toile blanche, qu'elle rapporta à notre intention. C'était elle qui allait accueillir à la porte les visiteurs qui se présentaient ayant appris la nouvelle. Madame Wang arriva dans son palanquin et Fleur de Neige la fit entrer. Je m'attendais à ce que l'entremetteuse se plaigne de la perte de son investissement et de ses futurs honoraires, mais elle nous demanda au contraire en quoi elle pouvait nous être utile. L'avenir de Belle Lune avait été placé entre ses mains et elle se sentait sans doute tenue de l'assister dans ce dernier passage. Elle ne put toutefois retenir un petit mouvement de recul en découvrant les doigts gonflés et le visage monstrueusement déformé de ma cousine. En plus, il faisait si chaud... Et nous n'avions aucun endroit où disposer son corps au frais. Tout se bousculait à présent.

— Dans combien de temps sa mère doit-elle arriver ? demanda Madame Wang.

Nous n'en avions aucune idée.

— Fleur de Neige, enveloppe de mousseline le visage de cette jeune fille et passe-lui ses derniers habits. Et ne traîne pas. Aucune mère ne mérite de découvrir sa fille dans un état pareil.

Fleur de Neige avait déjà fait volte-face pour se rendre à l'étage, mais Madame Wang l'agrippa par la manche.

— Je vais aller jusqu'à Tongkou afin de te ramener des vêtements de deuil, lui dit-elle. Ne mets pas un pied en dehors de cette maison avant que je t'en aie donné l'ordre.

Elle relâcha Fleur de Neige, jeta un dernier regard à Belle Lune et s'éclipsa.

Lorsque ma tante arriva, mon père, mon oncle, mes frères et moi avions déjà enfilé nos tuniques blanches. Le corps de Belle Lune avait été entièrement enveloppé de mousseline, puis habillé pour son voyage dans l'au-delà. Beaucoup de larmes furent versées dans la maison ce jour-là, mais les yeux de ma tante restèrent désespérément secs. Elle pénétra dans la pièce de sa démarche ondulante, sur ses « lis dorés », et se dirigea aussitôt vers la dépouille de sa fille. D'un geste machinal, elle lissa ses vêtements funéraires, puis posa la main à l'endroit où avait battu son cœur. Elle resta dans cette position sans bouger, des heures durant.

Ma tante se conforma en tout point aux divers rituels des funérailles. Elle se rendit à genoux sur le lieu de l'enterrement. Elle brûla sur place le papier monnaie et les vêtements dont Belle Lune allait avoir besoin dans l'au-delà. Elle avait rassemblé tous les cahiers que sa fille avait rédigés dans notre écriture secrète et y mit également le feu. Par la suite, elle édifia un petit autel dans notre maison, devant lequel elle faisait chaque jour des offrandes. Jamais elle ne pleurait devant nous ; mais de ma vie je n'oublierai les sons qu'elle émettait depuis son lit, une fois la nuit venue. Ses plaintes émanaient de la part la plus enfouie de son âme. Nul parmi nous ne pouvait fermer l'œil. Pas plus que nous n'étions en mesure de la consoler. En fait, nous essayions mes frères et moi de nous montrer les plus discrets possible, sachant que le simple fait de nous voir et de nous entendre ne pouvait que rappeler à ma tante l'enfant qu'elle avait perdu. Le matin, une fois les hommes partis aux champs, elle se retirait dans sa chambre et n'apparaissait plus de la journée. Elle restait étendue sur le côté, les yeux tournés vers le mur, refusant d'avaler autre chose que le bol de riz que lui apportait ma mère. Elle demeurait ainsi, immobile et silencieuse, tout le long de la journée, jusqu'à ce que la nuit soit tombée et que s'élèvent à nouveau ses gémissements déchirants.

Chacun sait qu'une partie de l'esprit du défunt s'en va dans l'autre monde, tandis que l'autre reste dans sa famille. Mais il existe dans notre région une croyance particulière, concernant les jeunes filles mortes avant leur mariage, et qui contredit un peu cette règle. Nous pensons que l'esprit de la morte revient hanter d'autres jeunes filles n'ayant pas encore été mariées – moins pour les effrayer que pour les emmener avec elle en guise de compagnes dans l'au-delà. La manière dont l'âme de la malheureuse Belle Lune se manifestait à nous chaque soir, à travers les gémissements d'outre-tombe de ma tante, signifiait clairement que nous étions en danger, Fleur de Neige et moi.

Ma *laotong* eut finalement une idée :

— Nous devrions lui construire une pagode fleurie, me dit-elle un matin.

C'était exactement ce qu'il fallait pour apaiser l'esprit de Belle Lune. Elle aurait ainsi un endroit où déambuler et se divertir à son gré. Et si elle était heureuse, nous serions du même coup protégées.

Il y a des gens – évidemment plus fortunés – qui font appel à un spécialiste des arts floraux pour construire ce genre d'édifice. Mais Fleur de Neige et moi avions décidé de nous en charger nous-mêmes. Nous avions conçu une tour à plusieurs niveaux – l'idéal étant sept, comme pour une vraie pagode –, flanquée d'un couple de lions de part et d'autre de l'entrée. Sur les murs, à l'intérieur, nous avions calligraphié des poèmes dans notre écriture secrète. Il y avait un étage réservé à la danse, un autre à la méditation. Sur le plafond de la chambre, nous avions peint la lune et les étoiles. À un autre niveau, nous avions reconstitué l'appartement des femmes, avec aux quatre murs des fenêtres à croisillons faites en lamelles de papier, à travers lesquelles on pouvait contempler le paysage. Nous avions construit une table miniature, sur laquelle étaient disposés de petits échantillons de nos fils préférés, ainsi que de l'encre, un pinceau et du papier, pour que Belle Lune puisse broder ou écrire en *nu shu* à ses nouvelles compagnes de l'au-delà. Nous avions placé à tous les étages de la tour des silhouettes représentant des domestiques et des saltimbanques, découpées dans du papier de couleur, afin que Belle Lune ne manque jamais de distraction. Quand nous n'étions pas occupées à l'édification de cette pagode fleurie, nous avions composé une complainte que nous comptions chanter, pour apaiser l'esprit de ma cousine. La pagode était destinée au plaisir de Belle Lune, pour l'éternité. Et nos paroles seraient pour elle comme un ultime au revoir du monde des vivants.

Lorsque le moment s'avéra enfin opportun, nous demandâmes l'une et l'autre la permission de nous rendre sur la tombe de Belle Lune. La distance qui nous séparait du tertre funéraire était d'ailleurs bien moindre que celle que Fleur de Neige avait dû parcourir pour aller chercher mon père et mon oncle, le jour où ma cousine était morte. Nous restâmes assises un moment en silence devant la tombe, puis Fleur de Neige mit le feu à la pagode fleurie. Nous la regardâmes se consumer, en l'imaginant transportée dans l'au-delà – et Belle Lune passant d'une pièce à l'autre, découvrant ses méandres avec ravissement. Je sortis ensuite la feuille où nous avions transcrit dans notre écriture secrète la complainte que nous entonnâmes ensemble :

Belle Lune, nous espérons que cette pagode fleurie
t'apportera la paix
Nous espérons que tu nous oublieras, mais nous ne
t'oublierons pas
Nous honorerons ta mémoire et nous viendrons
Nettoyer ta tombe à la fête du printemps
Ne te laisse pas submerger par de tristes pensées
Et vis heureuse dans ta pagode fleurie.

Nous rejoignîmes ensuite la maison et montâmes à l'étage. Assises côte à côte, nous recopiâmes la complainte sur les plis de notre éventail. Une fois ce travail terminé, j'ajoutai à la frise supérieure un croissant de lune, aussi frêle et discret que l'avait été ma cousine.

La protection de la pagode fleurie s'avéra efficace et apaisa l'esprit tourmenté de Belle Lune. Mais elle resta malheureusement sans effet sur mon oncle et ma tante, qui demeurèrent inconsolables. Tout cela était écrit. Nous sommes à la merci de la puissance des éléments et ne pouvons que subir le destin qui nous est imparti. Tout cela relève du *yin* et du *yang*. Il y a des femmes et il y a des hommes, des ténèbres et de la lumière, de la tristesse et de la joie. Tous ces phénomènes s'équilibrent. Un moment de bonheur suprême (comme celui que nous avions partagé Fleur de Neige et moi au début de la fête de la Première Brise) se voit balayé de la plus cruelle façon par une mort inopinée. Deux personnes menant une vie heureuse, à l'image de mon oncle et de ma tante, se retrouvent du jour au lendemain sans héritier, dénués de tout, n'ayant plus qu'à espérer que mon frère aîné soit assez généreux pour s'occuper d'eux à la mort de mon père. Vous prenez une famille comme la mienne, qui ne vit déjà pas dans l'aisance, et vous lui ajoutez la charge d'une série de mariages, trop lourde pour une seule maisonnée... Tout cela perturbe l'équilibre de l'univers et les dieux remettent les choses en ordre en terrassant une jeune fille au cœur d'or. La vie n'existe pas sans la mort. Tel est le véritable sens du *yin* et du *yang*.

LE PALANQUIN FLEURI

Deux ans après la mort de Belle Lune, mes cheveux – que je portais en chignon depuis ma quinzième année – furent coiffés dans le style « du Dragon », ainsi qu'il est d'usage pour une jeune fille dont le mariage est imminent. Ma belle-famille m'avait fait parvenir de nouveaux vêtements, une somme d'argent qui m'était personnellement destinée et tout un lot de bijoux – bagues, colliers, boucles d'oreilles – en jade et en argent. Mes parents reçurent de leur côté trente sacs de riz gluant, destinés à la famille et aux amis qui allaient nous rendre visite au cours des jours suivants, ainsi qu'un demi-cochon que mon père découpa et dont mes frères distribuèrent les portions aux habitants de Puwei. Tout le village serait ainsi informé que les cérémonies du mariage, qui devaient durer un mois, avaient officiellement commencé. Mais ce qui réjouit le plus mon père – preuve que les efforts consentis par la famille commençaient à porter leurs fruits –, ce fut l'envoi d'un nouveau buffle : ce don lui permit aussitôt d'être admis dans l'étroite confrérie des habitants les plus riches du village.

Fleur de Neige vint passer auprès de moi l'ensemble de ce mois, appelé « de la Chaise et du Chant ». Durant ces quatre semaines, tandis que je mettais la dernière main à mon trousseau, elle m'aida de multiples façons – ce qui nous rapprocha encore davantage. Nous avions toutes les deux des idées ridicules concernant le mariage et les surprises qu'il nous réservait, tout en restant convaincues qu'il ne pouvait égaler le bonheur que nous éprouvions dans les bras l'une de l'autre – la chaleur, la douceur et le parfum délicat de nos corps enlacés. Rien ne pourrait jamais altérer cet amour. Et lorsque nous envisagions l'avenir, c'était avec la certitude qu'il nous réservait encore de tendres moments à partager.

Pour nous, ces journées « de Chaise et de Chant » marquaient tout simplement le début d'une nouvelle complicité. Cela faisait dix ans que nous nous connaissions et notre relation allait franchir un nouveau cap. D'ici deux ou trois ans, une fois que je serais définitivement installée dans la demeure de mon mari et que Fleur de Neige aurait pris possession de son nouveau foyer, à Jintian, nous pourrions nous voir régulièrement. Nos maris, fortunés l'un et l'autre – et respectés de tous – n'hésiteraient évidemment pas à louer à notre intention les palanquins nécessaires à ces visites.

Comme je n'avais pas de sœurs adoptives pour me tenir compagnie durant ces jours de liesse, ce furent ma mère, ma tante, ma belle-sœur, ma sœur aînée – venue pour la circonstance, bien qu'enceinte pour la deuxième fois – et quelques jeunes filles de Puwei qui célébrèrent avec moi l'heureux événement. Madame Wang venait périodiquement se joindre à nous. Nous échangions nos histoires préférées et parfois l'une d'entre nous entonnait une chanson que nous reprenions en chœur. À d'autres moments, nous psalmodions des chants alternés qui évoquaient notre vie quotidienne. Ma mère – qui était au fond satisfaite de son sort – nous racontait la légende de la Fille Fleur, tandis que ma tante, dont le deuil n'était pas terminé, nous émouvait jusqu'aux larmes en entonnant de déchirantes complaintes funèbres.

Un après-midi, alors que j'étais en train de broder la ceinture de ma robe de mariage, Madame Wang nous égaya avec le conte de *L'Épouse de Monsieur Wang*. Elle s'était assise sur un tabouret, à côté de Fleur de Neige. Celle-ci était plongée dans la rédaction du cahier qu'elle devait me remettre le jour de mes noces et auquel elle apportait un soin particulier : ces pages étaient en effet destinées à être lues devant ma belle-famille, trois jours après le mariage. Elles échangeaient toutes les deux des propos à voix basse et j'entendais de temps à autre Fleur de Neige qui répondait : « Oui, ma tante », ou encore : « Non, ma tante. » Elle avait toujours manifesté une certaine tendresse à l'égard de l'entremetteuse et j'avais essayé sur ce point de suivre son exemple – avec un succès mitigé.

Lorsque Madame Wang vit que nous étions toutes suspendues à ses lèvres, elle cala son derrière sur le tabouret et entama son récit. Elle était devenue un peu rondelette avec le temps, ce qui l'obligeait à se montrer plus posée, tant dans son élocution que dans ses gestes.

— Il était une fois une femme pieuse sans grandes perspectives d'avenir, commença-t-elle. Sa famille l'avait mariée à Monsieur Wang, un boucher – ce qui, pour une femme honorant la voie bouddhique, constituait la pire alliance possible. Mais aussi dévote fût-elle, elle n'en était pas moins femme et finit par mettre au monde des enfants, dont plusieurs garçons. Toutefois, l'épouse de Monsieur Wang ne consommait ni viande ni poisson. Chaque jour, pendant des heures, elle récitait des prières – notamment le sutra du Diamant. Lorsqu'elle n'était pas plongée dans ses dévotions, elle suppliait son mari de cesser d'abattre des animaux, le mettant en garde contre le mauvais karma qui l'attendait dans sa prochaine existence s'il s'obstinait à exercer sa profession.

D'un geste rassurant, l'entremetteuse posa la main sur la cuisse de Fleur de Neige. Personnellement, j'aurais trouvé ce contact déplaisant, mais Fleur de Neige ne la repoussa pas.

— Son mari lui rétorquait – à juste titre, diront certains – qu'on était boucher de père en fils dans sa famille, depuis des générations. « Continue de réciter le sutra du Diamant, disait-il à sa femme. Tu en seras récompensée dans ta vie future. Quant à moi, laisse-moi abattre mes animaux et acheter de nouvelles terres : j'accepte d'en payer le prix dans mon existence future. » L'épouse de Monsieur Wang savait que son destin était scellé, puisqu'elle était bien obligée de coucher avec son mari. Mais celui-ci, voulant s'assurer qu'elle connaissait effectivement le sutra du Diamant, lui demanda un jour de le réciter devant lui et constata qu'elle ne commettait pas la moindre erreur. Il lui alloua dès lors une chambre à part où elle put se retirer, menant une vie ascétique pendant le reste de leur mariage.

Madame Wang marqua une pause et effleura une fois encore la hanche de Fleur de Neige, avant de lui caresser le dos.

— Pendant ce temps, reprit-elle, le Roi de l'Au-delà avait envoyé des esprits sur terre, à la recherche d'humains de très grande vertu. Ils remarquèrent l'épouse de Monsieur Wang et, convaincus de sa pureté, lui demandèrent de les suivre dans l'au-delà pour y réciter le sutra du Diamant. Elle savait ce que cela signifiait : ils lui demandaient en fait de renoncer à la vie. Elle les implora de ne pas l'obliger à abandonner ses enfants, mais les esprits se montrèrent inflexibles et refusèrent de céder à ses suppliques. Elle conseilla donc à son mari de se remarier et recommanda à ses enfants d'être bons et d'obéir à leur future belle-mère. À peine avait-elle proféré ces paroles qu'elle s'effondra sur le sol, raide morte.

« L'épouse de Monsieur Wang passa devant de nombreux tribunaux avant d'être enfin conduite devant le Roi de l'Au-delà. Celui-ci avait pu l'observer au cours de ses tribulations, remarquant sa vertu et sa piété. Comme son mari, il lui demanda de réciter le sutra du Diamant. Et bien qu'elle en eût omis neuf mots, il fut tellement satisfait de sa prouesse et du courage dont elle avait fait preuve – tant au cours de sa vie terrestre que pendant son séjour dans l'au-delà – qu'il l'autorisa à retourner dans le monde des vivants, en tant que nouveau-né. Elle se réincarna cette fois sous les traits d'un garçon, dans la famille d'un mandarin lettré, mais son véritable nom était resté gravé sous la plante de ses pieds.

« L'épouse de Monsieur Wang avait mené une vie exemplaire, poursuivit l'entremetteuse, mais c'était une simple femme. Cette fois, en tant qu'homme, elle triompha dans toutes ses entreprises et atteignit le plus haut rang dans la carrière mandarinale – obtenant du même coup honneurs, fortune et gloire. Mais en dépit de cette réussite, sa famille lui manquait et elle regrettait de ne plus être une femme. Elle finit par être un jour présentée à l'empereur. Elle lui raconta son histoire et le supplia de la laisser retourner dans son village natal. Comme le Roi de l'Au-delà avant lui, l'empereur fut touché par le courage et la vertu de cette femme. Mais il reconnut aussi une autre qualité en elle : la piété filiale. Il lui confia donc une charge de magistrat dans le village de son mari – où elle arriva un beau jour, précédée de tous les insignes officiels des mandarins de haut rang. Lorsque les habitants se furent rassemblés pour s'incliner devant elle, à la stupéfaction générale, elle ôta ses chaussures et leur montra ses pieds, afin de révéler son véritable nom. Elle dit à son mari – qui était maintenant très âgé – qu'elle souhaitait redevenir son épouse. Le vieux Wang et leurs enfants se rendirent sur sa tombe et demandèrent que celle-ci soit ouverte. L'Empereur de Jade en émergea, déclarant que tous les membres de la famille Wang pouvaient désormais quitter ce monde et entrer dans le nirvana. Ce qui fut effectivement le cas.

Je pensais que Madame Wang avait raconté cette histoire dans le but de me mettre en garde contre l'avenir qui m'attendait. Aussi estimés et respectés soient-ils dans la région, mon futur époux et la famille Lu dans son ensemble étaient peut-être capables de commettre des actes considérés comme offensants – et éventuellement impurs. Du reste, il est dans la nature d'un homme né sous le signe du Tigre de se montrer ardent, fougueux et impulsif. Mon mari avait peut-être tendance à outrepasser les règles, voire à faire fi de la tradition. Ce qui n'est pas aussi terrible que d'exercer le métier de boucher, j'en conviens, mais n'en est pas moins dangereux. Quant à moi, étant née sous le signe du Cheval, je pouvais aider mon mari à lutter contre ces penchants. Une épouse native de ce signe ne rechignera jamais à prendre elle-même les rênes pour tirer son conjoint d'un mauvais pas. Tel était à mes yeux le véritable sens de l'histoire de l'épouse de Monsieur Wang. Sans doute n'avait-elle pas réussi à convaincre son mari de suivre ses conseils mais, par sa piété et ses bonnes actions, elle l'avait sauvé de la condamnation à laquelle l'exposaient ses pratiques impures. Sans compter qu'elle avait réussi à entraîner toute sa famille avec elle dans le nirvana. De tous les contes didactiques que je connaissais, c'était l'un des très rares à bien se terminer. Et par cette belle matinée d'automne, à quelques jours de mon mariage, ce constat suffisait à me remplir de joie.

En dehors de ça, mes sentiments étaient plutôt partagés pendant ces journées « de Chaise et de Chant ». J'étais triste à l'idée de quitter ma famille. Mais comme à l'époque de mon bandage, j'essayais de voir au-delà, de ne pas me limiter à l'infime portion de vie qui se découpait à travers les croisillons de ma fenêtre. D'envisager au contraire une perspective plus large, comme y invitait le paysage que nous apercevions jadis, Fleur de Neige et moi, en nous penchant hors du palanquin de Madame Wang. J'avais la conviction qu'un avenir plus riche, inconnu, m'attendait. Peut-être était-ce dû à ma nature : un cheval est toujours prêt à parcourir le monde, dès lors qu'on lui lâche la bride. Et j'étais heureuse à l'idée de vivre dans un nouveau cadre. J'aimerais pouvoir dire que nous obéissions aux règles régissant notre signe sans jamais en dévier d'un pouce, Fleur de Neige et moi. Mais les chevaux – comme les humains – ne se montrent pas toujours obéissants. Nous disons une chose, et nous en faisons une autre. Nous éprouvons un sentiment violent, et notre cœur suit brusquement une autre voie. Nous contemplons un spectacle sans comprendre que nos verres altèrent notre vision. Nous marchons le long d'une route et un chemin de traverse, un sentier, une rivière nous attirent tout à coup...

Voilà ce que j'éprouvais. Et je pensais que Fleur de Neige, étant ma *laotong*, ressentirait les choses de la même manière. Toutefois, son comportement ces derniers temps demeurait pour moi une énigme. Son mariage devait avoir lieu un mois après le mien mais elle ne paraissait ni excitée ni attristée par cette perspective. Elle semblait au contraire étrangement inerte, même lorsqu'elle chantait avec nous ou composait avec application le cahier qu'elle me destinait. Je finis par me dire qu'elle était peut-être plus anxieuse que moi au sujet de sa nuit de noces.

— Cela ne me fait pas peur, me dit-elle sur un ton railleur, tandis que nous emballions mes couettes.

— À moi non plus, répondis-je.

Mais je crains que nos propos n'aient pas été empreints d'une grande conviction. Lorsque j'avais encore le droit de jouer à l'air libre, dans ma petite enfance, j'avais vu des animaux s'accoupler. Je savais qu'il allait m'arriver quelque chose de ce genre, mais je ne voyais pas très bien comment il fallait s'y prendre, ni ce que j'étais censée faire. Et Fleur de Neige, dont les connaissances étaient généralement plus étendues que les miennes, ne m'était sur ce point d'aucun secours. Nous attendions qu'une femme de notre entourage – l'une de nos mères, de nos tantes, de nos sœurs aînées et au besoin, l'entremetteuse elle-même – nous renseigne à ce propos, comme cela avait été le cas pour tant d'autres besognes domestiques.

Ce sujet nous mettant un peu mal à l'aise, j'essayais d'amener la conversation sur le programme qui nous attendait au cours des prochaines semaines. Au lieu de revenir directement chez moi après mon mariage, je devais en effet me rendre chez Fleur de Neige, afin d'être à ses côtés pour ses propres journées « de Chaise et de Chant ». Je tenais à l'assister pendant les préparatifs de son mariage, comme elle l'avait fait pour le mien. Il y avait dix ans maintenant que j'attendais de débarquer chez elle et, d'une certaine façon, cette perspective m'excitait davantage que le fait de rencontrer prochainement mon mari : j'entendais parler depuis si longtemps de la demeure et de la famille de Fleur de Neige, alors que je ne savais quasiment rien sur l'homme que j'allais épouser... Mais si je m'en réjouissais, ma *laotong* restait dans le vague quant aux modalités de ce futur voyage.

— C'est un membre de ta belle-famille qui t'accompagnera chez moi, me dit-elle.

— Crois-tu que ma belle-mère viendra se joindre à nous, pour tes journées « de Chaise et de Chant » ? lui demandai-je. Cela me ferait plaisir qu'elle me voie en compagnie de ma *laotong*.

— Dame Lu est bien trop occupée. Elle a de nombreuses responsabilités, qui seront un jour les tiennes.

— Enfin, l'essentiel est que je rencontre ta mère, ta sœur aînée et... qui y aura-t-il d'autre ?

Il allait de soi à mes yeux que ma mère et ma tante seraient au nombre des invitées. Fleur de Neige faisait à ce point partie de notre famille qu'elle ne pouvait manquer de souhaiter leur présence, pour une telle occasion.

— Tante Wang sera là, dit-elle.

L'entremetteuse ferait sans doute quelques apparitions durant les journées « de Chaise et de Chant » de Fleur de Neige, comme elle l'avait fait lors des miennes. Pour Madame Wang, nos deux mariages représentaient l'aboutissement de longues années de labeur, au terme desquelles ses derniers honoraires lui seraient versés. Elle ne pouvait manquer la moindre occasion de montrer à d'autres mères – et donc, à des clientes potentielles – l'étendue de ses talents dans ce domaine.

— En dehors de tante Wang, reprit Fleur de Neige, j'ignore qui ma mère compte inviter. Ce sera une surprise.

Nous restâmes un moment silencieuses, tout en pliant une autre couette. Je regardai Fleur de Neige à la dérobée et lui trouvai l'air soucieux. Pour la première fois depuis des années, mes vieilles appréhensions refirent surface. Ma *laotong* avait-elle encore l'impression que je lui étais inférieure ? Était-elle gênée à l'idée que sa famille et les habitants de Tongkou puissent rencontrer ma mère et ma tante ? Puis je me souvins que nous étions en train d'évoquer ses préparatifs *à elle*. Tout devait correspondre *exactement* à ce que souhaitait sa mère.

Je tendis la main et rabattis une mèche derrière son oreille.

— Je suis tellement impatiente de faire la connaissance de ta famille, dis-je. C'est une grande joie pour moi.

— J'ai peur que tu ne sois déçue, me dit-elle, l'air toujours préoccupé. Je t'ai tellement parlé de papa et de maman...

— De Tongkou et de ta maison...

— Comment cela pourrait-il correspondre à l'idée que tu t'es faite ?

Je me mis à rire.

— Tu es bête de t'inquiéter pour ça, dis-je. Je n'aurais pas ces images en tête, si tu ne m'en avais pas autant parlé.

Trois jours avant mon mariage, débutèrent les cérémonies dites « du Grand Chagrin ». Maman s'était assise sur la quatrième marche de l'escalier menant à l'étage et de nombreuses femmes du village vinrent assister à ses lamentations, chacune entonnant à sa suite la même complainte – *ku, ku, ku* – accompagnée de longs sanglots. Lorsque nous eûmes fini d'échanger nos chants alternés, ma mère et moi, la même cérémonie se répéta avec mon père, puis avec mon oncle et ma tante, et enfin avec mes frères. J'avais fait preuve de courage et j'étais assez impatiente de découvrir la vie qui m'attendait, mais je me sentais tout de même physiquement affaiblie, car la future mariée n'a pas le droit d'absorber la moindre nourriture pendant les dix jours qui précèdent les festivités. Respecte-t-on cette coutume pour renforcer la tristesse qu'éprouve la future mariée au moment de quitter sa famille, pour l'obliger à faire preuve d'obéissance au sein de son nouveau foyer – ou pour paraître plus pure aux yeux de son mari ? Comment connaîtrais-je la réponse ? Tout ce que je sais, c'est que maman – comme la plupart des mères – avait mis de côté quelques œufs durs à mon intention, dans l'appartement des femmes. Mais cela ne suffit pas à me redonner des forces et je me sentais un peu plus affaiblie à chaque nouvelle étape des cérémonies.

Le lendemain matin, je fus réveillée en sursaut par une vague d'appréhension ; Fleur de Neige était à mes côtés et tenta de m'apaiser, en posant doucement sa main sur ma joue. Je devais être présentée à ma belle-famille le jour même et cela me plongeait dans une telle anxiété que je n'aurais probablement pas pu avaler une bouchée, même si j'en avais eu le droit. Fleur de Neige m'aida à enfiler la tenue de mariage que j'avais confectionnée – une courte veste sans col retenue par une ceinture, sur un pantalon bouffant. Elle me fit passer les bracelets d'argent que m'avait envoyés la famille de mon mari, ainsi que le reste de mes bijoux : collier, boucles d'oreilles, épingles à cheveux... Mes bracelets s'entrechoquaient à mon poignet, tandis que les amulettes argentées que j'avais cousues sur ma veste émettaient un léger cliquetis. Aux pieds, je portais mes bottines de mariage en soie rouge et, sur la tête, une voilette élaborée, faite de minuscules perles et de breloques en argent, qui tintinnabulaient dès que je faisais un pas ou que je bougeais la tête. De longues franges rouges pendaient en haut de la voilette et retombaient devant mon visage, formant une sorte d'écran : je n'y voyais strictement rien et j'aurais probablement chuté si je n'avais pas gardé les yeux constamment baissés.

Fleur de Neige m'aida à descendre l'escalier. Je n'y voyais rien mais cela n'empêchait pas les émotions de se bousculer en moi. Je percevais aussi les pas claudicants de ma mère, les répliques qu'échangeaient à voix basse mon oncle et ma tante, la chaise qui racla le sol lorsque mon père se leva. Nous nous dirigeâmes tous ensemble jusqu'au temple de Puwei, où j'adressai une prière de remerciement à mes ancêtres, à qui je devais la vie. Durant tout ce temps, Fleur de Neige était à mes côtés, me guidant le long des ruelles, m'encourageant à mi-voix ou me poussant à presser l'allure, car ma belle-famille n'allait plus tarder à arriver.

Une fois de retour à la maison, nous remontâmes ensemble à l'étage. Pour me calmer, Fleur de Neige prit mes mains dans les siennes et me décrivit ce que ma belle-famille était en train de faire.

— Ferme les yeux et représente-toi la scène, dit-elle en se penchant tout contre moi, au point que ma voilette frémissait imperceptiblement à chaque mot qu'elle prononçait. Maître Lu et son épouse doivent avoir revêtu leurs plus beaux atours. Puis, accompagnés de leurs proches, ils ont quitté leur village et pris la direction de Puwei. Ils sont accompagnés par un orchestre annonçant aux passants, tout le long du chemin, qu'aujourd'hui la route leur appartient. Mais où se trouve le fiancé ? ajouta-t-elle en baissant la voix. Il est resté à Tongkou, où il t'attend. Encore deux jours de patience et tu feras enfin sa connaissance.

Nous entendîmes tout à coup les échos des instruments : la procession arrivait. Fleur de Neige m'accompagna à la fenêtre et j'écartai un instant les franges de ma voilette pour mieux observer la scène. L'orchestre et la procession elle-même n'étaient pas encore en vue, mais nous aperçûmes un émissaire qui s'engageait dans notre ruelle et s'arrêtait devant le seuil de la maison. Il présenta à mon père une lettre rédigée sur du papier rouge, lui annonçant que ma nouvelle famille était venue me chercher.

Puis l'orchestre apparut à l'angle de la ruelle, suivi par une cohorte d'étrangers. Lorsqu'ils eurent atteint la maison, le traditionnel brouhaha commença : les gens lançaient de l'eau et des feuilles de bambou sur l'orchestre, accompagnées de rires et de saillies joyeuses. On me demanda ensuite de descendre. Une fois encore, Fleur de Neige me prit la main et me guida. J'entendais les voix des femmes qui avaient entonné leur chant : *Élever une fille et la marier : autant construire une route que d'autres emprunteront.*

Nous sortîmes et Madame Wang présenta les deux familles l'une à l'autre. Je devais adopter l'attitude la plus réservée possible, dès l'instant où mes beaux-parents allaient poser les yeux sur moi ; aussi ne pouvais-je même pas demander à Fleur de Neige de me dire discrètement quelle allure ils avaient ou l'impression que je leur faisais. Puis mes parents ouvrirent la marche et toute l'assemblée se dirigea vers le temple ancestral du village, où ma famille devait offrir le premier des nombreux banquets prévus lors des cérémonies. Fleur de Neige et les jeunes filles du village s'assirent en cercle autour de moi. On servit pour l'occasion des plats élaborés, et l'alcool coulait à flots. Les visages s'empourpraient. Je faisais l'objet de nombreuses plaisanteries de la part des hommes et des vieilles du village. Pendant toute la durée du repas, je psalmodiai des complaintes que les femmes reprenaient en chœur. Cela faisait sept jours que je n'avais pas eu droit à un vrai repas et toutes ces odeurs de nourriture me faisaient presque défaillir.

Le lendemain – jour « de l'Assemblée des chants » – devait se tenir un autre banquet. L'ensemble de mon trousseau était exposé, ainsi que mes cahiers de mariage, et les femmes entonnèrent à tour de rôle de nombreuses complaintes, tout comme Fleur de Neige et moi. Ma mère et ma tante me conduisirent ensuite devant la table qui était dressée au centre. Dès que je fus assise, ma belle-mère posa devant moi un bol de soupe qu'elle avait préparé elle-même, symbolisant la générosité de ma nouvelle famille. J'aurais donné n'importe quoi pour en avaler ne fût-ce qu'une gorgée.

Je ne voyais pas le visage de ma belle-mère à travers ma voilette. Mais en baissant les yeux, sous les franges, j'aperçus ses pieds en forme de « lis dorés », qui me parurent aussi minuscules que les miens. Une vague de panique m'envahit – d'autant qu'elle ne portait pas les chaussures que j'avais confectionnées pour elle. Et je voyais bien pourquoi : la qualité de ses broderies dépassait de très loin ce que j'étais capable de faire. J'étais déshonorée. Sans aucun doute, mes parents devaient se sentir gênés et ma belle-famille cruellement déçue.

Ma famille regagna la maison très tard dans la soirée. Si je devais être informée de quoi que ce soit concernant les épreuves qui m'attendaient dans le lit conjugal, c'était le moment ou jamais. Maman pénétra dans l'appartement des femmes et Fleur de Neige nous laissa. Ma mère paraissait soucieuse et, pendant un instant, je crus qu'elle allait m'annoncer que ma belle-famille préférait finalement renoncer à notre arrangement. Elle posa sa canne sur le lit et s'assit à côté de moi.

— Je t'ai toujours dit qu'une femme digne de ce nom ne laisse pas la laideur envahir sa vie, commença-t-elle. Et qu'on ne trouve la beauté qu'à travers la douleur.

J'acquiesçai humblement, mais j'avais l'impression de pousser intérieurement un long hurlement de terreur. Ma mère n'avait cessé de me tenir des propos de ce genre, du temps de mon bandage. Se pouvait-il que l'exercice qui m'attendait dans le lit conjugal soit du même acabit ?

— J'espère que tu te souviendras, Fleur de Lis, que nous sommes parfois confrontées à la laideur. Il faudra te montrer courageuse. Tu as fait le serment de t'unir pour la vie. Et tu dois accomplir le destin qui est le tien.

Sur ces mots, elle se leva, reprit sa canne et quitta la pièce en claudiquant. J'étais loin d'être rassurée par ce qu'elle venait de me dire ! Mes bonnes résolutions, ma hardiesse et ma force se voyaient d'un seul coup réduites en fumée. J'éprouvais à vrai dire toutes les angoisses d'une future mariée, inquiète à l'idée de quitter sa famille.

Fleur de Neige réapparut. Voyant que j'étais blême, elle vint s'asseoir sur le lit à la même place que ma mère et tenta de me rassurer.

— Cela fait dix ans que tu t'entraînes pour affronter cet instant, me dit-elle. Tu observes les règles que recommande *Le Livre des femmes*. Tu fais preuve de douceur dans tes paroles et de force dans ton caractère. Tu te coiffes sans afféterie excessive. Tu n'enduis pas ton visage d'onguents, ni de poudre de riz. Tu sais carder la laine et le coton, tisser, broder et coudre. Tu fais la cuisine, la lessive, la vaisselle. Tu sais conserver le thé au chaud et rallumer le feu dans l'âtre. Chaque soir, tu ôtes tes bandages et tu laves tes pieds avec soin, avant de les oindre d'une crème légèrement parfumée et de remettre des bandages propres...

— Mais... pour ce qui concerne le lit conjugal ?

— Eh bien ? À quoi bon t'inquiéter à ce sujet ? Ta tante et ton oncle y ont apparemment pris beaucoup de plaisir. Ta mère et ton père ont engendré de nombreux enfants. Ça ne doit pas être plus terrible que d'apprendre à broder ou à faire le ménage.

Ces propos me rassérénèrent, mais Fleur de Neige n'en avait pas terminé. Elle m'aida à me glisser entre les draps puis vint se blottir contre moi, tout en continuant à faire mon éloge :

— Tu seras une bonne mère, parce que tu te soucies des autres, me murmura-t-elle à l'oreille. Et tu sauras éduquer tes enfants. Sais-tu pourquoi j'en ai la certitude ? À cause de tout ce que tu m'as appris.

Elle s'interrompit un instant, pour s'assurer que ses paroles s'enfonçaient bien dans mon crâne. Puis elle ajouta, d'un ton nettement plus désinvolte :

— D'ailleurs, j'ai bien vu les regards que te lançait la famille Lu, ces deux derniers jours.

Je me dégageai de son étreinte et la dévisageai.

— Vraiment ? Comment me regardaient-ils ? Dis-moi. Je veux tout savoir.

— Tu te souviens du moment où Dame Lu t'a apporté ce bol de soupe ?

Et comment, que je m'en souvenais... Cet instant marquait pour moi le départ de ce qui me semblait devoir être une vie d'humiliation.

— Tout ton corps s'était mis à trembler, poursuivit Fleur de Neige. Comment es-tu arrivée à faire ça ? Chacun l'a remarqué dans l'assistance, louant ce mélange de retenue et de fragilité. Tu étais assise, les yeux baissés, offrant l'image parfaite de l'épouse que tu t'apprêtais à être. Dame Lu a regardé son mari avec un sourire approbateur, auquel il a répondu par un autre sourire. Tu verras : Dame Lu est très stricte, mais elle a bon cœur.

— Mais...

— Et si tu avais vu comment l'ensemble de la famille Lu regardait tes pieds ! Ah, Fleur de Lis, je suis sûre que tout le monde dans mon village se réjouit de savoir que tu seras un jour la nouvelle Dame Lu. Et maintenant, essaie de t'endormir. D'autres journées chargées t'attendent.

Nous étions allongées face à face. Fleur de Neige posa la main sur ma joue, comme elle en avait l'habitude.

— Ferme les yeux, m'ordonna-t-elle doucement.

Et je lui obéis.

Le lendemain, ma belle-famille arriva suffisamment tôt à Puwei pour avoir le temps de me ramener à Tongkou en fin d'après-midi. Quand j'entendis les premiers échos de l'orchestre aux abords du village, mon cœur se mit à battre plus fort. Les larmes me montèrent aux yeux, sans que je puisse les retenir. Ma mère, ma tante, ma sœur aînée et Fleur de Neige pleuraient également, en m'accompagnant jusqu'au rez-de-chaussée. Les émissaires de mon futur époux s'arrêtèrent devant le seuil de notre maison. Mes deux frères les aidèrent à charger mon trousseau dans les palanquins spécialement affrétés à cet effet. J'avais remis ma voilette, ce qui m'empêchait de distinguer quoi que ce soit, mais je percevais fort bien les voix des membres de ma famille, qui prirent la parole à tour de rôle pour prononcer les salutations traditionnelles.

— Une femme n'a pas la moindre valeur, tant qu'elle n'a pas quitté son village, lança ma mère.

— Au revoir, maman, psalmodiai-je en retour. Merci d'avoir élevé une fille dénuée de mérite et d'attraits.

— Au revoir, ma fille, dit doucement mon père.

En entendant sa voix, mes larmes se remirent à couler le long de mes joues et ma main se crispa sur la rampe de l'escalier qui menait à l'étage. Tout à coup, je n'avais plus envie de partir.

— En tant que femmes, nous sommes vouées à quitter notre village natal, entonna ma tante. Tu es comme un oiseau qui disparaît derrière un nuage et qui ne reviendra jamais.

— Merci, ma tante, pour m'avoir tant fait rire. Merci aussi pour m'avoir montré la vraie valeur de la tristesse. Et pour m'avoir fait partager tes talents.

Les sanglots de ma tante retentissaient jusqu'à moi et mes larmes se joignirent aux siennes. En baissant les yeux, j'aperçus la main burinée de mon oncle qui se posait sur mon poignet, pour le détacher de la rampe.

— Ton palanquin fleuri t'attend, dit-il d'une voix brisée par l'émotion.

— Mon oncle…

Puis j'entendis les voix de mes frères et de ma sœur qui me saluaient à tour de rôle. J'aurais voulu les voir en chair et en os, au lieu d'être aveuglée par ce rideau de franges rouges.

— Frère aîné, psalmodiai-je, merci pour la bonté que tu m'as toujours témoignée. Et toi, petit frère, merci de m'avoir permis de m'occuper de toi, quand tu n'étais qu'un bébé. Quant à toi, Grande Sœur, merci pour toute la patience dont tu as su faire preuve.

Dehors, l'orchestre jouait de plus en plus fort. J'écartai les bras : ma mère et mon père me saisirent chacun par la main et m'accompagnèrent jusqu'à l'entrée. Une fois sur le seuil, les franges de ma voilette s'entrouvrirent un instant et j'aperçus en un éclair le palanquin qui m'était destiné, couvert de fleurs et tendu de soie rouge. Mon *hua jiao* – ou palanquin fleuri – était absolument splendide.

Tout ce que j'avais entendu dire depuis que mes fiançailles avaient été conclues, six ans plus tôt, me revint à l'esprit. J'allais épouser un natif du Tigre, le signe qui s'avérait le plus approprié, d'après nos horoscopes respectifs. Mon époux jouissait d'une fortune confortable et d'une excellente éducation. Sa famille était aisée, respectée, généreuse. J'avais déjà pu m'en rendre compte, par la qualité et l'abondance des cadeaux qui m'avaient été adressés. Et je le découvrais encore aujourd'hui, à travers ce palanquin fleuri. Je finis par lâcher la main de mes parents, qui me laissèrent aller.

Je fis deux pas en avant, à l'aveuglette, avant de m'immobiliser : je ne voyais pas où je mettais les pieds. Je tendis les bras, en espérant que Fleur de Neige viendrait à mon aide. Cette fois encore, elle répondit à mon appel. Après avoir pris mes mains dans les siennes, elle me guida jusqu'au palanquin, dont elle ouvrit la porte. Autour de moi, je n'entendais que le son des sanglots. Ma mère et ma tante avaient entonné une mélodie plaintive – le chant traditionnel par lequel on salue le départ de sa fille. Fleur de Neige se pencha tout contre moi et me murmura à l'oreille, afin que nul ne l'entende :

— Souviens-toi : nous sommes *laotong* pour l'éternité.

Puis elle sortit un petit paquet de sa manche et le glissa dans ma veste.

— Ce message est pour toi, dit-elle. Lis-le quand tu seras sur la route de Tongkou. Nous nous reverrons là-bas.

Je montai dans le palanquin. Les porteurs le soulevèrent et se mirent aussitôt en route. Ma mère, ma tante, mon père, Fleur de Neige et quelques proches de Puwei nous escortèrent jusqu'à la sortie du village, en m'adressant de nouveaux vœux de bonheur. Puis je me retrouvai seule à l'intérieur du palanquin et fondis en larmes.

Pourquoi faisais-je tant d'histoires alors que la coutume voulait que je revienne trois jours plus tard dans mon village natal ? Voici mon explication : l'expression que nous utilisons pour désigner le fait de se marier est *buluo fujia*, ce qui signifie littéralement « ne pas tomber tout de suite dans la maison du mari ». *Luo* signifie « la chute » et désigne par exemple celle des feuilles en automne. De plus, dans notre dialecte local, le même mot sert à désigner l'« épouse » et l'« invitée ». Pendant toute ma vie, j'allais rester une sorte d'invitée dans la maison de mon mari – et encore : pas de ces hôtes auxquels on offre des présents, des banquets et des lits moelleux, mais ceux plutôt que l'on considère d'un regard suspicieux, comme des étrangers ou des intrus.

Je sortis de ma veste le paquet que m'avait donné Fleur de Neige. Il s'agissait de notre éventail, enveloppé dans un carré d'étoffe. Je l'ouvris, impatiente de découvrir les joyeuses sentences qu'elle y avait probablement inscrites, et tombai enfin sur le pli où figurait son message : *Deux oiseaux s'envolent – un seul cœur les anime. Le soleil éclaire leurs ailes, les imprégnant d'une chaleur nouvelle. Sous eux s'étend le vaste monde – qui leur appartient.* Dans la frise du haut, elle avait ajouté deux petits oiseaux qui voletaient ensemble : mon mari et moi. J'étais très touchée que Fleur de Neige ait représenté mon époux de la sorte, sur l'objet qui nous était le plus cher.

Je dépliai ensuite sur mes genoux l'étoffe qui enveloppait l'éventail. En baissant les yeux, entre les franges de ma voilette qui ballottaient selon le rythme imprimé par les porteurs du palanquin, je m'aperçus qu'elle y avait brodé un message dans notre langage secret, sans doute afin de célébrer ce moment si particulier. La lettre commençait par la salutation traditionnellement réservée aux jeunes mariées. Puis elle poursuivait :

Des couteaux me lacèrent le cœur tandis que je t'écris. Nous nous étions promis jadis que « jamais une divergence, jamais un mot méchant » n'aurait cours entre nous.

Je souris en reconnaissant les termes qui figuraient dans notre contrat.

J'avais fini par penser que nous passerions toute notre vie côte à côte et je n'arrivais pas à croire qu'un tel jour arriverait. Il est bien triste que nous soyons réduites dans ce monde à la médiocre condition des filles, mais tel était notre destin. Jusqu'ici, Fleur de Lis, nous avons été comme une paire de canards mandarins. Mais à présent tout va changer. Dans les jours à venir, tu vas découvrir à mon propos un certain nombre de choses. Cette perspective me plonge dans des abîmes d'inquiétude et d'appréhension. J'ai beaucoup pleuré au fond de mon cœur, à l'idée que tu ne m'aimes plus. Et je voulais te dire, quelle que soit l'opinion que tu puisses avoir de moi par la suite, que la mienne à ton sujet ne changera jamais.

FLEUR DE NEIGE

Pouvez-vous imaginer ce que je ressentais ? Fleur de Neige était restée silencieuse ces dernières semaines, parce qu'elle redoutait que je ne l'aime plus… Mais comment cela aurait-il été possible ? Assise dans mon palanquin fleuri, sur la route qui m'emmenait vers mon mari, je savais que *rien* ne pourrait jamais altérer les sentiments que j'éprouvais pour elle. Je trouvais ses paroles de très mauvais augure et j'aurais voulu pouvoir dire aux porteurs de faire demi-tour et de me ramener chez moi, afin de sécher les larmes de ma *laotong*.

Mais nous arrivions déjà devant la porte principale de Tongkou. Des pétards éclataient au milieu du vacarme que faisaient les tambours, les cymbales et les trompettes de l'orchestre. Des gens s'avançaient pour décharger mon trousseau, qui devait être transporté sur-le-champ dans ma nouvelle demeure, afin que mon mari puisse enfiler la tenue de mariage que j'avais confectionnée pour lui. Puis j'entendis un bruit terrible et néanmoins familier : celui d'un poulet qu'on venait d'égorger. À l'extérieur, devant mon palanquin fleuri, quelqu'un répandit sur le sol le sang du volatile, afin de chasser les mauvais esprits qui pouvaient m'avoir accompagnée.

La porte du palanquin s'ouvrit enfin et une femme incarnant la première Dame du village m'aida à en sortir. C'était en fait ma belle-mère qui détenait ce titre, mais pour la circonstance on avait choisi pour tenir son rôle celle qui, à Tongkou, avait le plus grand nombre de fils. Elle me conduisit jusqu'à ma nouvelle demeure, dont je franchis le seuil avant d'être présentée aux membres de ma belle-famille. Je m'agenouillai devant eux, frappant trois fois le sol du front avant de leur déclarer : « Je vous obéirai, je serai à votre service, je travaillerai sous vos ordres. » Puis je leur versai à chacun une tasse de thé. Après quoi, on me conduisit jusqu'à la chambre des mariés, dont la porte resta ouverte, et on me laissa seule. D'ici quelques instants, j'allais découvrir mon mari. J'attendais ce moment depuis le jour lointain où Madame Wang était venue examiner mes pieds pour la première fois à la maison. Et pourtant, j'étais plongée dans un état de trouble, où l'anxiété se mêlait à la confusion. Cet homme était un parfait étranger et j'étais évidemment curieuse de faire sa connaissance. Il allait être le père de mes enfants, mais je me demandais avec une certaine appréhension comment tout cela allait se passer. Enfin, pour couronner le tout, je venais de lire une lettre énigmatique de ma *laotong* et j'étais passablement inquiète à son sujet.

J'entendis des gens déplacer une table, qu'ils disposèrent en travers de la porte. Je secouai imperceptiblement la tête, de manière à écarter les franges de ma voilette, et j'entrevis mes beaux-parents qui installaient sur cette table les couettes de mon trousseau. Puis, au sommet de la pile, ils disposèrent deux coupes de vin – l'une entourée d'un fil vert, l'autre d'un fil rouge.

Mon mari pénétra dans l'antichambre, où tout le monde le salua. Je m'efforçai cette fois-ci de ne pas le regarder à la dérobée. Je tenais à me plier en tout point au rituel de cette première rencontre. Face à moi, de l'autre côté de la table, mon mari ôta le fil rouge de la première tasse ; j'ôtai ensuite le fil vert entourant l'autre. Puis il bondit par-dessus la table, franchit la pile des couettes et atterrit de mon côté, dans la chambre. Une fois ce geste accompli, nous étions officiellement mariés.

Que puis-je dire de mon mari, tel qu'il m'apparut en ce premier instant ? Il sentait bon, signe qu'il avait fait une toilette complète. En baissant les yeux, je constatai que les vêtements que j'avais confectionnés pour lui – aussi bien ses chaussures de mariage que son pantalon en soie rouge – lui allaient à merveille. Mais cela ne dura qu'une fraction de seconde, car le rituel « des Vœux et des Jurons » commença aussitôt dans la chambre des mariés. Les amis de mon mari surgirent dans la pièce, d'une démarche vacillante et en s'exprimant d'une voix pâteuse, à cause de la boisson qu'ils avaient ingurgitée. Ils nous offrirent des cacahuètes et des dattes, symboles de fertilité, ainsi qu'un beignet sucré, pour que notre vie soit douce. Mais ils avaient suspendu le mien au bout d'une ficelle et l'agitaient sous mon nez, m'obligeant à sauter pour l'attraper tout en faisant en sorte que je n'y arrive pas. Tout cela s'accompagnait évidemment de plaisanteries plus ou moins graveleuses : mon mari allait être fort comme un taureau ce soir, et moi aussi soumise qu'un agneau ; mes seins étaient comme deux pêches prêtes à jaillir de ma veste et mon mari y récolterait autant de graines qu'à l'intérieur d'une grenade. Nous étions par ailleurs assurés d'engendrer un fils si nous adoptions telle ou telle position... Il en va de même partout : les propos grivois sont de mise avant la nuit de noces. Je m'y prêtai sans trop de mauvaise grâce, mais au fond de moi j'étais totalement paniquée.

Cela faisait des heures que j'étais arrivée à Tongkou et la nuit était déjà bien avancée. Dans la rue, les villageois buvaient, mangeaient, dansaient et célébraient joyeusement l'événement. On finit par tirer une dernière salve de pétards, signe que chacun devait rentrer chez soi. Puis Madame Wang vint refermer la porte de notre chambre et nous nous retrouvâmes seuls, mon mari et moi.

— Bonsoir, me dit-il.

— Bonsoir, répondis-je.

— As-tu mangé ?

— Je suis censée jeûner encore deux jours.

— Il y a là des cacahuètes et des dattes, me dit-il. Si tu en veux, sers-toi, je ne le dirai à personne.

Je hochai négativement la tête, ce qui agita ma voilette et fit tinter les breloques en argent. Les franges s'entrouvrirent et je m'aperçus que le regard de mon mari était fixé sur mes pieds, ce qui me fit rougir. Je retins mon souffle, dans l'espoir que les franges s'immobilisent et qu'il ne s'aperçoive pas de mon trouble. Nous ne bougions ni l'un ni l'autre. J'étais certaine qu'il m'examinait encore et je ne pouvais rien faire, sinon attendre.

Finalement, mon mari reprit la parole :

— On m'a dit que tu étais très belle. Est-ce le cas ?

— Tu n'as qu'à ôter ma voilette, tu le verras par toi-même.

Ma réplique avait sonné de manière plus cinglante que je ne l'avais voulu, mais mon mari se contenta de rire. Quelques instants plus tard, après avoir posé la voilette sur une table adjacente, il se retourna pour me dévisager. Un mètre à peine nous séparait. Il examina mon visage, tandis que je scrutai avidement le sien.

Tout ce que Madame Wang et Fleur de Neige m'avaient dit à son sujet se révélait exact. Il n'avait ni marques de petite vérole, ni cicatrices d'aucune sorte. Sa peau n'était pas aussi foncée que celle de mon père ou de mon oncle, ce qui indiquait qu'il ne devait pas se montrer très souvent dans les champs que possédait sa famille. Ses pommettes étaient hautes et son menton indiquait une certaine détermination, sans agressivité excessive. Une mèche rebelle lui traversait le front, lui donnant un petit air effronté. Ses yeux pétillaient de malice.

Il s'avança vers moi, saisit mes mains et déclara :

— Je crois que nous allons nous entendre, tous les deux.

Une jeune fille de dix-sept ans, membre du clan des Yao, pouvait-elle imaginer déclaration plus favorable ? À l'instar de mon mari, je voyais s'ouvrir devant nous un avenir doré. Cette nuit-là, il respecta à la lettre toutes les règles de la tradition, allant jusqu'à ôter lui-même mes chaussures de mariée pour me faire enfiler mes chaussons de soie rouge. J'avais tellement l'habitude de la douceur de Fleur de Neige qu'il m'est malaisé de décrire l'impression que je ressentis, lorsque ses mains se posèrent sur mes pieds – sinon que ce geste me parut beaucoup plus intime et troublant que ce qui s'ensuivit. Je ne savais pas trop ce que je faisais – et lui non plus, du reste. Mais j'essayais d'imaginer comment Fleur de Neige se serait comportée, si elle s'était retrouvée sous le corps étrange de cet homme.

Le deuxième jour de mon mariage, je me levai de bonne heure. Je laissai mon mari qui dormait encore et gagnai la pièce principale. Peut-être avez-vous connu des moments où l'angoisse vous étreint au point d'en avoir des nausées ? Tel était mon cas depuis que j'avais lu la lettre de Fleur de Neige, mais je ne pouvais strictement rien y faire – pas plus ce matin-là que la veille. Je devais me plier de mon mieux aux diverses étapes de la cérémonie, en attendant de la revoir. Mais cela me demandait beaucoup d'efforts parce que j'étais exsangue, affamée, éreintée… Et mon corps me faisait mal de partout. Mes pieds étaient douloureux d'avoir autant marché ces jours derniers. Une autre région plus intime de mon corps me faisait également souffrir, mais je le dissimulai du mieux possible, en me dirigeant vers la cuisine où une petite servante d'une dizaine d'années, accroupie sur ses talons, n'attendait apparemment que moi. J'avais une domestique attitrée – ce dont nul ne m'avait informée… Les gens n'ont pas de serviteurs, à Puwei, mais je sus tout de suite quelle était sa condition, parce que ses pieds n'avaient pas été bandés. Elle s'appelait Yonggang, ce qui signifie à la fois *courageuse* et *dure comme le fer*. Elle avait déjà allumé du feu dans le brasero et rapporté de l'eau à la cuisine. Il ne me restait plus qu'à la faire chauffer et à l'apporter à mon tour à mes beaux-parents pour leur toilette du matin. Je préparai également du thé pour toute la maisonnée et le servis sans en renverser une goutte, à mesure que les gens arrivaient à la cuisine.

Plus tard dans la journée, mes beaux-parents envoyèrent à ma famille une nouvelle cargaison de viande de porc et de gâteaux sucrés. Les Lu avaient organisé un grand banquet dans leur temple ancestral. Encore un repas auquel je n'allais pas pouvoir toucher… Devant toute l'assemblée, nous nous inclinâmes, mon mari et moi, pour saluer le Ciel et la Terre, mes beaux-parents et les ancêtres du clan des Lu. Puis nous fîmes le tour du temple en nous inclinant devant tous les gens plus âgés que nous. Eux, en retour, nous donnaient des enveloppes rouges contenant de l'argent. Après quoi, nous regagnâmes la chambre des mariés.

Le troisième jour du mariage, qui débuta le lendemain, est celui que les jeunes épouses attendent avec impatience, puisqu'on procède alors à la lecture des cahiers rédigés par la famille et les amies de la mariée. Je ne pouvais détacher mes pensées de Fleur de Neige et j'étais impatiente de la revoir, étant donné qu'elle devait assister à la cérémonie.

La sœur aînée de mon mari et l'épouse de son frère aîné arrivèrent, portant les cahiers et la nourriture à laquelle j'avais enfin droit. De nombreuses femmes de Tongkou se joignirent à ma belle-famille pour assister à cette lecture, mais ni Fleur de Neige, ni sa mère ne firent leur apparition – ce qui dépassait mon entendement. L'absence de ma *laotong* me peinait et m'inquiétait profondément. L'instant le plus joyeux de ma cérémonie de mariage était sur le point de se produire et, à cause d'elle, je ne pouvais même pas en profiter.

Mes *sanzhaoshu* comportaient les lamentations traditionnelles, manifestant la douleur où était plongée ma famille maintenant que j'allais cesser de vivre auprès d'elle. Mais ils faisaient aussi l'éloge de mes vertus, répétant régulièrement des phrases comme : *Si seulement nous pouvions convaincre cette honorable famille de patienter encore quelques années avant de t'enlever à nous.* Ou encore : *Il est bien triste d'être à présent séparés.* On n'enjoignait pas moins mes beaux-parents de se montrer indulgents lorsqu'ils m'enseigneraient leurs coutumes familiales. Le *sanzhaoshu* de Fleur de Neige correspondait à ce qu'on pouvait attendre d'elle, jusque dans son amour des créatures célestes. Il débutait ainsi : *Le phénix rencontre l'oiseau d'or, union nouée en plein ciel.* S'ensuivaient les formules traditionnelles, y compris sous la plume de ma *laotong*.

LA VÉRITÉ

Si tout s'était déroulé selon les règles, j'aurais dû retourner directement dans ma famille, à Puwei, quatre jours après le mariage. Mais il était prévu de longue date que je me rende chez Fleur de Neige, afin de passer auprès d'elle ses propres journées « de Chaise et de Chant ». Maintenant que j'étais sur le point de la revoir, je me sentais plus inquiète que jamais. J'avais enfilé l'une de mes plus jolies tenues d'intérieur, une veste en soie et un pantalon vert d'eau ornés de broderies représentant des bambous. Je tenais à faire bonne impression, non seulement sur les habitants de Tongkou que je risquais de croiser, mais sur la famille de Fleur de Neige, dont j'entendais parler depuis tant d'années. Yonggang, la petite servante, me conduisit à travers le dédale des ruelles du bourg. Elle portait dans un panier mes vêtements de rechange, du tissu, du fil à broder et le cahier de mariage que j'avais commencé de préparer pour Fleur de Neige. J'étais heureuse que Yonggang m'accompagne, mais sa présence me mettait un peu mal à l'aise. Elle faisait partie des nouvelles données de ma vie, auxquelles j'allais devoir m'accoutumer.

Tongkou était une agglomération nettement plus importante et prospère que Puwei. Les ruelles étaient propres : les canards, les poules et les cochons n'y vagabondaient pas à leur guise. Nous arrivâmes bientôt devant une maison à un étage, correspondant à la description que Fleur de Neige m'avait faite. Je n'étais pas ici depuis assez longtemps pour connaître les coutumes locales, mais sur un point au moins les choses se passaient de la même manière qu'à Puwei : on ne criait pas depuis la rue pour annoncer son arrivée, pas plus qu'on ne se donnait la peine de frapper avant d'entrer. Yonggang poussa tout simplement le battant et pénétra à l'intérieur.

Je la suivis et fus immédiatement assaillie par une étrange odeur, évoquant un mélange de fange et de chair putréfiée, où dominait pourtant une douceur écœurante. Je n'avais pas la moindre idée de ce dont il s'agissait, sinon que cette odeur avait quelque chose d'affreusement corporel. Mon estomac se contracta, mais je fus plus éberluée encore par le spectacle qui s'offrait à moi.

La pièce principale était beaucoup plus grande que dans ma maison natale, mais elle était quasiment vide. J'aperçus une table, mais pas la moindre chaise. Une balustrade en bois sculpté menait à l'étage. En dehors de ces quelques meubles – d'une qualité d'exécution bien supérieure à tout ce que j'avais pu voir chez moi –, la pièce paraissait à l'abandon. Le feu n'était même pas allumé. Nous étions pourtant à la fin de l'automne et il faisait relativement froid. Les murs et le sol étaient sales, des débris de nourriture traînaient par terre. Plusieurs portes se découpaient, qui permettaient sans doute d'accéder aux chambres.

La scène formait un singulier contraste avec ce qu'un passant aurait pu imaginer en voyant la maison de l'extérieur. Mais surtout, elle était en tout point contraire à ce que m'avait décrit Fleur de Neige. Je devais m'être trompée d'endroit.

Plusieurs fenêtres apparaissaient dans les hauteurs de la pièce, mais elles étaient toutes barricadées, à l'exception d'une seule : un rayon de lumière en tombait, trouant l'obscurité. Dans cette pénombre indistincte, j'aperçus soudain une femme, accroupie devant une bassine. Elle était vêtue comme une pauvre paysanne, couverte de haillons dépenaillés. Nos regards se croisèrent mais elle détourna aussitôt les yeux. La tête basse, elle se redressa lentement et sa silhouette se profila dans le halo de lumière. Elle avait un joli teint et une peau aussi fine que de la porcelaine. Elle joignit les mains devant sa poitrine et s'inclina pour me saluer.

— Bienvenue, Madame Fleur de Lis, me dit-elle.

Elle parlait d'une voix ténue, mais je n'eus pas l'impression que c'était par respect à l'égard de mon nouveau statut. On aurait plutôt dit qu'elle était sous l'emprise d'une sorte d'effroi.

— Attendez un instant, reprit-elle. Je vais chercher Fleur de Neige.

J'étais sous le choc. Je me trouvais donc bien dans la maison de ma *laotong*. Mais comment cela était-il possible ? Tandis que la femme traversait la pièce pour rejoindre l'escalier, je vis que ses pieds en forme de « lis dorés » n'étaient pas plus grands que les miens – ce qui, dans l'ignorance où je me trouvais, me parut singulier pour une domestique.

Je tendis l'oreille en entendant la femme s'adresser à quelqu'un, au premier étage. Et soudain, l'invraisemblable se produisit : la voix de Fleur de Neige s'éleva, bien reconnaissable et empreinte de son assurance habituelle. J'étais littéralement clouée sur place. Toutefois, en dehors de ce son familier, la maison était plongée dans un silence inquiétant. Il me semblait percevoir une présence invisible, comme si un spectre avait brusquement surgi de l'au-delà. Tout mon corps se raidissait à cette idée et je me sentis parcourue de frissons. L'ensemble en soie vert d'eau que j'avais mis pour impressionner la famille de Fleur de Neige n'était guère adapté à l'humidité ambiante, non plus qu'à la bise glaciale qui passait à travers la fenêtre. La peur commençait à s'insinuer en moi, dans cette pièce obscure et inquiétante où planait une odeur indéfinissable.

Fleur de Neige apparut soudain, au sommet de l'escalier.

— Monte donc, me lança-t-elle.

Je demeurai tétanisée, tentant désespérément d'assimiler la scène à laquelle j'assistais. Je sentis brusquement un léger frôlement sur ma hanche, ce qui me fit sursauter.

— Je ne pense pas que le maître aimerait que je vous laisse seule ici, me dit Yonggang d'un air soucieux.

— Le maître sait parfaitement où je suis, répondis-je du tac au tac.

— Fleur de Lis…

La voix de Fleur de Neige était empreinte d'une tristesse que je ne lui avais jamais connue.

Un souvenir qui datait de quelques jours à peine me revint à l'esprit. Ma mère m'avait dit qu'il nous arrivait, à nous autres femmes, d'être confrontées à la laideur et que j'allais devoir me montrer courageuse. « Tu as fait le serment de t'unir pour la vie, m'avait-elle dit, et tu dois accomplir le destin qui est le tien. » Contrairement à ce que j'avais cru sur le moment, elle ne faisait pas allusion aux devoirs conjugaux : elle me préparait à la scène que j'étais en train de vivre. Fleur de Neige serait ma *laotong* jusqu'à la fin de mes jours. J'éprouvais pour elle un amour plus profond que je n'en aurais jamais pour l'homme qui était devenu mon mari. Tel était le véritable sens du lien qui nous unissait.

Je m'apprêtais à m'engager dans l'escalier quand je perçus le gémissement plaintif que venait de pousser Yonggang. Je ne savais pas trop quoi faire, n'ayant jamais eu de domestique auparavant.

— Rentre à la maison, lui dis-je en lui tapotant l'épaule et en essayant malgré mon ignorance de me comporter comme une maîtresse devait le faire. Tout se passera bien.

— Si vous avez besoin de partir pour une raison ou pour une autre, insista Yonggang qui paraissait toujours soucieuse, vous n'aurez qu'à demander votre chemin. Tout le monde ici connaît Maître et Dame Lu. On vous conduira sur-le-champ chez vos beaux-parents.

Je m'emparai du panier qu'elle portait à la hanche. Voyant qu'elle ne bougeait toujours pas, j'opinai de la tête pour lui signifier son congé. La petite servante poussa un soupir résigné, s'inclina brièvement pour me saluer et regagna la porte à reculons, avant de faire volte-face et de s'éclipser.

Après avoir empoigné le panier, je montai les marches de l'escalier. En m'approchant de Fleur de Neige, je vis que ses joues étaient sillonnées de larmes. Comme la domestique que j'avais aperçue en bas, elle était vêtue d'habits rapiécés, gris et dépenaillés. Parvenue sur l'avant-dernière marche, je m'immobilisai.

— Rien n'a changé, lui dis-je. Tu es toujours ma *laotong*.

Elle saisit ma main et m'aida à franchir la dernière marche, avant de m'introduire dans l'appartement des femmes. De toute évidence, la pièce avait dû être splendide autrefois. Elle était au moins trois fois plus vaste que celle de ma maison natale. À la place des barreaux, des écrans en bois finement sculptés protégeaient l'ouverture des fenêtres à croisillons. Mais en dehors de ces panneaux décoratifs, d'un lit et d'un rouet, la pièce était vide. La femme au teint d'albâtre que j'avais aperçue en bas était assise au bord du lit, les mains sagement croisées sur les genoux. Ses vêtements en loques ne parvenaient pas à masquer sa grâce, ni ses manières policées.

— Fleur de Lis, me dit Fleur de Neige, je te présente ma mère.

Je traversai la pièce, joignis les mains et m'inclinai pour saluer la femme qui avait mis au monde ma *laotong*.

— Il va falloir nous pardonner, me dit la mère de Fleur de Neige, mais je n'ai que du thé à vous offrir.

Puis elle ajouta, après s'être levée :

— Je vous laisse, vous avez bien des choses à vous dire.

Et elle quitta la pièce, de cette démarche gracieuse que seuls procurent des pieds ayant été parfaitement bandés.

Lorsque j'avais quitté mon village natal, quatre jours plus tôt, j'avais versé beaucoup de larmes, éprouvant un mélange de tristesse, de bonheur et d'inquiétude.

Mais à présent, assise sur le lit à côté de Fleur de Neige, c'étaient des larmes de gêne, de remords et de honte que j'apercevais sur son visage. J'avais hâte qu'elle m'explique ce qui se passait. Mais, loin de la bousculer, j'attendais qu'elle prenne d'elle-même la parole, car je me rendais bien compte qu'elle allait perdre la face, quels que soient les mots qu'elle s'apprêtait à prononcer.

— Bien avant que nous nous rencontrions, toi et moi, déclara-t-elle enfin, ma famille était l'une des plus riches du comté. Comme tu peux t'en douter, ajouta-t-elle en désignant la pièce d'un geste résigné, cette maison était splendide autrefois. Notre famille vivait dans la prospérité et mon arrière-grand-père, en tant que mandarin, avait reçu de nombreux *mou* de l'empereur lui-même.

Je l'écoutais, prise d'un léger tournis.

— À la mort de l'empereur, mon ancêtre tomba en disgrâce et vint se retirer dans son village natal, où la vie était agréable. Lorsqu'il mourut ce fut mon grand-père, son fils, qui lui succéda à la tête de la famille. Il avait de nombreux employés et une foule de domestiques, ainsi que trois concubines qui ne lui donnèrent malheureusement que des filles. Ma grand-mère finit par mettre au monde un garçon, assurant ainsi son statut dans la famille. Et ce fut ma mère qui épousa cet unique héritier. Les gens prétendaient qu'elle avait la beauté de Hu Yuxin, dont le charme et le talent avaient jadis séduit un empereur. Mon père n'était pas un lettré impérial, mais il avait étudié les Classiques et certains estimaient qu'il finirait par être nommé un jour chef du village. Ma mère le croyait, mais d'autres lui prédisaient un avenir moins glorieux. Mes grands-parents avaient décelé chez mon père une certaine faiblesse de caractère, tenant sans doute au fait qu'il avait été élevé, en tant que fils unique, au milieu d'une kyrielle de sœurs et de concubines. Ma tante, de son côté, le soupçonnait d'être lâche et porté vers le vice.

Fleur de Neige avait le regard perdu dans le vague, en évoquant ce passé disparu.

— Mes grands-parents moururent deux ans après ma naissance, poursuivit-elle. Ma famille vivait encore dans l'opulence : les coffres étaient remplis de vêtements, les réserves débordaient de nourriture et la maison de domestiques. Mon père m'emmenait en voyage avec lui et ma mère me faisait visiter le temple de Gupo. J'ai vu et appris beaucoup de choses, durant ma toute petite enfance. Mais mon père devait subvenir aux besoins des trois concubines de mon grand-père et organiser le mariage de ses quatre sœurs de sang, sans parler des cinq demi-sœurs que les concubines avaient mises au monde. Il devait également nourrir et loger les gens qui cultivaient ses champs, ainsi que ses domestiques. Toutes ses sœurs et ses demi-sœurs eurent droit à de somptueux mariages. Mon père voulait montrer à tout le monde quel grand seigneur il était. Chaque dot était plus extravagante que la précédente. Il dut vendre peu à peu ses terres au gros propriétaire établi dans l'ouest de la province pour pouvoir acquérir de nouveaux rouleaux de soie ou payer les cochons abattus à l'occasion des fiançailles. Ma mère – que tu viens de voir – a un très beau visage et un maintien altier, mais intérieurement elle ressemble beaucoup à la petite fille que j'étais avant de te rencontrer : insouciante, affectée et totalement ignorante du travail qui incombe aux femmes, en dehors de la broderie et du *nu shu*. Quant à mon père…

Fleur de Neige hésita un instant avant de lâcher :

— Il s'était mis à fumer.

Je me souvins alors du jour où Madame Gao s'était attiré les foudres de ma mère, en faisant allusion à la famille de Fleur de Neige. Elle avait mentionné des affaires de jeu et de concubines, mais aussi le fait que le père de ma *laotong* fumait. J'avais neuf ans à l'époque et j'avais tout simplement cru qu'il consommait trop de tabac. Mais aujourd'hui je me rendais compte, non seulement qu'il était tombé sous l'emprise de l'opium, mais que toutes les femmes présentes, en dehors de moi, avaient parfaitement saisi l'allusion de Madame Gao. Ma mère, ma tante, Madame Wang – *tout le monde* était au courant. Et avait résolu de me laisser végéter dans mon ignorance.

— Ton père est-il toujours en vie ? me risquai-je à demander.

S'il était mort, elle me l'aurait probablement dit. Quoique... peut-être que non, au fond, vu ses autres mensonges.

Fleur de Neige opina, sans prononcer un mot.

— Il est en bas ? insistai-je, tout en pensant à l'odeur écœurante qui planait dans la pièce.

Les traits de Fleur de Neige restèrent parfaitement immobiles. Puis elle haussa légèrement les sourcils, ce que je pris pour un acquiescement.

— Le tournant s'est produit à la suite de la grande famine, dit-elle en reprenant le fil de son récit. Tu t'en souviens ? Nous ne nous connaissions pas encore à l'époque, mais cette année-là les récoltes avaient été particulièrement mauvaises et suivies d'un hiver épouvantable.

Comment l'aurais-je oublié ? Cet hiver-là, nous n'avions rien eu d'autre à nous mettre sous la dent que du gruau de riz agrémenté de quelques navets séchés. Maman se contentait d'une portion frugale, mon père et mon oncle ne mangeaient presque rien, mais au bout du compte nous avions tous survécu.

— Mon père ne s'était pas préparé à une telle catastrophe, reconnut Fleur de Neige. Il passait ses journées à fumer et ne pensait plus guère à nous. Un beau jour, les concubines de mon grand-père finirent par quitter la maison. Peut-être sont-elles retournées dans leur village natal, peut-être sont-elles mortes en route, prises dans une tempête de neige – nul ne l'a jamais su. Lorsque le printemps arriva, il ne restait plus que mes parents, mes deux frères, mes deux sœurs et moi à la maison. En apparence, nous avions conservé le même train de vie : mais en réalité, les créanciers commençaient à venir réclamer leur dû. Mon père dut vendre de nouvelles terres et il ne nous resta bientôt plus que la maison. Mais il se souciait davantage d'aller fumer ses pipes que de ce qui pouvait nous arriver. Avant de se débarrasser des meubles – ah, Fleur de Lis, si tu avais vu comme tout était raffiné ici... – il envisagea d'abord de me vendre...

— Pas comme domestique, tout de même !

— Pire encore : comme soubrette de second rang.

C'était depuis toujours la pire des conditions envisageable à mes yeux : ne pas avoir les pieds bandés, être élevée par des étrangers suffisamment indignes pour refuser d'accueillir chez eux une véritable belle-fille, se voir encore plus mal traitée qu'une domestique... Et maintenant que j'étais mariée, j'entrevoyais l'aspect le plus sordide de la situation : être une simple créature, que chaque mâle de la famille pouvait à tour de rôle entraîner dans son lit.

— Ce fut la sœur de ma mère qui nous tira de ce mauvais pas, reprit Fleur de Neige. Une fois que nous fûmes devenues *laotong*, toi et moi, elle négocia une alliance de même nature pour ma sœur aînée, qui ne met plus jamais les pieds ici. Plus tard, ma tante envoya mon frère aîné faire son apprentissage à Shangjiangzu. Mon frère cadet travaille à présent dans les champs, au service de la famille de ton mari. Quant à ma petite sœur, elle est morte, comme tu le sais.

Mais je me souciais peu du sort des gens que je n'avais jamais rencontrés et au sujet desquels on ne m'avait d'ailleurs raconté que des mensonges.

— Mais pour toi, demandai-je, comment les choses se sont-elles passées ?

— Ma tante a changé mon destin avec une simple paire de ciseaux, quelques bandes de tissu et un morceau d'alun. Mon père n'était pas d'accord, mais tu connais tante Wang : qui pourrait s'opposer à elle, une fois qu'elle a pris sa décision ?

— Tante Wang ? m'exclamai-je. Tu veux parler de *notre* tante Wang ? L'entremetteuse ?

— Oui. C'est elle, la sœur de ma mère.

Je me pris la tête dans les mains. Le jour où nous avions fait connaissance, Fleur de Neige et moi, lors de notre première visite au temple de Gupo, elle s'était adressée à l'entremetteuse en l'appelant « ma tante ». J'avais cru qu'il s'agissait d'une simple marque de respect et depuis lors j'employais toujours ce titre en m'adressant à Madame Wang. Je me sentis brusquement ridicule.

— Tu ne me l'as jamais dit, murmurai-je.

— Que Madame Wang était ma tante ? C'était la seule chose dont je te croyais au courant.

La seule chose dont je te croyais au courant… Je laissai ces paroles résonner en moi, en essayant d'en mesurer la portée.

— Tante Wang avait parfaitement déchiffré la nature de mon père, reprit Fleur de Neige, et compris à quel point il était faible. Elle m'observa également et s'aperçut que je n'aimais pas obéir, que je ne faisais attention à rien et que je ne serai probablement pas bonne à grand-chose pour ce qui était des affaires domestiques. Mais ma mère pouvait m'apprendre à lire et à broder, à m'attifer et à me comporter en présence d'un homme – sans parler de notre écriture secrète. Ma tante n'était qu'une femme, mais comme entremetteuse elle avait l'habitude des tractations commerciales. Elle avait fort bien compris le danger qui nous menaçait, ma famille et moi. Aussi entreprit-elle de se mettre en quête d'une *laotong* potentielle, en espérant que l'information circulerait dans la région et que tout le monde en déduirait que j'étais une fillette bien éduquée, loyale, obéissante…

— Et digne d'être épousée, ajoutai-je. (Le constat s'appliquait d'ailleurs à moi.)

— Elle explora toute la région, bien au-delà du secteur où elle exerçait d'ordinaire ses talents d'entremetteuse. Et ce fut ainsi qu'elle entendit parler de toi, par l'intermédiaire du devin. Après t'avoir rencontrée, elle décida d'unir nos deux destins.

— Je ne comprends pas.

Fleur de Neige m'adressa un sourire lugubre.

— Tu allais t'élever, et moi j'allais déchoir. Quand nous nous sommes rencontrées, au tout début, je ne savais strictement rien faire. J'étais censée tout apprendre de toi.

— Mais c'est toi qui m'as tout appris ! m'exclamai-je. Tu as toujours eu plus de talent pour broder. Et tu maîtrisais parfaitement l'écriture secrète. C'est grâce à toi que je suis capable aujourd'hui de vivre au sein d'une famille ayant un certain train de vie.

— Et toi, tu m'as appris à puiser de l'eau, à faire la lessive, le ménage, la cuisine... J'ai tenté à mon tour de l'apprendre à ma mère, mais pour elle les choses sont restées figées, telles qu'elles étaient autrefois.

Il m'avait bien semblé que la mère de Fleur de Neige se raccrochait à un passé qui n'existait plus. Mais après avoir entendu ma *laotong* me raconter l'histoire de sa famille, je songeais qu'elle aussi voyait les choses à travers le voile heureux du souvenir. La connaissant depuis tant d'années, je savais qu'elle pensait au plus profond d'elle-même que le monde des femmes devait être sans tache, empreint d'une beauté limpide et exempt de tout souci matériel. Peut-être croyait-elle que les choses finiraient d'une manière ou d'une autre par redevenir telles qu'elles étaient autrefois.

— C'est auprès de toi que j'ai appris les choses dont je vais avoir besoin pour affronter la vie qui m'attend, reprit-elle. À ceci près que je n'ai jamais eu tes aptitudes pour les corvées ménagères.

Il est vrai qu'elle ne s'y était jamais sentie très à l'aise. J'avais cru jusqu'alors que ce peu d'enthousiasme était une façon pour elle de se prémunir contre la trivialité de la vie quotidienne. Mais je comprenais à présent qu'il lui était plus facile de se réfugier dans les hauteurs éthérées du ciel que d'accepter la laideur et les contraintes de ce qui se passait sous ses yeux.

— Mais ta maison est bien plus grande et plus difficile à entretenir que la mienne, dis-je un peu stupide-
ment, cherchant à la mettre à l'aise. Et tu avais...

— Une mère incapable de m'aider et un père opio-
mane, me coupa-t-elle. Sans parler de mes frères et
sœurs, qui nous ont abandonnés les uns après les
autres.

— Mais tu vas épouser...

Je m'interrompis, me souvenant brusquement de
cette fameuse journée où Madame Gao était montée à
l'étage et s'était disputée avec Madame Wang. Qu'avait-
elle déclaré au juste, à propos des fiançailles de Fleur
de Neige ? J'essayai de rassembler mes souvenirs à ce
sujet, mais ma *laotong* ne faisait presque jamais allusion à son futur mari. Pas plus qu'elle ne nous montrait
les cadeaux de fiançailles qu'on lui adressait. Nous
l'avions bien vue broder quelques pièces de tissu, mais
elle prétendait toujours qu'il s'agissait d'un banal travail
de routine.

Une pensée terrifiante s'insinua en moi. Fleur de
Neige allait certainement se marier au sein d'une
famille de très modeste condition. Tout le problème
était de savoir jusqu'où allait cette modestie.

— Ma tante a fait de son mieux, dit-elle comme si elle
avait lu dans mes pensées. Mais je ne vais même pas
épouser un paysan.

Je ressentis un petit pincement au cœur, car c'était la
condition de mon père.

— Un marchand, alors ? demandai-je.

Il s'agissait certes d'une profession peu honorable,
mais qui aurait permis à Fleur de Neige de restaurer
un peu sa position.

— Je vais me marier dans le village voisin de Jintian,
comme tante Wang l'a toujours dit, mais la famille de
mon mari...

Elle marqua une nouvelle hésitation.

— Eh bien, ce sont des bouchers.

Oh, là là... C'était la pire union possible ! Le mari de
Fleur de Neige devait posséder un peu d'argent, mais il

exerçait un métier indigne et méprisable... Je faisais redéfiler dans mon esprit les images du mois précédent, alors que nous étions plongées dans les préparatifs de mon mariage, et je revoyais la manière dont Madame Wang avait été présente aux côtés de Fleur de Neige, lui prodiguant caresses et réconfort. Puis je me souvins que l'entremetteuse nous avait raconté l'histoire de *L'Épouse de Monsieur Wang* et je compris *a posteriori*, non sans une certaine honte, que c'était à sa nièce qu'elle l'avait destinée, et non pas à moi.

Je ne savais quoi dire. La vérité s'était présentée à moi de manière fragmentaire, depuis que j'avais neuf ans, mais j'avais refusé de la reconnaître. Je me disais à présent qu'il était de mon devoir d'aider ma *laotong* à surmonter ses soucis, en lui laissant croire au contraire que tout se passerait bien.

Je passai le bras autour de ses épaules.

— Au moins, la faim te sera épargnée, lui dis-je, ignorant que je me trompais aussi sur ce point. Et il existe des situations bien pires, quand on est une femme.

Mais à vrai dire, je ne voyais pas lesquelles. Fleur de Neige enfouit son visage dans le creux de mon épaule et fondit en larmes. Au bout de quelques instants, elle s'écarta et me repoussa d'un geste brusque. Les pleurs brouillaient son regard, mais celui-ci, loin d'être triste, était empreint d'une lueur cinglante et sauvage.

— Je ne veux pas de ta pitié ! s'exclama-t-elle.

À aucun moment la notion de pitié ne m'avait effleuré l'esprit. Je n'éprouvais que tristesse et confusion. Sa lettre avait dissipé la joie que m'inspirait mon mariage et le fait qu'elle n'ait pu être présente le troisième jour, pour la lecture de mes cahiers, m'avait profondément peinée. Et maintenant, j'étais confrontée à ces terribles révélations... Toutefois, au milieu du trouble dont j'étais la proie, affleurait le sentiment que Fleur de Neige m'avait trahie, d'une certaine façon. Pourquoi ne m'avait-elle pas révélé la vérité, pendant toutes ces années ? Était-ce parce qu'au fond d'elle-même elle ne croyait pas au destin qui l'attendait ? Qu'ayant toujours la tête dans les nuages, elle pensait sincèrement échapper aux pesanteurs de la vie ? Que ses pieds allaient quitter le sol et qu'elle irait vivre dans les nuages, au milieu des oiseaux ? Ou bien avait-elle simplement essayé de sauver la face en gardant ses secrets pour elle, dans l'espoir que ce jour n'arrive jamais ?

Peut-être aurais-je dû lui en vouloir et me mettre en colère, en découvrant qu'elle m'avait menti de la sorte, mais ma réaction s'avéra différente. Après avoir été en quelque sorte tirée du néant, j'avais cru à un destin hors du commun et fini par ne plus voir ce qui se passait sous mon nez. N'était-ce pas de ma faute, en tant que *laotong*, si je m'étais abstenue de poser à Fleur de Neige les questions nécessaires, aussi bien à propos de son passé que de l'avenir qui l'attendait ?

Je n'avais que dix-sept ans et, pour l'essentiel, j'avais passé les dix dernières années cloîtrée à l'étage, entourée de femmes qui avaient comploté entre elles pour façonner mon avenir. Ce constat s'étendait d'ailleurs aux hommes qui avaient la charge du reste. Mais si je les considérais globalement, je me rendais bien compte que c'était à ma mère, et à elle seule, que j'en voulais vraiment. Peut-être Madame Wang l'avait-elle abusée au début, mais elle avait très vite dû apprendre la vérité et décider de me la cacher. Les sentiments que j'éprouvais à son égard s'en trouvèrent profondément altérés : je comprenais que ses marques d'affection épisodiques avaient été de simples stratagèmes, une manière de m'aider à tenir bon, pour que je puisse décrocher ce mariage dont toute ma famille allait bénéficier.

Je me trouvais brutalement plongée dans un état d'extrême confusion et je crois que cela ne fut pas sans conséquence sur la manière dont les choses se déroulèrent ensuite. Je ne me connaissais pas moi-même. Je ne comprenais pas ce qui importait. Je n'étais qu'une jeune fille bornée qui croyait savoir quelque chose sous prétexte qu'elle venait de se marier. J'ignorais comment maîtriser l'ensemble des sentiments qui m'agitaient, aussi me contentai-je de les enfouir au plus profond de moi. Mais ils ne s'en trouvèrent pas effacés pour autant : c'était comme si j'avais avalé de la viande avariée et attendu qu'elle commence à pourrir lentement à l'intérieur de mon corps.

J'étais loin alors d'être devenue la Dame Lu que l'on respecte aujourd'hui pour son élégance, sa force de caractère et sa compassion. Pourtant, un déclic s'était produit en moi, dès l'instant où j'avais pénétré dans la maison de Fleur de Neige. Songez à la viande à laquelle je viens de faire allusion et vous comprendrez ce que je veux dire. Je devais feindre de ne pas avoir été affectée, en utilisant toutes les ressources de ma volonté. Je voulais faire honneur à la famille de mon mari en me montrant charitable et compréhensive à l'égard des autres, même dans les pires circonstances. Mais j'ignorais bien sûr *comment* m'y prendre, car cela n'avait rien de naturel pour moi.

Fleur de Neige devait se marier dans un mois. Je l'aidai donc avec sa mère à nettoyer la maison : il fallait au moins que l'endroit soit présentable quand la famille du marié arriverait, même s'il s'avéra impossible de chasser l'infecte odeur qui imprégnait les pièces. Cette douceur écœurante provenait bien sûr de l'opium que fumait le père de Fleur de Neige. Quant aux autres effluves, comme vous l'avez probablement deviné, ils étaient la conséquence directe de ses difficultés digestives... On avait beau faire brûler de l'encens, répandre du vinaigre et laisser les fenêtres ouvertes malgré la fraîcheur ambiante, rien n'y faisait : impossible d'éliminer l'atmosphère poisseuse que faisait planer dans la maison cet effroyable vice.

J'étais témoin de l'existence au jour le jour de deux femmes qui vivaient dans la terreur d'un homme. Ce dernier ne quittait jamais sa chambre, au rez-de-chaussée, et je voyais Fleur de Neige et sa mère se recroqueviller et parler à voix basse dès qu'il élevait la voix. Je finis par apercevoir l'individu lui-même, vautré au milieu de sa crasse et de ses haillons puants. Même réduit à cet état de misère, il était irritable et aussi prompt à se mettre en colère qu'un enfant contrarié. Il n'avait pas dû hésiter par le passé à frapper sa femme et sa fille, mais ce n'était plus à présent qu'une créature minée par la drogue, qu'il valait mieux laisser croupir dans ses excréments.

Je faisais mon possible pour ne pas extérioriser mes sentiments. Assez de larmes avaient été versées dans cette maison pour que je n'y ajoute pas les miennes. Je demandai un jour à Fleur de Neige de me montrer son trousseau. J'avais fini par me dire, au fond de moi, que cette famille de bouchers n'était peut-être pas une si mauvaise affaire pour elle. J'avais vu les pièces de soie qu'elle brodait : ces gens devaient être relativement prospères, à défaut d'être d'une pureté exemplaire sur le plan spirituel.

Fleur de Neige ouvrit un coffre en bois et étala sur le lit l'ensemble des articles qu'elle avait confectionnés. Je reconnus les chaussures de soie bleu ciel brodées de nuages sur lesquelles elle travaillait le jour où Belle Lune était morte. J'aperçus également une veste taillée dans le même tissu. Puis Fleur de Neige disposa côte à côte cinq paires de chaussures de pointures diverses, toujours dans la même étoffe, mais ornées de broderies différentes. Tous ces articles me semblaient vaguement familiers et je compris brusquement pourquoi : ils avaient été découpés dans la veste qu'elle portait le jour où nous nous étions rencontrées.

J'examinai de plus près le reste du trousseau. Je reconnus le tissu bleu lavande et blanc dans lequel était taillée la tenue de voyage de ma *laotong*, lorsqu'elle avait neuf ans : il avait tout simplement servi à la confection de nouvelles vestes. J'aperçus aussi le coton blanc et indigo que j'aimais tant jadis, dont plusieurs pans avaient été incorporés à des tuniques, des châles, des ceintures. D'autres avaient servi à la décoration des couettes. Fleur de Neige n'avait pas dû recevoir beaucoup de tissus en cadeaux de fiançailles, mais elle avait utilisé ses anciens vêtements pour confectionner les divers articles de son trousseau.

— Tu feras une épouse remarquable, lui dis-je, sincèrement impressionnée par le résultat.

Pour la première fois depuis bien longtemps, Fleur de Neige éclata de rire. J'avais toujours adoré ce rire cristallin et je me joignis à elle parce que, ma foi, tout cela dépassait les frontières de l'entendement… La situation de Fleur de Neige et la manière dont elle s'était débrouillée avaient quelque chose d'irréel et de tragique, de comique et d'horrible à la fois.

— Tes affaires…, m'étouffai-je.

— Ce ne sont même pas les miennes, pour commencer, répondit Fleur de Neige en essayant de reprendre son souffle. Ma mère avait déjà utilisé les vêtements de son propre trousseau pour confectionner les tenues que je mettais quand j'allais te voir. Il a fallu les retailler une nouvelle fois, à l'intention de ma belle-famille et de mon futur mari.

Je me souvenais m'être dit à l'époque que ces tissus étaient un peu sophistiqués pour une fillette de cet âge. J'avais même vu quelques fils de reprise dépasser parfois d'une manche ou d'un poignet. Je me sentis encore plus stupide qu'une poule surprise par l'orage. Le rouge me monta au visage et je me donnai deux claques, avant de me remettre à rire.

— Tu crois que ma belle-mère s'en apercevra ? me demanda Fleur de Neige.

— Comment veux-tu que je le sache ? Moi-même, je n'y ai vu que du feu…

Je ne pus finir ma phrase, tant je trouvais ça drôle.

Peut-être s'agit-il d'une plaisanterie que seules les femmes sont en mesure de comprendre. On nous traite depuis notre naissance comme si nous ne servions strictement à rien. Même si nous avons droit à l'amour de notre famille d'origine, nous sommes un fardeau pour elle. Ensuite, nous voilà mariées et transplantées dans une nouvelle famille : nous découvrons un époux que nous n'avons jamais vu, partageons avec lui le lit conjugal et obéissons aux ordres de notre belle-mère. Si nous avons de la chance, nous mettons un ou deux fils au monde, ce qui assure notre position au sein de notre belle-famille. Sinon, nous devons subir le mépris de notre belle-mère, les railleries des concubines et le désarroi de nos propres filles. Nous utilisons les ruses et les roueries féminines – dont à dix-sept ans nous n'avons même pas idée – mais en dehors de ça, nous sommes bel et bien soumises au bon vouloir des autres. Et c'est pour cette raison que la solution adoptée par Fleur de Neige et sa mère me paraissait si drôle, jusque dans son aspect excessif. Elles s'étaient servies des tissus jadis offerts à la mère de Fleur de Neige, que celle-ci avait une première fois taillés pour constituer son propre trousseau, puis découpés à l'usage de sa fille. Elles les avaient enfin retaillés une dernière fois, pour démontrer les qualités d'une jeune fille qui s'apprêtait à épouser un boucher… Tout cela était du bel « ouvrage de dames » – ce travail que les hommes jugent purement décoratif…

Mais il y avait encore beaucoup à faire. Fleur de Neige devait emmener dans son nouveau foyer de quoi se vêtir jusqu'à la fin de ses jours et, pour l'instant, son trousseau était loin d'y suffire. Je cherchai à évaluer ce que nous pouvions faire au cours du mois qui restait.

Lorsque Madame Wang arriva pour participer aux séances « de Chaise et de Chant » qui devaient se dérouler chez ma *laotong*, je la pris à part et la suppliai de se rendre chez mes parents, afin de me rapporter un certain nombre de choses.

Cette femme m'avait toujours considérée sans aménité. De surcroît elle avait menti – *à moi* plus encore qu'à ma famille. Je ne m'étais jamais vraiment souciée d'elle et je la trouvais encore plus déplaisante aujourd'hui, à cause de sa duplicité. Mais elle m'obéit et fit exactement ce que je lui demandais de faire. Après tout, ma position était désormais supérieure à la sienne… Elle revint de chez mes parents quelques heures plus tard avec un panier rempli de gâteaux qui restaient de mon mariage, d'échine de porc et de légumes cueillis dans notre jardin. Un autre panier contenait des tissus que j'avais l'intention de couper une fois de retour chez moi. Je n'oublierai jamais l'image de la mère de Fleur de Neige en train de manger la viande que sa sœur avait rapportée. Elle avait été éduquée pour devenir une dame de la bonne société et, aussi affamée fût-elle, elle ne se jeta pas sur la nourriture comme aurait pu le faire un membre de ma propre famille. Elle se servit de ses baguettes pour attraper de fines lamelles de viande et les porter délicatement à ses lèvres. Sa retenue et sa maîtrise m'ont infligé une leçon que je n'ai jamais oubliée depuis lors. Quelle que soit la détresse dans laquelle on se trouve, il faut toujours se comporter devant autrui comme une femme bien éduquée.

Je n'en avais pas terminé avec Madame Wang.

— Nous allons avoir besoin de quelques jeunes filles, pour ces journées « de Chaise et de Chant », lui dis-je. Pouvez-vous faire venir la sœur aînée de Fleur de Neige ?

— Jamais sa belle-famille ne l'autorisera à remettre les pieds ici.

Je digérai l'information, ignorant qu'un tel veto était possible.

— Mais il nous faut des jeunes filles, insistai-je.

— Pas une seule ne viendra, Fleur de Lis, m'avoua Madame Wang. La réputation de mon beau-frère est beaucoup trop mauvaise. Aucune famille ne permettra à l'une de ses filles – *a fortiori* si elle n'est pas mariée – de franchir le seuil de cette maison. Si nous demandions à ta mère et à ta tante de venir ? Elles connaissent la situation.

— Non !

Je n'étais pas encore prête à les affronter et Fleur de Neige n'avait nullement besoin de leur pitié. Ce qu'il fallait à ma *laotong*, c'étaient des jeunes filles originaires d'autres familles.

J'avais reçu de l'argent liquide à l'occasion de mon mariage. J'en glissai une partie dans la main de Madame Wang.

— Ne revenez pas avant d'avoir déniché trois jeunes filles, lui dis-je. Confiez à leurs pères la somme qui vous semblera appropriée et dites-leur que je me porte garante de la sécurité de leurs filles.

J'étais certaine que mon récent statut d'épouse alliée à la meilleure famille de Tongkou triompherait de la plupart des réticences. Mais il valait mieux que je garde cette réflexion pour moi, car mes beaux-parents n'auraient sans doute guère apprécié que je me serve à cette fin de leur position sociale. Je vis bien, toutefois, que Madame Wang considérait la chose. Elle allait évidemment poursuivre son commerce à Tongkou et s'apprêtait à toucher les bénéfices découlant de mon arrivée dans la famille Lu. Elle était certes soucieuse de ne pas affaiblir sa position, mais elle avait déjà contourné tant de règles, dans l'intérêt de sa nièce... Une fois cette équation mentalement résolue, l'entremetteuse opina brièvement de la tête et quitta les lieux.

Le lendemain, elle revint accompagnée de trois filles de paysans qui travaillaient sur les terres de mon beau-père. En d'autres termes, elles étaient d'une condition identique à la mienne, à ceci près qu'elles n'avaient pas eu ma chance.

Je souhaitais ardemment que ma *laotong* ait droit à ses journées « de Chaise et de Chant ». J'aidai les trois jeunes filles à répéter leurs airs et à trouver les formules appropriées pour rédiger leurs cahiers de mariage – ce qui n'avait rien d'évident puisqu'elles ne connaissaient pas Fleur de Neige. Lorsqu'elles ignoraient tel ou tel caractère, je l'inscrivais à leur place. Quand je les voyais prendre du retard dans leurs travaux de couture, je leur glissais à l'oreille que leurs parents ne manqueraient pas de les réprimander si elles ne s'acquittaient pas correctement du travail pour lequel elles avaient été engagées.

Vous vous rappelez comment les choses s'étaient passées, lors du mariage de ma sœur aînée ? Elle était triste de quitter notre maison, mais tout le monde estimait qu'elle allait épouser un bon parti. Et les chants qu'elle avait choisis n'étaient du coup ni trop allègres, ni trop désespérés. J'avais eu quant à moi des sentiments mitigés au moment de mon propre mariage. J'étais triste de quitter ma famille, mais excitée à l'idée que ma vie allait changer – apparemment en mieux. J'avais chanté pour rendre grâce à mes parents de m'avoir élevée et de s'être échinés pour assurer mon avenir. Comparé à cela, celui de Fleur de Neige paraissait nettement plus incertain. Nul ne pouvait le nier, ni y changer quoi que ce soit : aussi nos chants étaient-ils empreints de langueur et de mélancolie.

— Maman, chanta-t-elle un jour, papa n'a pas réussi à me faire grandir sur une colline ensoleillée et je vivrai dans l'ombre à jamais.

— Vraiment, psalmodia sa mère en retour, c'est comme une belle fleur qu'on aurait plantée sur du fumier.

Nous ne pouvions qu'acquiescer à ces paroles, les jeunes filles et moi : nos voix s'élevèrent à l'unisson, répétant ces deux répliques. Et les choses se déroulèrent ainsi : dans une ambiance un peu oppressante, mais dans le respect de la tradition.

Il faisait de plus en plus froid. Le frère cadet de Fleur de Neige était passé pour tendre du papier devant la fenêtre à croisillons, mais cela n'empêchait pas l'humidité de s'insinuer dans la pièce. Nos doigts étaient constamment rougis et engourdis par le froid. Les trois jeunes filles étaient trop intimidées pour oser dire quoi que ce soit, mais les choses ne pouvaient pas continuer de la sorte. Je proposai donc d'aller nous installer en bas, à la cuisine, où nous pourrions au moins nous réchauffer autour du brasero. Madame Wang et la mère de Fleur de Neige acceptèrent ma suggestion, ce qui me prouva une fois encore que je disposais désormais d'un certain pouvoir.

J'avais préparé depuis un certain temps le cahier que je destinais à Fleur de Neige, rempli de prévisions idylliques concernant son avenir. Mais tout cela n'était plus de mise et je dus me remettre à l'ouvrage. Je choisis pour la couverture un tissu indigo, m'en servis pour relier plusieurs feuilles de papier de riz et cousis le tout avec du fil blanc. À l'intérieur, sur les angles du rabat, je collai des motifs découpés dans du papier rouge. Je devais rédiger sur les premières pages mon chant d'adieu à Fleur de Neige ; puis, sur les suivantes, mon discours de présentation à sa belle-famille. Les dernières devaient rester vierges, pour qu'elle puisse ultérieurement y écrire à son tour ou recopier des modèles de broderie. Je préparai de l'encre et m'appliquai en traçant du bout de mon pinceau les caractères de notre écriture secrète. Chaque trait devait être parfait, dans la mesure du possible. Ma main ne devait pas trahir les émotions qui m'avaient agitée, ces derniers temps.

Une fois les trente jours écoulés, commença la journée dite « du Grand Chagrin ». Fleur de Neige demeura en haut, à l'étage, et sa mère vint s'asseoir sur la quatrième marche de l'escalier. Nous avions eu le temps de nous entraîner, depuis quelques jours, et malgré la menace que représentait le père de Fleur de Neige – il se mettait en rogne au moindre bruit –, j'entonnai le chant qui exprimait mes sentiments profonds et mes derniers conseils.

— Une bonne épouse ne se laisse pas rebuter par les travers de son mari, psalmodiai-je en me rappelant l'histoire de *L'Épouse de Monsieur Wang*. Aide ta famille à atteindre une condition plus enviable. Sois au service et aux ordres de ton mari.

La mère et la tante de Fleur de Neige firent écho à ces paroles :

— Si nous voulons être de dignes filles, nous devons obéir, chantèrent-elles en chœur. (Et en entendant leurs deux voix résonner à l'unisson, nul ne pouvait douter de l'affection qui les liait.) Nous devons faire preuve d'abnégation, de chasteté, d'humilité, et exceller dans les arts domestiques. Par piété filiale, nous sommes vouées à quitter notre foyer, telle est notre destinée. Et lorsque nous arrivons dans la demeure de notre mari, un nouveau monde s'offre à nous – pour le pire ou le meilleur.

— Durant notre enfance, rappelai-je à Fleur de Neige, nous avons connu des jours heureux ensemble. Les années passaient, sans nous séparer. Et désormais, nous resterons unies de la même manière.

J'évoquai ensuite les mots que nous avions écrits sur notre éventail lors de nos premiers échanges, puis dans le contrat qui nous unissait en tant que *laotong*.

— Nous continuerons à échanger nos secrets à voix basse, à choisir ensemble la couleur de nos fils et à broder côte à côte.

Fleur de Neige fit son apparition au sommet de l'escalier et sa voix descendit en flottant jusqu'à moi :

— Je croyais que nous volerions toujours ensemble, tels deux phénix prenant leur essor. À présent je suis comme une branche morte coulant au fond d'un étang. Tu me dis que nous resterons côte à côte, comme auparavant. Je te crois, mais le seuil de ma maison sera bien modeste, comparé au tien.

Elle descendit lentement les marches et s'arrêta pour s'asseoir à côté de sa mère. Nous nous attendions à quelques larmes d'amertume, mais elle n'en versa aucune. Elle passa son bras sous celui de sa mère et écouta poliment les petites villageoises qui entonnaient à leur tour leurs complaintes. En observant Fleur de Neige, je ne pouvais m'empêcher d'être étonnée par son apparente absence d'émotion. Je me souvenais avoir moi-même beaucoup pleuré lors de cette cérémonie, malgré l'excitation que suscitait en moi le fait de me marier. Les sentiments de ma *laotong* étaient-ils aussi mitigés que les miens ? Sa mère allait sûrement lui manquer, mais regretterait-elle vraiment la présence de ce père indigne ? Ou le fait de se lever chaque matin dans une maison vide, où tout lui rappelait que le destin avait mal tourné pour sa famille ? C'était une terrible perspective que d'aller vivre dans la famille d'un boucher : mais concrètement, sa situation serait-elle pire qu'ici ? Fleur de Neige était née elle aussi sous le signe du Cheval : l'instinct qui la poussait à partir à l'aventure n'était-il pas aussi fort qu'en moi ? Et pourtant... Nous avions beau être *laotong* et nées sous le même signe, je gardais toujours les pieds sur terre ; mais elle, malgré son penchant pour la beauté et le raffinement, ne cherchait qu'à s'ébattre et s'évader.

Deux jours plus tard, le palanquin fleuri de Fleur de Neige arriva. Cette fois encore, elle n'eut pas une larme et n'essaya pas de lutter contre l'inéluctable. Elle s'attarda quelques instants au milieu de la maigre assemblée qui s'était réunie, puis monta à l'intérieur du palanquin pauvrement décoré. Les trois paysannes que j'avais engagées n'attendirent même pas qu'il eût disparu à l'angle de la ruelle pour nous fausser compagnie et retourner chez elles. La mère de Fleur de Neige se retira dans sa maison et je me retrouvai seule avec Madame Wang.

— Tu dois me considérer comme une horrible créature, me dit l'entremetteuse. Mais sache au moins que je n'ai jamais menti à tes parents. Il y a fort peu de chose qu'une femme puisse faire pour infléchir le cours de son destin, et *a fortiori* celui d'une autre, mais...

Je levai la main pour l'empêcher de se répandre en excuses. J'avais pour ma part une question fort différente à lui poser :

— Quand vous êtes venue chez moi pour la première fois, il y a des années, et que vous avez examiné mes pieds...

— Tu veux savoir si tu étais vraiment exceptionnelle ?

Me voyant acquiescer, elle me dévisagea sans aménité.

— Il n'est pas très facile de dénicher une *laotong*, reconnut-elle. J'avais demandé à plusieurs devins de la région de repérer une fillette susceptible d'être unie à ma nièce. Il est vrai que j'aurais préféré qu'elle soit née dans une meilleure famille, mais Hu le devin est tombé sur toi. Tes huit caractères correspondaient point par point à ceux de Fleur de Neige. Mais il serait venu me trouver, quoi qu'il advienne. Oui, tu avais vraiment des pieds hors du commun. Ton destin aurait connu un cours particulier, même si tu n'avais pas été la *laotong* de ma nièce. Et j'espère aujourd'hui que son destin *à elle* profitera de la relation qui l'unit *à toi*. J'ai dû proférer bien des mensonges, pour qu'il lui reste encore un peu de chance dans cette vie. Et jamais je ne te demanderai pardon pour cela.

Je considérai le visage trop fardé de Madame Wang, en soupesant les propos qu'elle venait de me tenir. J'aurais voulu éprouver de la haine à son égard, mais comment cela aurait-il été possible ? Elle avait remué ciel et terre pour venir en aide à l'être qui m'était le plus cher au monde.

Il était exclu que la sœur aînée de Fleur de Neige se déplace pour la cérémonie de remise des cahiers, le troisième jour du mariage, aussi m'en chargeai-je à sa place. Ma famille m'avait envoyé un palanquin et j'atteignis Jintian en très peu de temps. Aucune banderole, aucun bruit de tambour ni de trompette n'indiquait qu'un événement particulier devait avoir lieu dans le village ce jour-là. J'émergeai de mon palanquin dans une ruelle crasseuse, devant une maison basse au toit pentu. Du bois s'empilait contre la façade. À droite de la porte se dressait une plate-forme en brique dans laquelle était encastrée une vaste bassine.

Une petite fête aurait dû être préparée pour mon arrivée, mais ce n'était pas le cas. Les femmes les plus en vue du village étaient censées m'accueillir : elles étaient effectivement là, mais nous avions beau être à quelques *li* de Tongkou, la rudesse de leur dialecte témoignait à lui seul du niveau de vie de la population locale.

Lorsque l'heure arriva de lire les *sanzhaoshu*, on m'introduisit dans la pièce principale. À première vue, le décor ressemblait beaucoup à celui de ma maison natale. Des piments séchaient, suspendus à la poutre centrale. Les murs en brique étaient restés à l'état brut, sans qu'on ait pris la peine de les enduire. J'espérais que cette similitude avec mon foyer d'origine caractériserait également les occupants des lieux. Je ne fis pas la connaissance du mari de Fleur de Neige ce jour-là, mais je rencontrai sa belle-mère. C'était une horrible créature. Ses deux yeux semblaient se toucher et ses lèvres étaient d'une minceur extrême ; cela dénotait à coup sûr un esprit borné et porté vers le mal.

Fleur de Neige pénétra à son tour dans la pièce. Elle alla s'asseoir sur un tabouret, à côté de l'endroit où étaient empilés ses cahiers, et attendit sagement la suite des opérations. J'avais l'impression d'avoir changé depuis mon mariage, mais je ne décelai en elle aucune transformation apparente. Les femmes de Jintian s'attroupèrent autour des *sanzhaoshu* et se mirent à les feuilleter de leurs doigts crasseux. Elles échangeaient leurs impressions sur les décorations ou la manière dont ils étaient cousus, mais ne firent pas le moindre commentaire concernant la qualité de la calligraphie et des réflexions qu'ils contenaient. Au bout de quelques minutes, l'ensemble des femmes avaient pris place autour de la pièce.

La belle-mère de Fleur de Neige se dirigea vers un banc. Ses pieds n'avaient pas été aussi mal bandés que ceux de ma mère, mais il y avait dans sa démarche quelque chose d'incongru, qui témoignait de la bassesse de son rang – plus encore que les sons rauques qu'elle émettait en parlant. Elle s'assit, jeta un regard dégoûté sur sa belle-fille et posa brusquement sur moi ses yeux froids, dénués de pitié.

— J'ai cru comprendre que vous veniez de vous marier au sein de la famille Lu, dit-elle. Vous avez beaucoup de chance.

Les mots eux-mêmes étaient courtois, mais le ton sur lequel elle les prononçait signifiait clairement qu'à ses yeux j'étais une moins que rien.

— On prétend que vous êtes versées dans le *nu shu*, ma belle-fille et vous. Les femmes de notre village n'ont qu'une estime limitée pour ce genre de passe-temps. Nous savons lire cette écriture, mais nous préférons l'écouter.

Je ne croyais pas un traître mot de son discours. Cette femme était comme ma mère, elle ne savait tout simplement pas lire le *nu shu*. Je considérai le reste des villageoises : elles n'avaient fait aucun commentaire sur le contenu des cahiers, étant tout aussi incapables d'en déchiffrer l'écriture.

— Nous n'éprouvons pas le besoin de dissimuler nos pensées en les notant sur des bouts de papier, poursuivit la belle-mère de Fleur de Neige. Tout le monde au sein de cette assemblée connaît mon opinion à ce sujet.

Quelques rires forcés accueillirent cette repartie, mais elle leva la main pour réduire ses compagnes au silence.

— Toutefois, cela nous distraira de vous entendre lire les *sanzhaoshu* de ma belle-fille. Son éloge, émanant d'une jeune personne liée à une si éminente famille de Tongkou, ne manquera évidemment pas d'être apprécié à sa juste valeur.

Chaque mot que prononçait cette femme transpirait le mépris. Je n'avais que dix-sept ans et je réagis du mieux que je pouvais. Je saisis le cahier qu'avait rédigé la mère de Fleur de Neige et l'ouvrit, repensant à son élocution distinguée et essayant de la reproduire, en entonnant :

— *Je présente cette épître à ton noble foyer, le troisième jour de ton mariage. Je suis ta mère et cela fait maintenant trois jours que nous sommes séparées. Le malheur a frappé notre famille et te voici à présent mariée au loin, dans un village inconnu.* (Comme c'était la coutume dans ce genre de cahier, le sujet changeait brusquement et la mère de Fleur de Neige s'adressait ensuite à sa nouvelle famille.) *J'espère que vous témoignerez de la compassion pour ma fille et que vous vous abstiendrez de lui faire remarquer la modestie de son trousseau.*

Le texte se poursuivait dans cette veine, évoquant la malchance qui s'était abattue sur la famille de Fleur de Neige, sa déchéance et la misère qu'il lui fallait maintenant endurer. Mais je sautai carrément ce passage et le remplaçai par un autre, de ma propre invention :

— Une jeune fille aussi dévouée que notre Fleur de Neige doit bénéficier d'un foyer digne d'elle. Elle mérite d'être accueillie au sein d'une famille de qualité.

Je reposai le cahier. L'assistance demeura silencieuse. Je saisis ensuite le cahier que j'avais moi-même rédigé et l'ouvris, tout en fixant la belle-mère de Fleur de Neige. Je tenais à lui faire savoir que ma *laotong* trouverait toujours auprès de moi soutien et protection.

— *Les gens pourront bien dire que le mariage nous aura séparées,* commençai-je à chanter à l'intention de Fleur de Neige, *mais nos cœurs resteront unis. Tu déchois, je m'élève. Ta famille abat des bestiaux, la mienne est la plus respectée du comté. Mais tu occupes autant de place en moi que mon propre cœur. Nos deux destins sont liés. Nous sommes comme un pont au-dessus d'un torrent déchaîné et nous continuerons de marcher côte à côte.*

Je voulais que la belle-mère de Fleur de Neige *entende* mes paroles. Mais elle se contenta de me fixer d'un air soupçonneux, en serrant les lèvres avec un déplaisir évident.

Comme j'étais arrivée au terme de mon texte, j'ajoutai quelques commentaires improvisés, inspirés par les circonstances :

— Quelle que soit ta détresse, ne la manifeste jamais aux yeux d'autrui. Ne donne pas à des êtres grossiers la moindre raison de se moquer de toi. Respecte les règles. Ne t'inquiète pas. Nous serons toujours *laotong.*

On ne nous permit pas d'échanger ne fût-ce qu'un simple mot, Fleur de Neige et moi. On me reconduisit à mon palanquin, qui devait me ramener dans mon village natal. Une fois seule à l'intérieur, je sortis notre éventail et l'ouvris. Un tiers des plis était désormais couvert de signes, commémorant des souvenirs qui nous tenaient particulièrement à cœur. Cette proportion correspondait à peu près à la réalité, car nous avions déjà vécu un bon tiers de ce qui pouvait être considéré comme une longue existence, pour des femmes de notre district. Je repensais à tout ce qui nous était arrivé, jusqu'aujourd'hui. Tant de bonheur. Tant de tristesse. Et tant d'intimité partagée.

Je regardai le dernier message que Fleur de Neige avait inscrit, le jour de mon mariage. Il couvrait la moitié d'un pli. Après avoir préparé de l'encre et sorti mon pinceau, j'ajoutai de ma plus belle écriture, sous les vœux qu'elle m'avait adressés : *Un phénix s'élève bien au-dessus d'un coq. Il perçoit le vent qui l'entoure. Rien ne pourra le maintenir au sol.* Ce fut seulement à cet instant-là, après m'être retrouvée seule et avoir inscrit ces mots, que je parvins à considérer en face le destin de Fleur de Neige. Dans la frise qui courait en haut de l'éventail, je peignis une fleur chiffonnée, d'où s'écoulaient des larmes minuscules.

J'attendis que l'encre ait séché.

Puis je refermai l'éventail.

LE TEMPLE DE GUPO

Lorsque je revins, mes parents furent contents de me revoir et comblés par les gâteaux que ma belle-famille leur avait fait parvenir. Mais de mon côté – et pour être tout à fait honnête – je n'étais pas enchantée de les retrouver. Dix ans durant, ils m'avaient caché la vérité et cette découverte m'avait profondément bouleversée. Je leur en voulais beaucoup – et je n'étais plus une petite fille que l'eau de la rivière suffit à laver de ses peines. Je tenais à ce que ma famille me rende des comptes. Mais j'étais bien obligée, dans mon propre intérêt, de respecter les règles de la piété filiale. J'optai donc pour une forme d'opposition discrète, en me tenant autant que possible à l'écart des autres.

Au début, ma famille ne parut pas s'apercevoir du changement qui s'était opéré en moi. Chacun continuait de se comporter comme à l'ordinaire, mais je faisais de mon mieux pour ne pas rentrer dans leur jeu. Ma mère voulait examiner mes parties intimes, mais je m'y opposai, prétextant que cela me gênait. Ma tante brûlait de savoir comment s'était passé l'accomplissement du devoir conjugal, mais j'éludai ses questions en arguant de ma timidité. Mon père essayait parfois de me prendre par la main, mais je lui répliquais que j'étais mariée à présent et qu'une telle marque d'affection n'était plus de mise entre nous. Mon frère aîné aurait bien voulu plaisanter avec moi, mais je lui rétorquai qu'il valait mieux qu'il s'en tienne à la compagnie de sa propre épouse. Quant à mon petit frère, il restait dans son coin, intimidé par mon air rébarbatif. Et je ne faisais rien pour l'encourager, me contentant de lui dire qu'il comprendrait la situation quand son tour viendrait de se marier. Seul mon oncle éveillait un peu de sympathie en moi, mais je ne lui fis néanmoins aucune confidence. J'accomplissais les tâches qui me revenaient et travaillais paisiblement dans l'appartement des femmes. J'étais polie et je retenais ma langue, car à l'exception de mon petit frère, tous les membres de ma famille étaient mes aînés. Et même en tant que femme mariée, je n'avais pas le droit de porter contre eux la moindre accusation.

Mais un tel comportement ne pouvait pas passer inaperçu très longtemps. Aux yeux de ma mère, mon attitude était inadmissible, même si cette dernière restait empreinte d'un certain respect. Nous étions trop peu nombreux au sein de cette maisonnée pour que l'un d'entre nous se fasse remarquer de la sorte, manifestant ce qu'elle considérait de ma part comme de l'insolence.

J'étais rentrée depuis cinq jours lorsqu'elle demanda à ma tante d'aller lui chercher du thé. Sitôt sa belle-sœur sortie, ma mère traversa la pièce, posa sa canne contre la table devant laquelle j'étais assise et me saisit le bras, en enfonçant ses ongles dans ma chair.

— Tu nous trouves sans doute indignes de toi ? lança-t-elle comme je m'y attendais. Tu te crois supérieure parce que tu as partagé la couche du rejeton d'un notable ?

Je relevai les yeux et affrontai son regard. Jamais je ne lui avais manqué de respect. Toutefois, en cet instant, je ne cherchai pas à dissimuler la colère que j'éprouvai. Ma mère soutint mon regard, pensant qu'elle allait avoir raison de moi, mais je ne cédai pas. Alors, d'un geste bref, elle lâcha mon bras, recula d'un pas et me gifla violemment, en plein visage. L'impact me fit vaciller, mais mon regard se reposa aussitôt sur elle, ce qui ne fit qu'accroître sa rage.

— Ton attitude déshonore cette maison, me dit-elle. Tu as franchi les limites de l'infamie.

— Les limites de l'infamie..., répétai-je lentement, sachant que mon calme ne pouvait qu'exciter sa rancœur.

Puis je l'empoignai à mon tour par le bras, l'obligeant du même coup à me faire face. Sa canne glissa et tomba sur le sol avec fracas. D'en bas, ma tante s'écria :

— Tout va bien, Grande Sœur ?

— Oui, répondit calmement ma mère. Apporte-nous le thé lorsqu'il sera prêt.

Tout mon corps tremblait, sous le coup des émotions qui m'agitaient. Ma mère le sentit et eut un sourire entendu. Je plantai mes ongles dans sa chair, comme elle l'avait fait tout à l'heure, et lui déclarai à voix basse, afin que personne d'autre ne m'entende :

— Tu es une menteuse. Tu m'as trompée, avec la complicité de toute la famille. Tu pensais peut-être que je ne découvrirais jamais la vérité sur Fleur de Neige ?

— Nous ne t'avons rien dit par égard pour elle, gémit-elle. Nous aimons tous Fleur de Neige. Elle était heureuse parmi nous. Pourquoi aurions-nous modifié le regard que tu portais sur elle ?

— Cela n'aurait rien modifié du tout. Elle est ma *laotong*.

Ma mère releva le menton d'un air inflexible et changea de tactique :

— Nous avons toujours agi dans ton intérêt, rétorqua-t-elle.

— Tu veux dire : dans *votre* intérêt, dis-je en enfonçant plus profondément mes ongles dans sa chair.

J'imaginais la douleur qu'elle devait ressentir, mais au lieu de grimacer elle réussit au contraire à prendre un air aimable. Je me doutais qu'elle allait essayer de se justifier, mais jamais je n'aurais imaginé l'excuse qu'elle avait trouvée :

— Le lien qui t'unissait à Fleur de Neige devait déboucher sur un bon mariage – non seulement pour toi, mais aussi pour ta cousine. Comme toi, Belle Lune devait en profiter et être heureuse.

Cette tentative de diversion dépassait les bornes, mais je parvins à garder mon sang-froid.

— Il y a deux ans que Belle Lune est morte, dis-je d'une voix tranchante. Et *dix ans* que Fleur de Neige a mis les pieds ici pour la première fois. Et pendant tout ce temps, tu n'as jamais trouvé le moyen de me dire la vérité à son sujet...

— Belle Lune...

— Belle Lune n'a rien à voir là-dedans ! m'exclamai-je.

— C'est toi qui l'as obligée à sortir. Sans cela, elle serait encore parmi nous. Tu as brisé le cœur de ta tante.

Une telle distorsion des faits n'avait rien pour me surprendre : après tout, ma mère était de l'année du Singe. Quant à son accusation, elle était d'une injustice trop criante pour être prise au sérieux. Mais comment pouvais-je réagir ? Il m'était impossible de sortir des limites que m'imposait la piété filiale. Tant que je n'étais pas enceinte et que j'habitais encore ici, je dépendais de ma famille. Et comment, née sous le signe du Cheval, pouvais-je triompher des ruses et des subterfuges d'un singe ?

Ma mère dut sentir qu'elle reprenait l'avantage, car elle poursuivit :

— Une fille digne de ce nom me remercierait, au contraire...

— De quoi ?

— De t'avoir offert l'existence qui m'a été refusée à cause de ces deux boulets, dit-elle en désignant ses pieds déformés. J'ai surveillé de près ton bandage. Tu en tires les bénéfices à présent.

Ces paroles ravivèrent en moi le souvenir des pires heures de ma vie, des horribles souffrances que l'opération avait entraînées et des propos de même nature que ma mère m'avait alors tenus, concernant ma destinée. Je compris avec effroi qu'au cours de cette terrible épreuve, elle n'avait jamais manifesté à mon endroit le moindre amour maternel. Au contraire, à sa manière tortueuse, la douleur qu'elle m'avait alors infligée était liée à son ambition et à ses désirs égoïstes.

La colère et la désillusion que j'éprouvais avaient quelque chose d'intolérable.

— Jamais plus je n'attendrai le moindre signe de gentillesse de ta part, dis-je en relâchant son bras d'un geste dégoûté. Mais souviens-toi bien de ceci : un jour, grâce à tes manigances, ce sera à moi de décider ce qu'il convient de faire au sein de cette famille. Je serai toujours charitable. Mais ne crois pas que j'oublierai un seul instant ce dont tu t'es montrée capable.

Ma mère se pencha, ramassa sa canne et s'y appuya.

— Je plains la famille Lu, dit-elle. Le jour où tu quitteras définitivement cette maison sera le plus heureux de mon existence. D'ici là, n'essaie pas de faire la maligne avec moi.

— Sinon quoi ? Tu me jetteras à la rue ?

Ma mère me regarda comme si j'étais une étrangère. Puis elle fit volte-face et retourna s'asseoir en claudiquant. Lorsque ma tante remonta avec la théière, elle ne fit aucune allusion à la scène.

Les choses en restèrent là, pour l'essentiel. J'adoptai une attitude un peu plus douce à l'égard des autres membres de la famille – c'est-à-dire de mes frères, de ma tante, de mon oncle et de mon père. J'aurais voulu que ma mère disparaisse à tout jamais de mon existence, mais les circonstances ne s'y prêtaient guère. Je devais rester ici jusqu'à ce que je sois enceinte et prête à accoucher. Et même une fois établie dans la maison de mon mari, la tradition exigeait que je me rende dans ma famille d'origine plusieurs fois par an. Mais j'essayais de rester à bonne distance de ma mère – même si nous passions la plupart du temps côte à côte – en affectant de n'avoir plus besoin de sa tendresse, maintenant que j'étais mariée. C'était la première fois que j'étais amenée à me comporter ainsi – c'est-à-dire à respecter extérieurement la coutume et les règles, en mettant mes émotions de côté. Mais je rongeais mon frein et gardais mes rancœurs pour moi, comme une pieuvre agrippée à son rocher. Tout le monde pourtant s'y laissa prendre. Ma famille accepta mon attitude et j'affichai toutes les marques de la plus stricte piété filiale. Des années plus tard, pour des raisons bien différentes, je devais adopter un comportement identique – mais avec un résultat autrement désastreux.

Fleur de Neige était plus chère à mon cœur que jamais. Nous nous écrivions régulièrement et Madame Wang nous servait d'intermédiaire. Je m'inquiétais des conditions de vie de ma *laotong* : sa belle-mère la traitait-elle correctement ? La situation avait-elle empiré dans sa propre famille ? Comment supportait-elle le poids de ses devoirs conjugaux ? Elle, de son côté, craignait que je ne m'intéresse plus à elle de la même façon. Nous aurions bien voulu nous voir plus souvent, mais nous n'avions plus le prétexte d'un trousseau à rassembler et les seuls voyages qu'on nous autorisait étaient ceux que nous faisions de temps à autre pour aller rendre visite à nos époux respectifs.

J'allais voir mon mari quatre ou cinq fois par an. Chacun de mes départs était salué par un concert de lamentations. Je devais emmener ma propre nourriture, car ma belle-famille n'était pas censée me nourrir tant que je n'étais pas définitivement installée chez elle. Chaque fois que je séjournais à Tongkou, j'étais plutôt rassurée par la manière dont on me traitait. Et chaque fois que je revenais à Puwei, l'ambiance était un peu morose : les nuits que je passais loin de mes proches me rendaient plus précieuse à leurs yeux mais leur faisaient sentir l'imminence de mon départ définitif.

À chaque nouveau voyage je m'enhardissais davantage et j'observais le paysage à l'extérieur du palanquin, au point de connaître l'itinéraire par cœur. Nous parcourions un chemin le plus souvent boueux et jonché d'ornières. Des rizières et des champs de taros bordaient la route. Quand nous arrivions en vue de Tongkou, un grand pin agitait ses branches en retrait du sentier, comme pour nous saluer. Plus loin, sur la gauche, s'étendait l'étang communal. Dans mon dos, le long du trajet que je venais de suivre, se profilaient les méandres de la rivière Xiao. Et devant moi, comme Fleur de Neige me l'avait décrit, Tongkou était niché au creux des collines.

Une fois que les porteurs m'avaient déposée devant la porte principale de la bourgade, je me retrouvais sur un petit terre-plein tapissé de galets, dont le motif évoquait des écailles de poisson. Ce secteur dessinait un arc de cercle entre le grenier à riz communal sur la droite et l'étable qui se dressait à gauche. De part et d'autre de la porte d'entrée, des colonnes ornées de bas-reliefs colorés soutenaient un toit élégant, dont les pointes recourbées se dressaient vers le ciel. Les murs d'enceinte étaient décorés de scènes évoquant la vie des immortels. L'entrée elle-même était large, indiquant clairement aux visiteurs que Tongkou était la bourgade la plus importante du comté. Deux piliers d'onyx sculptés de motifs représentant des poissons permettaient aux cavaliers de mettre pied à terre.

Une fois la porte franchie, on débouchait sur la place principale de Tongkou : accueillante et vaste, elle était abritée par un dôme octogonal décoré de peintures, qui témoignait d'un parfait *feng shui*. En passant par la porte latérale, sur la droite, on débouchait sur la grande salle commune du bourg, où l'on recevait les visiteurs ordinaires. Au-delà se dressait le temple des ancêtres, où étaient accueillis les émissaires impériaux et les délégations officielles. C'était également là qu'avaient lieu les fêtes ou les banquets donnés lors des mariages. Les demeures les plus modestes de l'agglomération – certaines étant en bois – étaient regroupées dans ce secteur, derrière le temple.

La maison de mes beaux-parents se dressait bien en vue, juste en face : on y accédait par l'autre porte latérale, à gauche de l'entrée principale. Toutes les demeures sont opulentes, dans ce quartier, mais celle de ma belle-famille a un charme particulier. Aujourd'hui encore, je suis heureuse d'y habiter. La maison comporte bien sûr les deux niveaux habituels. Elle est construite en brique et la façade est recouverte de plâtre. Sous l'avancée des gouttières, des fresques représentent des jeunes gens des deux sexes occupés à étudier, à calligraphier, à faire de la musique ou des calculs savants. Ces tableaux sont avant tout destinés à rappeler aux passants la qualité des gens qui habitent cette maison et la manière dont ils occupent leur temps. À l'intérieur, les murs sont recouverts de panneaux en bois provenant des plus belles forêts de la région. Les pièces sont agrémentées de balustrades, de colonnes sculptées et de fenêtres à croisillons.

À l'époque de mon arrivée, la pièce principale ressemblait déjà beaucoup à ce qu'elle est aujourd'hui – avec son parquet en bois, ses meubles élégants et l'escalier qui grimpe le long du mur oriental, rejoignant un balcon à la rambarde incrustée de pierres précieuses. En ce temps-là, mes beaux-parents occupaient la plus grande chambre du rez-de-chaussée, sur l'arrière de la maison. Le sol était en terre battue. Chacun de mes beaux-frères avait sa chambre à lui, donnant sur la pièce principale. Au bout d'un certain temps, leurs épouses vinrent s'établir auprès d'eux. Si elles n'arrivaient pas à engendrer un fils, elles étaient reléguées au bout de quelque temps dans une autre partie de la maison, et une concubine ou une soubrette de second rang venait prendre leur place dans le lit des beaux-frères.

Lors de mes visites, à cette époque-là, nous ne restions pas inactifs dans le lit conjugal, mon mari et moi. Il fallait à tout prix que nous engendrions un fils et nous ne ménagions pas nos efforts. À part ça, nous ne nous voyions guère. Il passait ses journées auprès de son père et moi dans l'ombre de sa mère. Mais nous finîmes par nous connaître un peu mieux, au fil du temps, et cela accrut le charme de nos ébats nocturnes.

Comme dans la plupart des mariages, la relation la plus importante était celle que j'avais avec ma belle-mère. Tout ce que Fleur de Neige m'avait dit concernant l'attachement de Dame Lu à la tradition se révéla exact. Elle surveillait de près la manière dont j'exécutais mes tâches quotidiennes – qu'il s'agisse de préparer le thé du matin, de faire la lessive ou de changer la literie, de composer le repas de midi, de tisser, de coudre, de broder ou de préparer le repas du soir. Et elle ne se gênait pas pour me donner des ordres. « Coupe de plus petits morceaux, me disait-elle si j'étais en train de préparer un potage de melon. Ceux-là sont tellement gros que même nos cochons n'en voudraient pas. » Ou encore : « J'ai eu mes sangs cette nuit et les draps sont couverts de taches, ne ménage pas ta peine en les frottant. » Quant à la nourriture que je ramenais de mon village natal, elle la reniflait d'un air méprisant avant de lancer : « La prochaine fois, essaie de trouver quelque chose qui sente un peu moins fort. À chaque fois, mes fils et mon mari ont l'appétit coupé. » Sitôt ma visite terminée, on me renvoyait chez moi sans un au revoir ou un mot de remerciement.

En bref, les choses ne se déroulaient ni excessivement bien, ni excessivement mal. Elles suivaient simplement leur cours naturel. Dame Lu se montrait équitable, je lui manifestais en retour respect et soumission. En d'autres termes, nous nous pliions l'une et l'autre à ce qu'on attendait de nous et tenions notre rôle du mieux possible. Ainsi, quelques mois après mon mariage, lors du deuxième jour des fêtes du Nouvel An, ma belle-mère invita chez elle toutes les jeunes filles de Tongkou qui étaient encore célibataires et toutes celles qui, comme moi, venaient de se marier. Elle nous offrit du thé et des gâteaux, faisant preuve d'une grâce et d'une politesse exquises. Lorsque les invitées partirent, nous les accompagnâmes dans plusieurs familles du quartier. Je fis ainsi la connaissance de cinq de mes futures belles-sœurs. Si je n'avais pas été la *laotong* de Fleur de Neige, j'aurais cherché parmi ces jeunes filles celles avec lesquelles j'allais former une nouvelle communauté de sœurs adoptives, ainsi qu'il est d'usage après le mariage.

Ce fut à l'occasion de notre visite annuelle au temple de Gupo que nous nous revîmes pour la première fois, Fleur de Neige et moi. Vous devez penser que nous avions des tas de choses à nous dire, mais à la vérité nous étions un peu mal à l'aise. Je crois qu'elle-même éprouvait des remords pour m'avoir menti durant toutes ces années, en me cachant la médiocrité du mariage qui l'attendait. Je me sentais tout aussi embarrassée. Je ne voyais pas comment lui parler des sentiments que j'éprouvais à l'égard de ma mère sans lui rappeler du même coup sa propre duplicité. Et comme si ces secrets ne suffisaient pas, nous avions à présent l'une et l'autre un mari et nous livrions en sa compagnie à des activités qu'il était un peu gênant d'évoquer. Il était déjà assez humiliant que nos beaux-pères viennent coller l'oreille à la porte de la chambre conjugale pendant nos ébats nocturnes ou que nos belles-mères inspectent méticuleusement nos draps, le lendemain matin. Nous ne pouvions pourtant pas rester muettes et je jugeai moins épineux d'aborder la question de la grossesse que nous espérions l'une et l'autre.

Nous évoquâmes donc les conditions nécessaires au bon développement du bébé. Nos maris étaient bien sûr censés respecter ces règles. Chacun sait que le corps est le microcosme de l'univers : les yeux et les oreilles représentent le soleil et la lune, le souffle l'air, le sang la pluie. Réciproquement, ces éléments jouent un rôle important dans le développement du fœtus. Les choses étant ainsi, l'accomplissement des devoirs conjugaux ne doit pas avoir lieu lorsqu'il pleut, ni au cours d'un orage – le tonnerre et les éclairs risquant de provoquer des spasmes chez le futur enfant. On doit également s'en abstenir en cas d'anxiété de l'un des époux, pour éviter que des esprits ténébreux ne viennent hanter les futures générations.

— J'ai entendu dire qu'il ne faut pas se livrer au devoir conjugal après avoir effectué des travaux trop pénibles, me dit Fleur de Neige. Mais cette recommandation n'a pas dû parvenir jusqu'aux oreilles de ma belle-mère.

Elle paraissait épuisée. Je ressentais la même chose après chacune de mes visites dans la demeure de mon mari, à cause du labeur incessant et du fait de se sentir épiée en permanence, sans jamais se départir de sa politesse.

— Ma belle-mère ne respecte pas cette règle, elle non plus, dis-je pour la consoler. N'ont-elles jamais entendu dire que ce n'est pas au fond d'un puits à sec qu'on va puiser de l'eau ?

Nous nous plaignions de nos belles-mères mais nous redoutions également, une fois enceintes, de ne pas mettre au monde des fils suffisamment vigoureux et intelligents.

— Ma tante m'a confié quel était le meilleur moment pour tomber enceinte, dis-je.

Bien que tous ses enfants, à l'exception de Belle Lune, soient morts en bas âge, nous faisions toujours confiance à l'expérience de ma tante dans ce domaine.

— Il faut que cela corresponde à un moment où l'on n'éprouve aucune contrariété, ajoutai-je.

— Je sais, soupira Fleur de Neige. « Quand l'eau est immobile, le poisson glisse sans encombre ; quand le vent est tombé, l'arbre altier se dresse », récita-t-elle.

— Ce que nous devrions faire, toi et moi, c'est profiter d'une nuit calme où la pleine lune brille dans le ciel, évoquant la rondeur et la pureté du ventre maternel.

— Lorsque le ciel est dégagé, ajouta Fleur de Neige, c'est signe que tout est calme et ordonné dans l'univers.

— Et que l'harmonie règne entre nos maris et nous. Ce qui permet à la flèche d'atteindre sa cible. Dans ces circonstances, ma tante m'a dit que même les insectes les plus indolents sortent de leur tanière pour s'accoupler.

— Je ne l'ignore pas, soupira Fleur de Neige, mais il est rare que toutes les conditions soient réunies en même temps.

— Il faut pourtant que cela advienne.

Et donc, pour notre première visite depuis notre mariage au temple de Gupo, nous fîmes des offrandes et des prières pour que cela arrive au plus tôt. Mais nous ne tombâmes pas enceintes pour autant, malgré notre respect des règles. Croyez-vous que ce soit facile, lorsqu'on ne retrouve le lit conjugal que quatre ou cinq fois par an ? Et parfois, l'ardeur de mon mari était telle qu'il répandait son fluide avant d'atteindre sa destination...

L'année suivante, lorsque nous revînmes au temple, nos prières se firent plus pressantes et nos offrandes plus nombreuses. Puis, comme nous en avions conservé l'habitude, nous allâmes chez le marchand de taros pour partager notre traditionnel poulet, suivi de notre dessert favori. Mais nous avions beau adorer ces plats, le repas se déroula dans un climat morose. Nous comparions nos expériences et cherchions à mettre au point de nouvelles tactiques pour tomber enfin enceintes.

Au cours du mois suivant, en visite dans la famille Lu, je fis tout mon possible pour satisfaire aux exigences de ma belle-mère. Chez mes propres parents, je faisais des efforts pour me montrer aimable. Mais je voyais bien qu'on commençait à me considérer d'un œil suspicieux : je n'allais plus tarder à être mise à l'écart pour mon manque de fertilité. Puis, au bout de deux autres mois, Madame Wang vint m'apporter une lettre. J'attendis que l'entremetteuse soit partie pour la décacheter. Fleur de Neige m'écrivait en *nu shu* :

Je suis enceinte. J'ai des nausées tous les jours. Ma mère me dit que c'est le signe que le bébé est heureux dans mon ventre. J'espère qu'il s'agit d'un garçon. Je souhaite ardemment qu'il t'arrive la même chose.

Je n'arrivais pas à croire que Fleur de Neige m'ait précédée de la sorte ! C'était moi qui avais le meilleur rang social, j'aurais dû être enceinte la première. Je me sentais tellement humiliée que je n'annonçai même pas la bonne nouvelle à ma mère et ma tante. Je n'anticipais que trop leur réaction. Ma mère m'aurait accablée de reproches et ma tante aurait laissé éclater sa joie, à l'annonce d'un pareil événement.

Lorsque je rendis visite à mon mari la fois suivante et que nous nous retrouvâmes dans le lit conjugal, je serrai ses jambes entre les miennes et l'étreignis violemment, jusqu'à ce qu'il ait terminé son ouvrage – et même au-delà. Il finit par s'endormir dans cette position, sans s'être séparé de moi. Je restai éveillée un long moment, étendue sous lui, en pensant à la pleine lune qui brillait dans le ciel et en écoutant le frémissement des bambous, de l'autre côté de la fenêtre. Au matin, il s'écarta et continua de dormir, allongé sur le côté. Mais je savais à présent comment m'y prendre. Je glissai le bras sous la couette et pris son membre dans ma main, jusqu'à ce qu'il ait durci. Puis, le voyant sur le point d'ouvrir les yeux, je le lâchai et fermai les paupières, en le laissant se remettre à l'ouvrage. Lorsqu'il se leva un peu plus tard et s'habilla pour entamer sa journée, je ne bougeai pas. On entendait sa mère qui s'activait à la cuisine, exécutant les tâches que j'aurais dû accomplir. Mon mari me lança un bref avertissement : si je ne me levais pas rapidement, cela risquait d'avoir des conséquences. Il n'éleva pas la voix, pas plus qu'il ne me frappa comme certains maris l'auraient fait, mais quitta la chambre sans me saluer. Je l'entendis peu après échanger quelques mots à voix basse avec sa mère. Nul ne vint me chercher. Quand je me levai enfin et pénétrai à la cuisine, après m'être habillée, ma belle-mère m'adressa un sourire radieux, tandis que Yonggang et les autres jeunes filles échangeaient des regards entendus.

Deux semaines plus tard, ayant regagné mon foyer natal, je me dressai un beau soir sur mon lit, en ayant l'impression que des esprits secouaient la maison dans tous les sens. J'atteignis à temps le pot de chambre et vomis abondamment. Ma tante pénétra dans la pièce, s'agenouilla près de moi et chassa du revers de la main la sueur qui imprégnait mon front.

— Tu vas donc nous quitter pour de bon, dit-elle.

Et pour la première fois depuis bien longtemps, un large sourire éclaira son visage.

L'après-midi suivante, je m'assis et saisis mon pinceau pour écrire à Fleur de Neige. *Lorsque nous nous reverrons cette année au temple de Gupo*, lui disais-je, *nous aurons toutes les deux le ventre aussi rond que la lune.*

Comme vous pouvez l'imaginer, ma mère se montra aussi stricte envers moi durant ces quelques mois qu'elle l'avait été au moment de mon bandage. Il était apparemment dans sa nature de ne jamais envisager que le pire côté des choses ou les dangers qui pouvaient en résulter. « Évite d'escalader des collines », me disait-elle comme si cela risquait de m'arriver. Il fallait également que je m'abstienne de franchir des ponts trop étroits, de me tenir debout sur un pied, d'assister à une éclipse ou de me baigner dans des eaux trop chaudes. Il était peu probable que de telles éventualités se présentent. Pour les restrictions alimentaires, c'était une autre affaire. Nous sommes fiers dans notre district de nos plats épicés, mais il m'était désormais interdit d'avaler la moindre nourriture comportant de l'ail, du poivre ou des piments : cela risquait d'altérer la qualité de mon placenta. Je n'avais pas le droit de manger de l'agneau (sinon mon enfant serait souffreteux) ou du poisson dont les écailles n'avaient pas été enlevées (sinon l'accouchement risquait d'être douloureux). Tout ce qui était trop salé, trop amer, trop sucré, trop acide ou trop piquant m'était interdit : je ne pouvais donc plus manger de haricots noirs fermentés, de melon d'eau, de lait caillé aux amandes, de potage aigre-doux – bref, tout ce qui avait un tant soit peu de saveur. J'avais droit par contre à des soupes fades, à des légumes sautés accompagnés de riz blanc, ainsi bien sûr qu'à du thé. J'acceptai ces contraintes et ces restrictions, sachant que tout mon avenir dépendait de l'enfant qui croissait en moi.

Mon mari et ma belle-famille étaient enchantés, cela va sans dire, et commencèrent à préparer ma venue. Mon bébé devait naître à la fin du septième mois lunaire. Avant de me rendre à Tongkou, je voulais assister à la fête annuelle du temple de Gupo, afin d'y prier et d'y faire des offrandes pour l'obtention d'un fils. Mes beaux-parents ne s'opposaient pas à ce que je fasse ce pèlerinage – ils étaient prêts à toutes les concessions susceptibles de leur assurer un héritier mâle –, à condition que je ne me surmène pas et que je passe la nuit là-bas, dans une auberge. La famille de mon mari m'envoya donc le palanquin qui allait m'emmener. Sur le seuil de la maison, j'accueillis les sanglots et les embrassades de chacun. Puis je montai à bord du palanquin, en sachant que je reviendrais régulièrement à l'occasion des fêtes et des cérémonies que ma famille serait susceptible d'organiser. Il ne s'agissait pas d'un adieu définitif mais d'un simple au revoir, comme cela s'était passé pour ma sœur aînée.

À cette époque, Fleur de Neige – dont la grossesse avait débuté avant la mienne – était déjà allée s'installer à Jintian : aussi fis-je le détour pour passer la prendre. Son ventre était énorme, je n'arrivais pas à croire que sa nouvelle famille l'ait autorisée à se déplacer dans un état pareil, même s'il s'agissait d'aller prier pour l'obtention d'un fils. Nous formions un drôle de tableau toutes les deux, dans cette ruelle poussiéreuse, n'arrivant pas à nous étreindre à cause de nos ventres proéminents et riant aux éclats comme des gamines. Je la trouvai plus belle encore qu'elle ne l'avait jamais été au cours de toutes ces années. Une impression de bonheur irradiait de toute sa personne.

Fleur de Neige n'arrêta pas de parler durant tout le trajet qui nous conduisait au temple. Elle me racontait ce qu'elle éprouvait à l'intérieur de son corps, à quel point elle aimait le bébé qu'elle portait et combien tout le monde avait été gentil depuis qu'elle était venue s'établir chez son mari. Elle me montra le pendentif de jade blanc qu'elle portait autour du cou afin que le bébé ait la peau claire, et non pas tannée comme celle de son père. J'en portais également un, mais contrairement à Fleur de Neige, c'était dans l'espoir que mon enfant soit moins foncé que moi : car bien qu'ayant essentiellement vécu à l'intérieur, ma peau n'avait pas la blancheur laiteuse de celle de ma *laotong*.

Lors de nos précédentes visites, nous n'avions fait qu'un bref passage à l'intérieur du temple pour adresser nos suppliques à la déesse avant de nous incliner et de frapper le sol du front. Mais cette fois-ci, nous marchions fièrement, arborant nos ventres bien ronds et observant les autres femmes du coin de l'œil, pour voir laquelle avait le plus gros ventre – tout en veillant à ce que nos paroles ou nos pensées témoignent de la noblesse et de la bienveillance dont nous espérions que nos fils hériteraient.

Nous atteignîmes l'autel, au pied duquel étaient alignés une bonne centaine de petits chaussons destinés aux nourrissons. Nous avions chacune rédigé un poème sur un éventail, que nous comptions offrir à la déesse. Le mien évoquait le bonheur que constituerait le fait d'avoir un fils perpétuant la lignée des Lu et susceptible d'honorer ses ancêtres. Il se terminait ainsi : *Déesse, ta bonté nous éclaire. Tant de femmes sont venues t'implorer d'avoir un fils... Mais j'espère que tu entendras mon appel et que tu combleras mon désir.* Cela m'avait paru approprié, sur le moment, mais je me demandais à présent ce que Fleur de Neige avait inscrit sur son éventail : il devait abonder en formules éblouissantes... Je priai pour que la déesse ne se laisse pas trop influencer par l'offrande de ma *laotong*. « Je vous en prie, je vous en prie, entendez-moi », implorai-je en silence.

D'un même geste, nous déposâmes nos éventails sur l'autel, tout en dérobant de l'autre main une paire de chaussons que nous glissâmes prestement dans nos manches. Puis nous nous hâtâmes de quitter le temple, en espérant ne pas être interpellées. Dans le district de Yongming, toutes les femmes qui souhaitent que leur enfant naisse en bonne santé feignent ainsi de voler une paire de chaussons au pied de l'autel de la déesse. Comme vous le savez, dans notre dialecte, le mot *chaussure* se prononce de la même manière que le mot *enfant*. Après avoir mis nos bébés au monde, nous venons déposer une paire de chaussons neuve au pied de l'autel, accompagnée d'offrandes en guise de remerciements.

Nous sortîmes à l'air libre, sous un ciel splendide, et nous dirigeâmes vers notre mercerie habituelle. Comme nous le faisions depuis douze ans, nous choisîmes les fils dont les couleurs correspondaient le mieux à notre humeur du moment. Fleur de Neige me montra un lot qui offrait toutes les nuances possibles de verts : vifs comme les arbres au printemps, passés comme l'herbe séchée, terreux comme les prés à la fin de l'été, intenses comme la mousse après une ondée, estompés comme les feuilles d'automne, quand l'ocre et le rouge commencent à les altérer.

— Demain, me dit Fleur de Neige, arrêtons-nous le long de la rivière avant de regagner nos foyers respectifs. Nous regarderons passer les nuages et nous écouterons l'eau chuinter sur les galets, en brodant et en chantant de concert. De cette façon, nos fils ne manqueront pas de manifester plus tard un goût raffiné.

Je l'embrassai sur la joue. Lorsque j'étais loin d'elle, il m'arrivait de me laisser aller à de sombres pensées. Mais en cet instant, elle était telle que je l'avais toujours aimée. Ah, comme ma *laotong* m'avait manqué !…

Notre visite au temple de Gupo n'aurait pas été complète si nous n'étions pas allées voir le marchand de taros. Le vieux Zuo nous gratifia d'un sourire édenté en nous voyant arriver, précédées de nos ventres proéminents. Il nous prépara un repas spécial, respectant scrupuleusement les consignes diététiques liées à notre état, ce qui ne nous empêcha pas de nous régaler. Après quoi, il nous apporta notre plat préféré, le fameux dessert aux taros caramélisés. Nous faisions preuve d'une telle insouciance, Fleur de Neige et moi... On aurait dit deux gamines, plutôt que deux femmes mariées sur le point d'accoucher.

Ce soir-là, à l'auberge, après avoir enfilé nos tenues de nuit, nous nous retrouvâmes toutes les deux côte à côte dans le lit. C'était la dernière nuit que nous devions passer ensemble avant de devenir mères. On nous avait raconté tant de choses, concernant ce que nous devions faire – et ne pas faire – dans l'intérêt de nos futurs enfants... Puisque mon fils réagissait au simple contact du jade contre ma peau, ou lorsque quelqu'un parlait, il allait forcément ressentir dans son petit corps l'amour que j'éprouvais pour Fleur de Neige.

Celle-ci posa ses deux mains sur mon ventre – et je fis de même avec le sien. J'avais pris l'habitude de sentir mon bébé bouger et donner des coups de pied sous ma peau, notamment la nuit. C'était maintenant l'enfant de Fleur de Neige que je sentais remuer. À ce moment-là, nous étions aussi proches l'une de l'autre que deux femmes peuvent l'être.

— Je suis heureuse que nous soyons ensemble ce soir, dit-elle en laissant courir son doigt sur mon ventre, à l'endroit où saillait l'épaule ou le genou de mon bébé.

— Moi aussi, répondis-je.

— Je sens ton fils. Il sera fort – comme sa mère.

Ses mots me remplirent d'une étrange fierté, ainsi que du sentiment d'être en vie. Son doigt s'immobilisa et, une fois encore, elle posa avec douceur ses mains sur mon ventre.

— J'aurai autant d'amour pour lui que j'en ai pour toi, ajouta-t-elle.

Puis, comme elle en avait pris l'habitude depuis qu'elle était petite, elle posa sa main sur ma joue et l'y laissa, jusqu'à ce que nous sombrions toutes les deux dans le sommeil.

J'allais avoir vingt ans d'ici quelques semaines, mon bébé était sur le point de naître et ma vie s'apprêtait enfin à commencer.

LES ANNÉES
« DE RIZ ET DE SEL »

Deux fils

Fleur de Lis,

Je suis mère désormais.
Mon bébé est né hier.
C'est un garçon aux cheveux noirs.
Il est grand et maigre.
La période d'abstinence liée à ma grossesse n'est pas terminée.
Pendant cent jours encore nous dormirons séparément, mon mari et moi.
Je pense à toi, dans l'appartement des femmes.
J'attends des nouvelles de ton bébé.
Puisse-t-il survivre à sa naissance.
Je prie la Déesse afin qu'elle le protège.
J'ai hâte de te voir et de savoir que tu te portes bien.
Viens chez moi, je t'en prie, pour la cérémonie du premier mois.
Tu verras ce que j'ai écrit à propos de mon fils sur notre éventail.

FLEUR DE NEIGE

J'étais heureuse de savoir que le fils de Fleur de Neige était en bonne santé et j'espérais que la nouvelle se confirmerait. La vie est une chose fragile, dans notre district. Nous autres, femmes, nous pouvons nous estimer heureuses lorsque cinq de nos enfants parviennent à l'âge adulte. Et pour obtenir ce résultat, nous sommes

225

plus ou moins obligées d'être constamment enceintes. La plupart de ces grossesses se terminent par des fausses couches, à moins que le bébé meure à la naissance ou en bas âge, des suites d'une maladie. Les filles, dont la faiblesse naturelle est aggravée par le manque d'hygiène et une alimentation insuffisante, sont particulièrement exposées. Soit nous mourons jeunes – des suites du bandage, comme ma petite sœur, ou en mettant nos enfants au monde – soit nous vivons pour pleurer les êtres chers que nous avons perdus. Les petits garçons en bas âge, si précieux à nos yeux, peuvent eux aussi être emportés du jour au lendemain, avant d'avoir pris racine, et constituent une proie privilégiée pour les esprits errants. Quant aux hommes, une fois adultes, ils sont menacés par les plaies qui s'infectent, les intoxications alimentaires, les accidents qui surviennent dans les champs ou sur les routes, sans parler de la lourde charge que représente la responsabilité d'une famille. Voilà pourquoi on compte tant de veuves parmi nous. Quoi qu'il en soit, fille ou garçon, rien n'est acquis avant d'avoir franchi le seuil des cinq premières années.

Je ne me faisais pas seulement du souci pour le fils de Fleur de Neige, mais aussi pour le bébé qui était dans mon ventre. Il n'était pas facile de repousser cette inquiétude, sans le moindre soutien. Lorsque je vivais encore dans ma famille natale, ma mère était trop occupée à faire respecter des traditions contraignantes pour m'être d'une quelconque utilité. Quant à ma tante, qui avait donné naissance à plusieurs enfants mort-nés, elle m'évitait autant qu'elle le pouvait afin que sa mauvaise étoile ne me porte pas malheur. Et maintenant que j'avais rejoint la maison de mon mari, je n'avais personne à qui me confier. Mes beaux-parents et mon époux se préoccupaient évidemment du bébé, mais ne semblaient pas troublés outre mesure par le fait que je risquais de mourir en mettant leur héritier au monde.

La lettre de Fleur de Neige me parut donc de bon augure. Puisque l'accouchement s'était déroulé sans peine pour elle, nul doute que nous franchirions nous aussi cette étape, mon bébé et moi. De surcroît, cela me donna du courage de savoir que notre amour n'avait pas été entamé au seuil de notre nouvelle vie. Il se trouvait même renforcé, alors que nous abordions nos années « de riz et de sel ». À travers nos lettres, nous allions partager les épreuves et les victoires que l'avenir nous réservait. Mais comme pour le reste, nous devions respecter dans ce domaine un certain nombre de règles. En tant qu'épouses désormais installées dans la famille de notre mari, il nous fallait renoncer à une attitude par trop puérile et nous en tenir à des lettres banales, remplies de formules toutes faites. Cela tenait en partie au fait que nous nous retrouvions un peu comme des étrangères dans un nouveau foyer dont nous devions apprendre les us et les coutumes, et où n'importe qui risquait de tomber sur nos lettres.

Nous devions donc nous montrer circonspectes. Il fallait éviter de nous plaindre par écrit de notre condition et faire preuve au contraire d'une certaine ruse. Les lettres d'une femme mariée comportent nécessairement des allusions à la tristesse et à la nostalgie que lui inspire le mal du pays. Mais nous n'étions pas censées exprimer directement nos sentiments, sauf à témoigner notre ingratitude et notre manque de piété filiale. Une belle-fille qui étale publiquement la réalité de son existence est une source de honte, tant pour sa propre famille que pour celle de son mari. Comme vous le savez, c'est pour cette raison que j'ai attendu la mort de mes proches pour écrire mon histoire.

Dans les premiers temps, cela ne s'avéra pas très difficile, parce que je n'avais rien de bien extraordinaire à raconter. Au début de mes fiançailles, j'avais appris que l'oncle de mon mari était un *jinshi*, le grade le plus élevé des lettrés impériaux. Le proverbe que j'avais entendu dans mon enfance – « Quiconque accède au statut de mandarin emmène avec lui toute sa famille au ciel » – se réalisait concrètement sous mes yeux. L'oncle Lu vivait dans la capitale et laissait à Maître Lu, mon beau-père, le soin d'administrer ses biens. Ce dernier se levait la plupart du temps avant l'aube et partait inspecter ses terres, s'entretenant avec les paysans au sujet des récoltes, supervisant les travaux d'irrigation et rencontrant les autres chefs de famille de Tongkou. La responsabilité de ces propriétés lui incombait et reposait entièrement sur ses épaules. L'oncle Lu dépensait son argent sans se préoccuper de la manière dont il arrivait dans ses coffres. Il avait si bien réussi que ses deux plus jeunes frères possédaient leurs propres maisons, juste à côté, même si elles n'étaient pas aussi imposantes que la sienne. Ils venaient souvent dîner ici en compagnie de leur famille et leurs épouses se montraient presque tous les jours à l'étage, dans l'appartement des femmes. En d'autres termes, tout le monde dans la famille Lu – jusqu'aux cinq servantes aux grands pieds qui partageaient une chambre près de la cuisine, au rez-de-chaussée – bénéficiait de l'aisance que lui valait son statut.

L'oncle Lu était le maître absolu, mais j'assurai ma position de première belle-fille de la famille en donnant naissance au premier fils de mon mari. Dès que l'enfant fut né et que la sage-femme l'eut déposé dans mes bras, j'éprouvai un tel bonheur que j'en oubliai les douleurs de l'accouchement. Je me sentais tellement soulagée que je ne m'inquiétais même pas des malheurs qui risquaient encore de lui arriver. Tout le monde était aux anges et la reconnaissance de ma belle-famille se manifesta de multiples façons. Ma belle-mère prépara à mon intention un potage spécial, à base de gingembre, de cacahuètes et d'alcool, pour aider mon lait à monter et mes organes à se remettre en place. Mon beau-père, par l'entremise de ses concubines, me fit parvenir une pièce de soie bleue, afin que j'y taille une veste pour son petit-fils. Mon mari vint s'asseoir à mon chevet et parla un moment avec moi.

C'est la raison pour laquelle j'ai toujours conseillé par la suite aux jeunes femmes qui se sont mariées dans la famille Lu – et à celles que j'ai eu l'occasion de rencontrer en enseignant le *nu shu* – de se débrouiller pour mettre au monde un garçon dans les plus brefs délais. Ce sont ses fils qui fondent le statut et l'identité d'une femme. Ils lui procurent de même dignité et protection, renforçant le lien qui l'unit à son mari et à la lignée de ses ancêtres. C'est l'unique objectif qu'un homme est incapable d'atteindre sans l'aide de sa femme. Seule cette dernière lui garantit la perpétuation de sa lignée – laquelle, à son tour, constitue l'ultime devoir du fils. La naissance d'un fils est la plus noble preuve qu'un homme puisse donner de sa piété filiale – et c'est pour une femme le couronnement de sa vie. Je venais d'y accéder à mon tour et j'étais au septième ciel.

Fleur de Neige,

Mon fils est à mes côtés.
La période d'abstinence liée à ma grossesse n'est pas encore terminée.
Mon mari vient me voir le matin.
Il semble heureux.
Mon fils me fixe avec ses grands yeux, comme s'il m'interrogeait.
Je suis impatiente de te revoir pour la cérémonie du premier mois.
Je compte sur toi pour inscrire quelque chose de beau concernant mon fils sur notre éventail.
Parle-moi de ta nouvelle famille.
Je ne vois pas mon mari très souvent. Et toi ?
J'aperçois d'ici les croisillons de ta fenêtre et je les contemple souvent.
Tu chantes toujours dans mon cœur.
Je pense à toi tous les jours.

FLEUR DE LIS

Pourquoi nomme-t-on ces années « de riz et de sel » ? Sans doute parce qu'elles voient s'enchaîner les tâches quotidiennes : tisser, broder, coudre, repriser, confectionner des chaussures, préparer les repas, faire la vaisselle, la lessive, le ménage, entretenir le brasero et s'apprêter le soir à accomplir son devoir conjugal avec un homme qu'on ne connaît toujours pas très bien. Il y a aussi des jours où l'anxiété vous gagne – ou simplement la fatigue due aux soins qu'une jeune mère prodigue à son premier enfant. Pourquoi pleure-t-il ? Ne s'endormira-t-il jamais ? Ne dort-il pas trop longtemps ? Sans parler des fièvres, des éruptions de boutons, des piqûres d'insectes, et des épidémies qui ravagent chaque année l'ensemble du district, décimant tant d'enfants malgré les efforts des herboristes, les offrandes sur l'autel familial et les larmes des mères... Indépendamment de ce nourrisson accroché à votre sein, vous vous interrogez aussi sur la responsabilité qui est désormais la vôtre en tant que mère. Et sur le fait d'être vouée à mettre au monde d'autres fils, pour assurer la relève des générations. Pour ma part, durant les semaines qui suivirent la naissance de mon fils, je me trouvai confrontée à un autre problème, qui n'avait rien à voir avec mes devoirs de mère, d'épouse ou de belle-fille.

Lorsque j'avais demandé à ma belle-mère d'inviter Fleur de Neige à la cérémonie marquant le premier mois de la naissance de mon fils, elle m'avait opposé un refus catégorique. Ce genre de rebuffade est considéré dans notre district comme un terrible affront. J'étais consternée et très peinée de sa décision, mais je n'étais pas en mesure de la faire changer d'avis. Cette journée devait être l'une des plus importantes et des plus joyeuses de ma vie et elle se déroula en l'absence de Fleur de Neige. La famille Lu se rendit au temple ancestral, afin d'inscrire le nom de mon fils à la suite de ceux de ses ancêtres. Des œufs peints en rouge – symbolisant la vie – furent distribués aux parents et aux invités. Un grand banquet fut organisé, au cours duquel on servit du potage aux nids d'hirondelle, des volailles qui avaient mariné six mois dans du sel et du ragoût de canard à l'ail, au gingembre et au poivre vert. Durant toutes ces festivités, l'absence de Fleur de Neige me pesa terriblement. Je lui écrivis par la suite pour lui raconter en détail comment les choses s'étaient déroulées, même si cela risquait de lui rappeler que je ne l'avais pas invitée. Elle ne m'en tint apparemment pas rigueur, m'envoyant en guise de cadeau pour le bébé une petite veste brodée, ainsi qu'un bonnet orné de minuscules porte-bonheur.

Quand ma belle-mère aperçut ces objets, elle me déclara :

— Une mère doit particulièrement veiller aux personnes dont elle s'entoure. Par égard pour ton fils, tu ne peux avoir de relations avec la femme d'un boucher. Les mères doivent faire preuve de piété filiale si elles veulent que leurs fils en fassent autant. Et nous te demandons d'obéir à nos vœux.

En entendant ces mots, je compris que mes beaux-parents n'avaient pas seulement refusé que Fleur de Neige assiste à cette fête : ils souhaitaient bel et bien que je ne la revoie plus jamais ! Rien ne m'avait préparée à ce choc. Si l'on y ajoute celui de mon récent accouchement, le fait est que je ne cessai de pleurer dans les jours qui suivirent. Je ne savais pas quoi faire. J'étais prête à m'opposer à mes beaux-parents sur une question pareille, sans entrevoir le danger que cela représentait pour moi.

Pendant toute cette période, nous nous écrivions quasiment tous les jours en secret, Fleur de Neige et moi. Je croyais tout savoir au sujet du *nu shu* et j'étais convaincue que les hommes n'en avaient jamais entendu parler. Mais maintenant que je vivais dans la famille Lu, où tous les hommes avaient appris à lire, je voyais bien que le prétendu secret de notre écriture était une illusion. Il était évident que chacun dans le district connaissait son existence. Comment en aurait-il été autrement ? Les hommes nous voyaient broder des mots en *nu shu* sur leurs chaussures et nos carrés d'étoffe, ils nous entendaient psalmodier nos chants et lire nos cahiers de mariage. Mais ils considéraient notre écriture avec condescendance et la jugeaient trop inférieure à la leur pour s'y intéresser.

On dit que les hommes ont un cœur de fer, tandis que les femmes sont faites d'eau. Cela se vérifie si l'on compare nos deux systèmes d'écriture. Celui des hommes comporte plus de cinquante mille caractères, tous différents les uns des autres, chacun porteur d'un sens ou d'une nuance spécifique. Le nôtre se compose à tout prendre de six cents caractères, dont nous nous servons phonétiquement pour noter environ dix mille mots. Il faut toute une vie d'étude pour apprendre l'écriture des hommes. Nous apprenons la nôtre une fois pour toutes, quand nous sommes encore des gamines, et nous nous basons sur le contexte pour en déterminer le sens. Les hommes écrivent tournés vers le monde extérieur, qu'il s'agisse de la littérature, des chroniques ou de l'état des récoltes. Les femmes pour leur part sont tournées vers le monde intérieur de leurs émotions. Dans la famille Lu, les hommes étaient fiers que leurs épouses maîtrisent le *nu shu* et soient expertes en broderie, même si ces choses ne valaient pas un pet de lapin à leurs yeux.

Considérant notre écriture avec un tel dédain, les hommes ne faisaient nullement attention aux lettres que je pouvais écrire ou recevoir. Mais avec ma belle-mère, c'était une autre affaire… Et j'étais obligée de louvoyer pour déjouer sa surveillance. Dans l'immédiat, elle ne chercha pas à savoir à qui j'écrivais. Et au cours des semaines suivantes, Fleur de Neige et moi perfectionnâmes le système de transmission que nous avions mis au point. Nous chargions Yonggang de faire l'aller et retour entre nos deux villages, en lui confiant nos lettres ou nos mouchoirs brodés. J'aimais regarder la petite servante au cours de ses allées et venues, assise derrière ma fenêtre à croisillons. Et plus d'une fois, je me dis que j'aurais pu faire le trajet moi-même : ce n'était vraiment pas très loin et mes pieds auraient fort bien résisté. Mais nous devions nous plier aux règles régissant l'organisation des choses. Même si une femme est en mesure de couvrir une longue distance, on ne doit jamais la voir marcher seule sur une route. Elle risque de perdre sa réputation si elle sort sans être accompagnée de son mari, de ses fils, de ses parents ou d'une entremetteuse. Sans compter que les risques d'enlèvement sont réels. J'aurais pu me rendre à pied chez Fleur de Neige, mais jamais je ne m'y serais risquée.

Fleur de Lis,

Tu m'interroges au sujet de ma nouvelle famille.
J'ai beaucoup de chance.
Dans mon foyer natal, le bonheur était absent.
Nous devions nous tenir coites jour et nuit, ma mère et moi.
Les concubines, mes frères, mes sœurs, les domestiques – tout le monde était parti.
Mon foyer natal était vide.
Ici, j'ai la compagnie de ma belle-mère, de mon beau-père, de mon mari et de ses sœurs cadettes.
Il n'y a ni concubines ni servantes dans la maison de mon mari.
Je suis seule à tenir leur rôle.
Le travail ne me fait pas peur.
Tout ce que j'avais besoin d'apprendre, je le tiens de toi, ainsi que de ta sœur, ta mère et ta tante.
Mais les femmes ici ne ressemblent pas à celles de ta famille.
Elles n'aiment pas s'amuser.
Elles ne racontent pas d'histoires.
Ma belle-mère est de l'année du Rat.
Imagines-tu pire association, pour une native de l'année du Cheval ?
Le Rat considère le Cheval comme égoïste et étourdi, ce que je ne suis pas.
Le Cheval considère le Rat comme calculateur et exigeant, ce qui correspond à la vérité.
Mais elle ne me bat pas.

Elle ne crie pas après moi plus qu'il n'est d'usage à l'égard d'une nouvelle belle-fille.

As-tu des nouvelles de ma mère et de mon père ?

Quelques jours après mon installation dans ma nouvelle demeure, maman et papa ont vendu le peu qui leur restait.

Ils ont empoché l'argent et disparu dans la nuit.

Devenus mendiants, ils n'auront plus à payer l'impôt ni à honorer leurs dettes.

Mais où sont-ils allés ?

Je me fais du souci pour ma mère.

Est-elle encore en vie ?

A-t-elle déjà gagné l'au-delà ?

Je l'ignore.

Peut-être ne la reverrai-je jamais.

Qui aurait cru que ma famille eût à ce point la guigne ?

Ils ont dû commettre de terribles actions dans leurs vies antérieures.

Mais dans ce cas, qu'en est-il pour moi ?

As-tu entendu dire quelque chose à leur sujet ?

Et toi, es-tu heureuse ?

FLEUR DE NEIGE

Ayant appris ces nouvelles préoccupantes concernant les parents de Fleur de Neige, je prêtai une oreille plus attentive aux ragots qui circulaient dans la maison. Colportée par des marchands ambulants, la rumeur prétendait qu'on les avait aperçus, vêtus de haillons, mendiant pour manger et dormant à la belle étoile. Je songeais souvent au pouvoir dont disposait jadis la famille de ma *laotong* et à ce qu'avait dû éprouver sa mère en entrant dans la famille d'un lettré impérial. Et voilà à quoi elle était réduite à présent... En l'absence d'amis influents, les parents de Fleur de Neige s'étaient retrouvés balayés par la tourmente, à la merci des éléments. Privée de son foyer natal, leur fille était dans une situation pire que celle d'une orpheline. Il valait mieux selon moi avoir perdu son père et sa mère, auxquels on pouvait rendre le culte des ancêtres, plutôt que de les voir ainsi disparaître et mener la vie errante des mendiants. Comment apprendrait-elle leur mort, si jamais celle-ci survenait ? Comment leur faire de dignes funérailles, entretenir leur tombe, apaiser leurs esprits lorsqu'ils auraient gagné l'au-delà ? Savoir la tristesse qui la rongeait sans qu'elle puisse me confier ses pensées m'était déjà pénible ; pour elle, ce devait être insupportable.

Quant à la dernière question que me posait Fleur de Neige, concernant mon propre sort, j'étais bien en peine de lui répondre. Devais-je lui parler des personnes dont je partageais l'existence ? La pièce commune, à l'étage, abritait trop de femmes qui ne s'aimaient pas. J'avais été la première belle-fille de la famille. Mais peu après mon installation à Tongkou, ç'avait été au tour de l'épouse du deuxième fils de venir s'établir ici. Elle était tombée enceinte sitôt après le mariage. Âgée de dix-huit ans à peine, elle n'arrêtait pas de pleurer et de réclamer sa famille. Elle avait accouché d'une fille, ce qui avait contrarié ma belle-mère et n'avait pas arrangé la situation. J'avais essayé de me lier avec elle, mais elle se retirait toujours dans un coin de la pièce avec un pinceau, de l'encre et une feuille de papier, pour écrire des heures durant à sa mère et à ses sœurs adoptives. J'aurais pu raconter à Fleur de Neige comment ma belle-sœur essayait sans vergogne de s'attirer les faveurs de Dame Lu en lui faisant des courbettes et en lui murmurant des propos obséquieux. Ou comment les trois concubines de mon beau-père, rongées par la jalousie, passaient leur temps à se chamailler. Mais je n'avais pas le cœur à ça.

Aurais-je dû lui parler de mon mari ? Je suppose que oui, mais je ne savais pas quoi dire à son sujet. Je le voyais rarement. Et lorsque cela arrivait, il était généralement en train de discuter avec quelqu'un ou de régler une affaire importante. Pendant la journée, il sortait souvent pour inspecter les terres et superviser divers projets, tandis que j'étais occupée à broder dans l'appartement des femmes. Je lui servais ses repas matin, midi et soir, adoptant la même réserve que Fleur de Neige autrefois dans ma propre famille. Il ne m'adressait pas la parole en ces occasions. Il apparaissait de temps en temps dans notre chambre pour voir notre fils ou partager le lit conjugal. Nos rapports devaient ressembler à ceux de n'importe quel couple, y compris celui que formaient Fleur de Neige et son mari. Aussi ne voyais-je pas l'intérêt de lui en parler.

Comment pouvais-je répondre à la question de ma *laotong*, alors qu'elle était à l'origine du principal conflit que j'avais à affronter ?

— Je reconnais que Fleur de Neige t'a appris beaucoup de choses, me dit un jour ma belle-mère en voyant que j'étais en train de lui écrire. Et nous lui en sommes reconnaissants. Mais elle ne fait plus partie de notre village et n'est plus sous la protection de Maître Lu – lequel n'est pas en mesure de changer son destin. Comme tu le sais, un certain nombre de règles s'appliquent aux épouses en temps de guerre, ou lors des conflits frontaliers. Ayant un statut d'invitée dans la famille de son mari, une épouse demeure intouchable en cas d'incursions militaires ou d'affrontements locaux : on considère en effet qu'elle appartient à la fois au village de son mari et à celui de sa famille d'origine. Mais si quelque chose arrivait dans le village de Fleur de Neige, nous ne pourrions pas intervenir sans nous exposer à des représailles.

J'écoutai les explications de Dame Lu, mais je savais que ses raisons étaient nettement plus triviales. La famille d'origine de Fleur de Neige était tombée en disgrâce et elle avait épousé un homme exerçant un métier impur. Mes beaux-parents ne voulaient tout simplement pas que j'aie affaire à elle.

— Le sort de Fleur de Neige était prédestiné, poursuivit ma belle-mère. Et il n'a plus rien à voir avec le tien. Maître Lu et moi-même n'aurions que de l'estime pour une belle-fille qui déciderait de rompre ses relations avec une femme qu'elle ne peut plus considérer comme une authentique *laotong*. Si tu as besoin de compagnes, je te rappelle que je t'ai présenté plusieurs jeunes épouses, ici même à Tongkou.

— Je m'en souviens. Et je vous en sais gré, murmurai-je sans joie.

Mais intérieurement je hurlais : « *Jamais, jamais, jamais !* »

— Elles ne demanderaient pas mieux que de former avec toi une nouvelle communauté de sœurs adoptives.

— Merci encore.

— Tu devrais considérer cette possibilité comme un honneur.

— C'est ce que je fais.

— Ce que je veux dire, c'est que tu dois chasser Fleur de Neige de tes pensées, ajouta-t-elle, avant de conclure par son avertissement habituel : Je ne veux pas que le souvenir de cette jeune fille infortunée pèse sur le destin de mon petit-fils.

Dans leur coin, les concubines jubilaient. Elles adoraient me voir dans l'embarras. En de pareils instants, leur statut se trouvait rehaussé et le mien rabaissé. Mais en dehors de cette critique récurrente, qui réjouissait les autres femmes et m'affectait terriblement, ma belle-mère se montrait plus gentille à mon égard que ne l'avait été ma propre mère. Elle était respectueuse des règles, comme Fleur de Neige me l'avait dit. « En tant que fille, obéis à ton père ; en tant qu'épouse, obéis à ton mari ; en tant que veuve, obéis à ton fils » : j'avais entendu cette recommandation depuis ma plus tendre enfance, aussi y étais-je préparée. Mais ma belle-mère m'apprit également un autre proverbe, un jour où son mari l'avait mise hors d'elle : « Obéis, obéis, obéis – et plus tard, tu feras ce qu'il te plaît. » Pour l'instant, mes beaux-parents pouvaient m'empêcher de voir Fleur de Neige, mais certes pas de l'aimer.

Fleur de Neige,

Mon mari me traite bien.
Je ne sais même pas où se trouvent les terres de
notre famille.
Moi aussi je travaille dur.
Ma belle-mère surveille tout ce que je fais.
Les femmes de la maison sont expertes en *nu shu*.
Ma belle-mère m'a appris de nouveaux caractères.
Je te les montrerai la prochaine fois que nous nous
verrons.
Je brode, je tisse, je confectionne des chaussures.
Je reprise les vêtements et je prépare les repas.
J'ai mon fils.
Je prie la Déesse afin d'en avoir un deuxième.
Tu devrais faire de même.
Je t'en prie, écoute-moi.
Il faut obéir à ton mari.
Il faut écouter ta belle-mère.
Je te demande de ne pas t'inquiéter.
Souviens-toi au contraire de l'époque où nous bro-
dions ensemble et échangions nos secrets la nuit.
Nous sommes deux canards mandarins.
Nous sommes deux phénix traversant le ciel.

FLEUR DE LIS

Dans sa lettre suivante, Fleur de Neige ne faisait aucune
allusion à sa nouvelle famille, en dehors du fait que son
fils savait maintenant s'asseoir. Avant de conclure, elle
s'enquérait une fois encore de mon existence :

Parle-moi de vos repas et des discussions qui les
animent.
Récite-t-on chez toi les Classiques en mangeant ?
Ta belle-mère raconte-t-elle des histoires aux
hommes ?
Chante-t-elle pour agrémenter leur digestion ?

Je lui répondis le plus sincèrement possible. Les hommes chez moi ne parlaient que d'argent : quel nouvel arpent de terre allait-on louer, qui allait le cultiver, quel allait être le montant des loyers ou, au contraire, celui des impôts... Ils rêvaient de « s'élever », d'atteindre « le sommet des montagnes ». On tient ce genre de propos dans toutes les familles, au moment du Nouvel An : des plats sont même spécialement confectionnés pour accompagner ces vœux. Mais dans ma belle-famille, on s'activait afin que cela arrive vraiment. Cela donnait des conversations ennuyeuses auxquelles je ne comprenais pas grand-chose, sans chercher à en savoir davantage. Ils possédaient déjà plus de biens que n'importe quelle famille de Tongkou. Je ne voyais pas ce qu'ils pouvaient désirer d'autre. Et pourtant, leurs regards restaient rivés sur « le sommet des montagnes ».

J'espérais que Fleur de Neige était un peu plus heureuse à présent et avait accepté – comme toute épouse devait le faire – des conditions de vie bien différentes de celles qu'elle avait connues jusqu'alors. Mais un jour, alors que je m'occupais de mon fils, j'entendis le palanquin de Madame Wang qui s'arrêtait devant le seuil de notre maison. Je pensais que l'entremetteuse monterait au premier. Mais ce fut ma belle-mère qui, d'un air désapprobateur, vint déposer une lettre sur la table, à côté de moi. Dès que mon fils fut endormi, je rapprochai la lampe à huile et ouvris la lettre, dont j'avais remarqué le format inhabituel. Le cœur battant, je me mis à lire :

Fleur de Lis,

Je suis assise à l'étage et je pleure. Dehors, mon mari est en train d'égorger un cochon. Cela ne le dérange pas d'enfreindre ainsi la tradition.
Au début de mon mariage, ma belle-mère m'a obligée à assister à l'exécution d'un de ces animaux, devant la maison, pour que je sache d'où nous tirions nos revenus. Mon mari et mon beau-père

amenèrent le cochon sur le seuil, suspendu la tête en bas à un gros bâton qu'ils portaient chacun sur une épaule. L'animal poussait des cris déchirants. Il savait ce qui allait lui arriver. La scène s'est répétée bien des fois depuis lors et ce sont toujours les mêmes hurlements. Les bêtes comprennent ce qui va se produire et leurs cris résonnent dans les ruelles du village beaucoup trop souvent à mon gré.

Mon beau-père maintenait le cochon étendu sur le sol, à côté d'une grande bassine d'eau bouillante. (Tu as dû l'apercevoir, elle est encastrée devant la maison dans une plate-forme abritant un four où l'on fait brûler du charbon.) Mon mari trancha la gorge du cochon : il recueillit d'abord le sang, puis plongea le corps dans la bassine. Le cochon y bouillit un moment, jusqu'à ce que sa peau ait ramolli. Mon mari me demanda alors de l'aider à arracher les poils de l'animal. Je poussai des hauts cris, pas aussi forts toutefois que ceux de la pauvre bête. Je déclarai ensuite que jamais je n'accepterais de prendre part, ni même d'assister à un acte aussi barbare. Ma belle-mère se moqua de moi et me traita de poule mouillée.

De jour en jour, mon destin ressemble davantage à celui de l'Épouse de Monsieur Wang. Tu te souviens de cette histoire que nous avait racontée ma tante ? Je suis devenue végétarienne. Ma belle-famille s'en moque, cela leur fait une part de viande supplémentaire.

Je suis absolument seule au monde, en dehors de mon fils et de toi.

J'aimerais ne t'avoir jamais menti. Je t'avais promis de te dire désormais la vérité, mais cela me gêne que tu connaisses la réalité de ma lamentable existence.

Je suis assise devant la fenêtre à croisillons et j'aperçois mon village natal, à l'autre bout des champs. Je t'imagine à ta fenêtre, me regardant de

ton côté. Mon cœur s'envole vers toi. Es-tu assise là-bas ? M'aperçois-tu ? Sens-tu ma présence ?
Sans toi je n'éprouve que tristesse. Hâte-toi de m'écrire ou de venir me voir.

FLEUR DE NEIGE

C'était affreux ! Je regardai par la fenêtre, en direction de Jintian, dans l'espoir d'entrevoir au moins Fleur de Neige. J'étais accablée de savoir qu'elle souffrait et qu'il m'était impossible de la consoler. Sans me soucier de ma belle-mère, je saisis une feuille de papier et préparai de l'encre. Avant de prendre le pinceau, je relus la lettre de ma *laotong*. La première fois, j'avais été tellement frappée par sa tristesse qu'un détail m'avait échappé : elle avait abandonné l'écriture stylisée dont se servent d'ordinaire les femmes dans leurs lettres et avait composé son texte au fil du pinceau, pour mieux suivre l'élan qui la poussait.

La hardiesse dont elle avait fait preuve me fit brusquement entrevoir la véritable fonction de cette écriture secrète. Il s'agissait moins d'échanger des propos anodins entre femmes que de nous permettre, en quelque sorte, de prendre voix. Nous avions les pieds bandés, mais grâce au *nu shu* nous nous rendions les unes chez les autres et nos pensées se rejoignaient « à l'autre bout des champs », comme l'écrivait Fleur de Neige. Autour de nous, les hommes n'imaginaient même pas que nous avions quelque chose d'important à dire. Ils nous croyaient incapables d'éprouver une émotion profonde ou d'émettre la moindre pensée créatrice. Quant à nos belles-mères – et aux autres femmes de notre entourage –, elles instauraient entre le monde extérieur et nous un blocus encore plus infranchissable. Mais maintenant, je nous estimais capables d'écrire la vérité nous concernant, Fleur de Neige et moi. Je laisserais tomber les phrases toutes faites auxquelles les femmes se complaisent dans leurs années « de riz et de sel » et tenterais d'exprimer mes sentiments réels. Nous allions nous écrire désormais comme nous nous parlions lorsque nous étions dans les bras l'une de l'autre, au premier étage de ma maison natale.

Il fallait absolument que je rencontre Fleur de Neige pour lui expliquer que la situation allait s'arranger. Mais si j'allais la voir en dépit de l'interdiction de ma belle-mère, je me rendrais coupable d'un des plus graves outrages qui soient. Ruser pour envoyer ou recevoir du courrier n'était rien, en comparaison. Il fallait pourtant que je le fasse, si je voulais revoir ma *laotong*.

Fleur de Neige,

Je pleure en t'imaginant dans ce terrible contexte. Tu mérites tellement mieux qu'une existence aussi abjecte. Il faut absolument que nous nous voyions. Accompagne-moi donc quand je me rendrai dans mon village natal, à l'occasion de la fête de la Chasse aux oiseaux. Nous emmènerons nos fils avec nous. Nous serons heureuses ensemble et tu oublieras un peu tes soucis. Souviens-toi qu'on ne meurt pas de soif à côté d'une source. Et qu'on ne désespère pas à côté d'une sœur. Au fond de mon cœur, tu es à jamais mon âme sœur.

FLEUR DE LIS

Ainsi échafaudai-je mon plan, dans l'appartement des femmes. Mais j'étais un peu effrayée. La solution la plus simple paraissait la meilleure : je passerais prendre Fleur de Neige dans mon palanquin avant de me rendre avec elle à Puwei. Mais c'était aussi un excellent moyen de se faire prendre. Les concubines pouvaient regarder par la fenêtre et voir mon palanquin faire un crochet pour passer à Jintian. Plus dangereux encore, beaucoup de femmes – y compris ma belle-mère – allaient circuler sur les routes, regagnant leur village natal à l'occasion de cette fête. N'importe qui pouvait nous apercevoir et le rapporter à la famille Lu, ne serait-ce que pour se faire bien voir. Mais lorsque le jour dit arriva, j'avais rassemblé mon courage et j'étais convaincue du succès de notre entreprise.

Le premier jour du deuxième mois lunaire marqua le début du travail dans les champs, auquel correspond la fête de la Chasse aux oiseaux. Dans notre maison, ce matin-là, les femmes se levèrent de bonne heure pour fabriquer des boulettes de riz gluant. À l'extérieur, les hommes s'apprêtaient à planter le riz. Je m'activais aux côtés de ma belle-mère, pétrissant les boulettes que nous allions sacrifier afin de protéger la récolte à venir. Lorsque l'heure arriva, les jeunes filles de Tongkou encore célibataires emmenèrent les boulettes fichées sur des baguettes et les plantèrent à travers champs afin d'attirer les oiseaux. Pendant ce temps, les hommes répandaient des grains empoisonnés tout autour des rizières : dès que les oiseaux commenceraient à picorer cette nourriture mortelle, les femmes mariées de Tongkou monteraient à bord de leurs palanquins, dans des charrettes ou sur le dos de leurs servantes, et se mettraient en route pour leur village natal. Les vieilles femmes racontaient que si nous restions à Tongkou, les oiseaux mangeraient les grains de riz que nos maris allaient planter et que nous-mêmes ne serions plus en mesure de leur donner des fils.

Comme prévu, mes porteurs firent halte à Jintian. Je me gardai bien de sortir du palanquin, pour éviter qu'on m'aperçoive. La porte s'ouvrit et Fleur de Neige apparut sur le seuil, son fils endormi contre son épaule. Elle se hâta de me rejoindre. Cela faisait huit mois que nous ne nous étions pas vues, depuis notre dernière visite au temple de Gupo. Avec tout le travail qu'elle avait eu, et même si elle avait pris un peu de poids durant sa grossesse, je pensais qu'elle aurait retrouvé sa silhouette initiale. Mais sa tunique et sa jupe mettaient encore en valeur des formes rondelettes. Ses seins étaient plus gros que les miens, bien que son fils fût plutôt maigrichon. Son ventre était également rebondi.

Elle tourna délicatement le bébé, afin que je puisse voir son visage, et je lui présentai le mien. On prétend que tous les bébés sont beaux. Et indéniablement, le mien l'était. Cependant, malgré ses épais cheveux noirs, le fils de Fleur de Neige était aussi frêle qu'un roseau et son expression renfrognée, ajoutée à son teint cireux, lui donnait un air maladif. Mais je me gardai bien de le lui dire et la complimentai au contraire, comme elle le fit pour moi.

Ballottées par le rythme des porteurs, nous nous mîmes à parler de notre nouvelle vie et de nos projets immédiats. Fleur de Neige était en train de tisser un carré d'étoffe en y incorporant peu à peu le texte d'un poème, ce qui s'avérait particulièrement malaisé. Quant à moi, j'apprenais à faire mariner les volailles, ce qui n'avait rien de bien sorcier. Mais nous avions des sujets autrement plus sérieux à évoquer. Quand je lui demandai comment les choses se passaient de son côté, elle n'eut pas un instant d'hésitation.

— Lorsque je me réveille le matin, m'avoua-t-elle, je ne ressens pas la moindre joie, si j'excepte le fait d'avoir mon fils. J'aime chanter en travaillant, mais mon mari se fâche sitôt qu'il m'entend. Quand il est en colère, il m'interdit de franchir le seuil de la maison. S'il est de bonne humeur, il m'autorise à sortir le soir sur la terrasse où il tue ses cochons. Mais je ne peux m'empêcher de penser aux animaux qui sont morts à cet endroit. Quand je m'endors, je sais que je me lèverai le lendemain, mais qu'il n'y aura plus d'aube pour moi – seulement les ténèbres.

J'essayai de la réconforter de mon mieux.

— Tu dis cela parce que tu es mère depuis peu et que tu n'as connu que l'hiver depuis que tu es venue vivre dans ta nouvelle famille.

Je n'avais pas le droit de comparer ma solitude à la sienne, mais il arrivait que la mélancolie me gagne, moi aussi, lorsque j'éprouvais la nostalgie de ma famille natale ou que l'ombre des brèves journées d'hiver oppressait mon cœur.

— Le printemps arrive, ajoutai-je. Nous serons plus heureuses quand les jours rallongeront.

— J'aime encore mieux qu'ils soient courts, répondit-elle. C'est seulement lorsque nous nous retrouvons au lit le soir, mon mari et moi, que les reproches cessent : je n'entends plus mon beau-père se plaindre que son thé n'est pas assez infusé, ma belle-mère me rabrouer en me reprochant d'être trop sensible, mes belles-sœurs me demander de laver leurs habits ou mon mari m'accuser de faire de lui la honte du village. Sans parler des pleurs et des cris incessants de mon fils.

J'étais consternée d'apprendre que ma *laotong* menait une existence aussi pitoyable. Je ne savais plus quoi dire, alors que quelques jours plus tôt je m'étais juré d'être franche avec elle. Mais j'étais tellement confuse que je n'arrivais pas à lui répondre autrement que par des formules conventionnelles.

— J'ai essayé de m'en tenir aux volontés de ma belle-mère et de mon mari, dis-je, et cela m'a facilité la vie. Tu devrais faire de même. Tu souffres pour l'instant, mais un jour ta belle-mère mourra et tu seras la première dame de la famille. L'épouse arrivée la première et ayant engendré un garçon finit toujours par l'emporter.

Fleur de Neige eut un sourire contraint. Je songeai aux plaintes qu'elle venait d'émettre, au sujet de son fils. Franchement, je ne la comprenais pas. Ç'aurait dû être son devoir et sa joie que de s'en occuper.

— Ton fils ne tardera pas à marcher, dis-je. Tu vas lui courir après, tu seras très heureuse.

Fleur de Neige étreignit plus fortement son bébé.

— J'attends un autre enfant, dit-elle.

Je la félicitai chaleureusement, mais la nouvelle me bouleversa. Cela expliquait le volume de ses seins et la rondeur de son ventre. Elle avait été prompte à la besogne. Mais comment avait-elle pu tomber enceinte aussi vite ? Était-ce à cela qu'elle faisait allusion dans sa lettre,

245

quand elle parlait d'enfreindre la tradition ? Son mari et elle avaient-ils repris leurs ébats conjugaux avant que les cent jours requis ne soient écoulés ? C'était la seule explication.

— J'espère que tu auras un autre fils, réussis-je à lui dire.

— Moi aussi. Mon mari répète à tout bout de champ qu'il vaut encore mieux avoir un chien qu'une fille, ajouta-t-elle en soupirant.

Nous connaissions l'une et l'autre la vérité d'une telle assertion. Mais était-ce une chose à dire à sa femme, alors qu'elle attendait un enfant ?

Le palanquin s'immobilisa soudain et les exclamations de joie de mes frères m'évitèrent d'avoir à chercher une réponse appropriée. Nous étions arrivées chez moi.

Comme la maison avait changé ! Mon frère aîné avait maintenant deux enfants. Son épouse était retournée dans son village natal pour la fête de la Chasse aux oiseaux, mais elle avait laissé les petits afin que nous puissions les voir. Mon frère cadet n'était pas encore marié, toutefois les préparatifs allaient bon train. Ma sœur aînée était déjà arrivée, avec ses deux filles et son fils. Elle vieillissait à vue d'œil, pourtant je la voyais toujours telle qu'elle était autrefois. Maman ne pouvait plus me critiquer aussi ouvertement qu'avant mais s'y essaya tout de même. Papa avait l'air heureux, mais je voyais quel fardeau cela représentait pour lui d'avoir tant de bouches à nourrir, ne serait-ce que pendant quelques jours. Il y avait en tout sept enfants sous son toit, âgés de six mois à six ans. La maison résonnait de l'éclat de leurs voix et du bruit de leurs petits pieds qui traversaient les pièces en courant. Ma tante était ravie de se retrouver au milieu de toute cette marmaille : elle avait toujours rêvé d'une maisonnée pleine d'enfants. Pourtant, je voyais parfois son regard se brouiller. S'il y avait eu une justice sur terre, Belle Lune aurait dû se trouver parmi nous, accompagnée de ses propres enfants.

Nous passâmes trois jours à parler, à rire, à manger et dormir – évitant les disputes et les conflits. Notre moment privilégié, à Fleur de Neige et moi, était celui où nous nous retrouvions le soir, dans l'appartement des femmes. Nous installions nos bébés entre nous dans le lit. À les regarder ainsi côte à côte, leurs différences étaient encore plus apparentes. Mon fils était plutôt dodu et avait, comme son père, une touffe de cheveux noirs dressée au sommet du crâne. Il adorait téter et s'accrochait à mon sein jusqu'à s'être gavé de lait, ne s'interrompant que pour me regarder avec un sourire béat. Le fils de Fleur de Neige régurgitait son lait sur l'épaule de sa mère quand elle lui faisait faire son rot. Il lui arrivait aussi de faire des caprices, surtout en fin de journée : il se mettait à hurler, le visage écarlate et les fesses constellées de plaques. Mais une fois que nous nous retrouvions tous les quatre sous la couette, les deux bébés se calmaient et nous écoutaient échanger nos confidences.

— Que penses-tu des devoirs conjugaux ? me demanda un soir Fleur de Neige, après s'être assurée que tout le monde dormait. Est-ce que tu y prends du plaisir ?

Des années durant, nous avions entendu les plaisanteries salaces des vieilles ou les allusions de ma tante à son entente conjugale avec mon oncle. Tout cela était alors un peu flou dans nos esprits, mais les choses s'étaient évidemment éclaircies depuis.

— Mon mari et moi, nous sommes comme deux canards mandarins, se hâta-t-elle d'ajouter, en voyant que je ne répondais pas. Nous éprouvons un grand bonheur à nous ébattre ensemble.

J'étais stupéfiée par ses paroles. Était-elle en train de mentir, comme elle l'avait fait pendant des années ? Voyant que je me taisais toujours, elle poursuivit :

— Mais nous avons beau y prendre mutuellement plaisir, je suis un peu inquiète que mon mari n'ait pas respecté le délai qui était de mise après l'accouchement. Il n'a attendu que vingt jours.

Elle marqua une pause et reprit :

— Je ne lui reproche rien, j'étais tout à fait consentante. J'en avais envie moi aussi.

Bien qu'ébahie par l'aveu du plaisir qu'elle disait prendre à ses ébats conjugaux, je me sentis un peu soulagée. Elle me disait forcément la vérité. Qui aurait inventé un pareil mensonge ? Et pour cacher quelle épouvantable réalité ?

— Ce n'est pas bien, murmurai-je. Il faut respecter les règles et la tradition.

— Tu crois que je risque d'être souillée, comme mon mari ?

La pensée m'avait effleurée, mais je préférai lui dire :

— Je n'ai pas envie que tu tombes malade. Et encore moins que tu meures.

Fleur de Neige rit doucement dans l'obscurité.

— On ne tombe pas malade en batifolant avec son mari ! dit-elle. Tout ce qu'on risque, c'est un peu de plaisir. Je trime toute la journée sous les ordres de ma belle-mère. Pourquoi ne pas profiter des charmes du soir ? Et si j'avais un autre fils, je serais encore plus heureuse.

Sur ce dernier point, je savais qu'elle avait raison. L'enfant qui dormait entre nous était à la fois faible et capricieux. Il valait mieux que Fleur de Neige en ait un autre… au cas où.

Les trois journées passèrent et s'achevèrent trop vite. Je me sentais toutefois le cœur plus léger. Mon palanquin déposa Fleur de Neige sur le seuil de sa maison, puis je regagnai ma propre demeure. Personne ne m'avait vue faire ce détour et j'avais donné suffisamment d'argent aux porteurs pour qu'ils tiennent leur langue. Encouragée par ce succès, je savais que j'allais pouvoir rencontrer plus souvent Fleur de Neige. De nombreuses fêtes au cours de l'année obligent les femmes mariées à retourner dans leur village natal – sans parler de notre visite rituelle au temple de Gupo. Nous avions beau être mariées, nous n'en restions pas moins *laotong*, n'en déplaise à ma belle-mère.

Au cours des mois suivants, nous continuâmes de nous écrire régulièrement. Nos lettres allaient et venaient, aussi librement que deux oiseaux portés par le vent. Peu à peu, les plaintes de Fleur de Neige s'estompèrent, et je l'imitai. Nous étions de jeunes mamans et nous vivions au rythme des péripéties qui marquent le début de la vie d'un enfant : ses dents qui apparaissent, ses gazouillis, ses premiers pas… Dans mon esprit, nous nous étions mises l'une et l'autre au diapason de notre nouveau foyer, satisfaisant aux exigences de nos belles-mères et de la vie conjugale. J'en vins même à parler dans mes lettres des moments d'intimité que je partageais avec mon mari. Je comprenais à présent le sens du vieux dicton : « En montant dans le lit, comporte-toi en mari ; en quittant ta couche, comporte-toi en homme du monde. » Mon mari me plaisait davantage lorsqu'il quittait sa couche. La journée, il observait scrupuleusement les Neuf Préceptes. Il était lucide, attentif, affable. Il faisait preuve de modestie, de loyauté, de respect et d'équité. En cas de doute, il interrogeait son père. Et dans les rares occasions où il était en colère, il avait soin de ne pas le montrer. Aussi, lorsqu'il me rejoignait le soir dans notre lit, j'étais heureuse qu'il y prenne plaisir mais soulagée lorsqu'il en avait terminé. Je ne voyais toujours pas à quoi ma tante faisait allusion autrefois et ne comprenais pas davantage le bonheur que trouvait Fleur de Neige dans l'accomplissement de ses devoirs conjugaux. Mais, aussi profonde que fût mon ignorance, je savais au moins une chose : c'est qu'on n'enfreint pas la tradition sans en payer un jour le prix.

Fleur de Lis,

Ma fille est morte à la naissance. Elle nous a quittés sans avoir pris racine et ne connaîtra pas les douleurs de la vie. J'ai tenu ses petits pieds dans mes mains. Du moins la torture du bandage lui sera-t-elle épargnée. J'ai refermé ses yeux, qui ne sauront pas la tristesse de quitter son village natal, de voir sa mère pour la dernière fois, de dire adieu à un enfant qui vient de mourir. J'ai posé les doigts sur son cœur : la souffrance, la solitude et la honte lui resteront inconnues. Je pense à elle maintenant dans l'au-delà. Ma mère est-elle à ses côtés ? J'ignore tout du sort qui est le leur désormais.

Tout le monde ici me fait des reproches. Ma belle-mère me lance : « Pourquoi avons-nous accepté ce mariage, si c'est pour que tu engendres des filles ? » Mon mari me dit : « Tu es jeune, tu auras d'autres enfants. La prochaine fois, tu me donneras un fils. »

Je n'ai aucun moyen de donner libre cours à ma tristesse. Ni personne auprès de qui m'épancher. J'aimerais tant entendre le bruit de tes pas dans l'escalier.

J'imagine que je suis un oiseau. Je m'élève et je monte très haut dans les nuages : le monde paraît bien loin en dessous.

Le pendentif de jade que je portais pour protéger mon futur enfant pèse autour de mon cou. Je n'arrête pas de penser à ma fille, morte à présent.

FLEUR DE NEIGE

Les fausses couches étaient monnaie courante dans notre district et les femmes n'étaient pas censées y attacher une grande importance, surtout s'il s'agissait d'une fille. Quant à la mort d'un nouveau-né, elle ne s'avérait dramatique que si l'enfant était un garçon. Dans le cas contraire, les parents étaient le plus souvent soulagés : cela ferait une bouche de moins à nourrir. Pour ma part, même si durant ma grossesse j'avais vécu dans la hantise de perdre mon bébé, j'ignore sincèrement ce que j'aurais ressenti s'il s'était agi d'une fille et qu'elle n'ait pas survécu à la naissance. Ce que je veux dire, c'est que j'étais un peu étonnée que Fleur de Neige manifeste une telle émotion.

Je l'avais suppliée de me dire la vérité. Mais maintenant qu'elle le faisait, que lui répondre ? J'aurais voulu la réconforter. Mais j'avais peur pour elle et ne savais comment le lui écrire. Le drame que constituait la vie de Fleur de Neige dépassait mon entendement. Je venais d'avoir vingt et un ans. Je n'avais jamais vraiment connu la misère et je menais une vie heureuse, ce qui limitait mon empathie.

Je cherchais en moi les mots qui convenaient pour écrire à la femme que j'aimais. À ma grande honte, je finis par me rabattre sur les formules conventionnelles qu'on m'avait inculquées dans ma jeunesse. Saisissant mon pinceau, je décidai d'en revenir aux lignes brèves dont se servent les femmes mariées, en espérant que cela rappellerait à Fleur de Neige que la seule armure dont nous disposions était une impassibilité de façade – y compris dans les moments de grande détresse. Il fallait qu'elle se débrouille pour retomber enceinte – et le plus vite possible – parce que le premier devoir d'une femme est de mettre au monde autant de fils qu'elle le peut.

Fleur de Neige,

Je suis assise à l'étage, plongée dans mes pensées.
Je t'écris pour te consoler.
Je t'en supplie, écoute-moi.
Apaise ton cœur, ma tendre amie.
Pense que je suis près de toi – mes mains sur les tiennes.
Imagine-moi pleurant à tes côtés.
Le ruisseau de nos larmes coule à jamais.
Sache-le.
Ta peine est profonde mais tu n'es pas seule.
Ne t'attriste pas.
Tout ceci était prédestiné, comme le sont la fortune et la pauvreté.
De nombreux bébés meurent.
Tel est le fardeau des mères.

Nous ne sommes pas maîtresses de ces choses.

Tout ce que nous pouvons faire, c'est essayer encore.

La prochaine fois, ce sera un fils…

Fleur de Lis

Deux années passèrent, au cours desquelles nos fils apprirent à marcher et à parler. Celui de Fleur de Neige précéda le mien dans ces deux domaines, ayant six semaines de plus. Mais ses jambes n'étaient pas aussi solides que celles de mon fils. Il était toujours aussi frêle, et cette fragilité semblait l'un des traits de sa personnalité. Je ne veux pas dire par là qu'il n'était pas intelligent, bien au contraire. Mais il ne l'était pas autant que mon fils. À l'âge de trois ans, ce dernier voulait déjà s'emparer des pinceaux destinés à la calligraphie. Il resplendissait de santé et ne passait pas inaperçu dans l'appartement des femmes. Même les concubines lui prêtaient attention, papotant à son sujet avec autant d'animation qu'autour d'un nouvel arrivage de soie.

Trois ans après la naissance de l'aîné, mon deuxième fils vint au monde. Le destin de Fleur de Neige ne s'avéra pas aussi heureux. Elle aimait peut-être s'ébattre avec son mari dans le lit conjugal, mais cela n'aboutit pas à grand-chose – si l'on excepte une deuxième fille, qui mourut elle aussi à la naissance. Après cette perte, je lui conseillai d'aller voir l'herboriste local afin qu'il lui donne des plantes pour l'aider à concevoir un fils et accroître la puissance de son mari. Ils n'avaient eu l'un et l'autre qu'à se féliciter de mes conseils, m'écrivit-elle. Et dans tous les sens du terme.

TRISTESSE ET JOIE

Lorsque mon fils atteignit l'âge de cinq ans, mon mari commença à évoquer la possibilité de le confier à un précepteur afin d'entreprendre son éducation. Comme nous vivions chez mes beaux-parents et n'avions pas de ressources personnelles, il fallut leur demander de bien vouloir supporter cette dépense. J'aurais dû avoir honte de l'ambition de mon mari, mais tel ne fut pas le cas et je ne l'ai jamais regretté par la suite. De leur côté, mes beaux-parents n'auraient pas pu être plus heureux que le jour où le précepteur vint s'installer à la maison et où mon fils quitta du même coup l'appartement des femmes. Je pleurais de bonheur ce jour-là et jamais je n'ai ressenti une si grande fierté. Je nourrissais secrètement l'espoir qu'il puisse se présenter un jour aux concours impériaux. J'avais beau être une femme, je n'ignorais pas que ces examens permettent aux lettrés les plus pauvres d'échapper à leur condition – aussi misérable soit-elle – et d'accéder ainsi à une vie meilleure. Néanmoins, le fait que mon fils abandonne du jour au lendemain l'appartement des femmes créa en moi une sorte de vide, que ne parvinrent pas à combler les pitreries de mon cadet, les cancans des concubines, les disputes de mes belles-sœurs – ni même mes entrevues régulières avec Fleur de Neige. Heureusement, dès le premier mois de la nouvelle année lunaire, je me retrouvai à nouveau enceinte.

À cette époque, il y avait foule à l'étage. Ma troisième belle-sœur avait récemment emménagé parmi nous et donné naissance à une fille. Elle fut suivie de près par ma quatrième belle-sœur, qui n'arrêtait pas de se plaindre, personne ne trouvant grâce à ses yeux. Elle aussi donna naissance à une fille. Ma belle-mère s'acharna contre elle avec une cruauté particulière et elle perdit deux garçons par la suite. Je ne vous étonnerai donc pas en vous disant que les autres femmes de la maison considéraient mon sort avec envie.

À l'étage des femmes, rien n'était accueilli avec une consternation plus grande que l'arrivée du sang menstruel. Lorsque cela se produisait pour l'une ou l'autre d'entre nous, tout le monde était au courant. Dame Lu se tenait particulièrement informée de ce genre de nouvelle et ne manquait jamais de maudire la fautive, ni de faire remarquer, pour que chacune médite son propos, « qu'une épouse qui n'arrive pas à engendrer un fils peut toujours se voir remplacée ». Ce qui ne l'empêchait pas de vouer une haine farouche aux concubines de son mari… Avec cette nouvelle grossesse, je sentais toute la jalousie et le ressentiment qui se portaient vers moi. Mais que pouvaient faire les autres femmes, sinon attendre que les choses aillent à leur terme ? Pour ma part, j'avais envie d'une fille à présent. Mon deuxième fils n'allait plus tarder à me quitter à son tour pour rejoindre le monde des hommes. Les filles, elles, restent aux côtés de leur mère jusqu'à leur mariage. Mon désir s'accrut encore lorsque j'appris que Fleur de Neige attendait un nouvel enfant. J'aurais vraiment voulu qu'elle ait une fille, elle aussi.

Notre prochaine entrevue devait avoir lieu à la fête de la Dégustation, qui tombait le sixième jour du sixième mois lunaire. Cela faisait cinq ans que je vivais chez les Lu et ma belle-mère n'avait pas changé d'avis au sujet de Fleur de Neige. Je la soupçonnais de savoir que nous nous retrouvions lors de certaines fêtes. Mais du moment que je ne faisais pas état de cette relation et que j'accomplissais correctement mes devoirs domestiques, elle fermait les yeux et évitait d'aborder la question.

Comme à chaque fois, nous fûmes heureuses de nous retrouver toutes les deux à l'étage, dans ma maison natale. Mais il nous fallait renoncer à notre ancienne intimité, maintenant que nos enfants partageaient notre lit ou dormaient juste à côté de nous. Cela ne nous empêchait pas d'échanger à mi-voix nos confidences. Je lui avouai ainsi que j'espérais avoir une fille pour me tenir compagnie. Fleur de Neige caressa son ventre rebondi et me rappela que les filles n'étaient que des branches inutiles, incapables d'assurer la survie de la lignée paternelle.

— En ce qui nous concerne, dis-je, elles serviront bien à quelque chose. Nous pouvons même convenir dès à présent de les unir plus tard comme *laotong*.

— Mais nous sommes réellement inutiles, Fleur de Lis, répondit Fleur de Neige en se redressant dans la lueur du clair de lune. Tu le sais aussi bien que moi.

— Ce sont les femmes qui engendrent les fils, répliquai-je.

Cela avait assuré ma position dans la maison de mon mari. Et nul doute qu'il en était allé de même pour Fleur de Neige, puisqu'elle avait eu un fils.

— Bien sûr, dit-elle, elles engendrent les fils. Mais...

— Nos filles seront nos compagnes.

— J'en ai déjà perdu deux.

— Fleur de Neige, l'interrompis-je, tu ne veux pas que nos filles deviennent à leur tour *laotong* ?

L'idée que ce projet lui déplaise venait de me traverser l'esprit. Fleur de Neige me considéra en souriant tristement.

— Bien sûr que si, dit-elle. Encore faut-il que nous ayons des filles. Elles prolongeront l'amour que nous avons l'une pour l'autre, lorsque nous aurons rejoint l'au-delà.

— Très bien, dis-je, voilà qui est décidé. Maintenant, allonge-toi près de moi. Et ne fais pas cette tête... Profitons plutôt de la joie d'être ensemble.

Nous revînmes à Puwei au printemps suivant, en compagnie de nos filles qui étaient nées entre-temps.

Mais elles n'étaient ni du même jour ni du même mois. Nous comparâmes leurs pieds : en dépit de leur bas âge, leurs tailles ne correspondaient pas. Malgré l'indulgence maternelle que m'inspirait Jade, ma fille, je n'étais pas aveugle : Lune de Printemps était d'une beauté supérieure à elle. Jade avait la peau trop foncée, selon les critères de la famille Lu, mais celle de Lune de Printemps faisait penser à la chair d'une pêche blanche. J'espérais que ma fille serait aussi forte que la pierre dont elle portait le nom et que Lune de Printemps connaîtrait un destin plus heureux que ma cousine, dont Fleur de Neige avait honoré la mémoire en baptisant sa fille. Aucun de leurs huit caractères ne correspondait... Mais nous décidâmes de passer outre. Ces deux fillettes seraient *laotong* !

Nous ouvrîmes notre éventail. Toute notre vie s'y déroulait, en résumé. Tant de bonheur y était évoqué : notre union, nos mariages, la naissance de nos fils et maintenant de nos filles – et leur future alliance. *Un jour prochain*, écrivis-je, *deux fillettes se rencontreront et deviendront* laotong. *Elles formeront un nouveau couple de canards mandarins. Leurs parents, le cœur en joie, se poseront au bord d'un pont et les regarderont s'envoler.* Dans la frise supérieure, Fleur de Neige peignit deux paires d'ailes déployées, s'envolant vers la lune. Plus bas, deux autres oiseaux regardaient le ciel.

Lorsque nous eûmes terminé, nous nous assîmes côte à côte, berçant nos filles. J'éprouvais un grand bonheur. Et pourtant, je ne pouvais m'empêcher de penser qu'en ayant délibérément enfreint les règles présidant à ce genre d'union, nous venions de rompre un tabou.

Deux ans plus tard, Fleur de Neige m'écrivit une lettre pour m'annoncer qu'elle venait enfin de donner naissance à un second fils. Elle était aux anges et je me réjouissais bien sûr pour elle, convaincue que son statut s'en trouverait renforcé dans la maison de son mari. Mais nous n'eûmes guère le temps de nous réjouir, car trois jours plus tard une triste nouvelle se répandit à travers le pays : l'empereur Daoguang venait de rejoindre ses ancêtres. Tout le district fut plongé dans le deuil, même si son fils Xianfeng lui avait succédé sur le trône impérial.

De par la triste expérience qu'avait vécue la famille de Fleur de Neige, je savais qu'à la mort d'un empereur toute sa cour tombe en disgrâce : de sorte qu'à chaque nouveau règne correspond d'abord une période de troubles, non seulement au palais, mais dans l'ensemble du pays. Le soir, lors des repas, mon beau-père, mon mari et ses frères évoquaient ce qui se passait en dehors de Tongkou, mais je les écoutais d'une oreille distraite. Des rebelles s'étaient soulevés quelque part dans la région et les propriétaires terriens exigeaient davantage d'argent des paysans à qui ils louaient leurs terres. J'étais désolée pour ceux qui, à l'image de ma famille d'origine, allaient pâtir d'une telle situation. Mais sincèrement, tout cela paraissait bien étranger au confort qui régnait dans la famille Lu.

Puis l'oncle Lu perdit son poste à la cour et revint vivre à Tongkou. Lorsqu'il sortit de son palanquin, toute la famille s'était rassemblée pour venir le saluer, frappant le sol du front. Il nous demanda de nous relever et je découvris un vieillard en tunique de soie. Son visage s'ornait de deux gros grains de beauté. Les personnes âgées en prennent particulièrement soin, mais ceux de l'oncle Lu étaient vraiment superbes. Une dizaine de longs poils blancs en jaillissaient ; comme je devais m'en apercevoir par la suite, il adorait les tripoter.

Ses yeux intelligents se posèrent tour à tour sur chacun d'entre nous, avant de s'arrêter sur mon fils aîné. Celui-ci avait alors huit ans. L'oncle Lu, qui aurait d'abord dû saluer son frère, tendit une main sillonnée de veines et la posa sur l'épaule de mon fils. « Lis un millier de livres et tes mots couleront comme une eau de source, lui dit-il d'une voix qui témoignait de sa bonne éducation ainsi que des longues années passées dans la capitale. Mais pour l'instant, mon petit, guide-moi jusqu'à la maison. » Ayant prononcé ces mots, l'homme le plus estimé de la famille prit la main de mon fils et ils franchirent ensemble les portes du village.

Deux autres années passèrent. J'avais récemment mis au monde un troisième fils et nous travaillions tous d'arrache-pied afin que les choses continuent comme avant. Mais tout le monde voyait bien qu'entre la disgrâce de l'oncle Lu et la rébellion qu'avait provoquée la hausse des loyers terriens, nous n'avions plus le même niveau de vie. Mon beau-père commença par réduire sa consommation de tabac et mon mari passa plus de temps dans les champs, n'hésitant pas à mettre la main à la pâte pour aider les paysans. Le précepteur fut remercié et l'oncle Lu prit lui-même en charge l'éducation de mon fils aîné. Dans l'appartement des femmes, les querelles entre les épouses et les concubines ne firent que s'amplifier, à mesure que diminuaient les quantités de soie et de fil à broder dont chacune disposait.

Lorsque nous séjournâmes dans mon village natal cette année-là, Fleur de Neige et moi, je ne passai pratiquement pas un seul instant en compagnie de ma famille. Nous prenions nos repas tous ensemble, évidemment, et discutions le soir devant la maison, comme quand j'étais petite. Mais ce n'était pas pour revoir mon père et ma mère que j'étais venue : je voulais avant tout retrouver Fleur de Neige. Nous venions d'avoir trente ans et cela faisait vingt-trois ans que nous étions *laotong*. Il était difficile de se représenter tout ce temps écoulé – et plus malaisé encore d'imaginer que nous avions été si proches, elle et moi. J'aimais toujours Fleur de Neige, mais mes journées étaient entièrement prises par mes enfants et mes obligations domestiques : j'avais trois fils et une fille, désormais. Et il en allait de même pour elle, bien qu'elle n'eût que deux garçons. Nous avions vécu une relation intense – plus forte que celle qui nous unissait à nos maris – en pensant que rien ne parviendrait à la briser. Toutefois, notre amour passionnel s'était peu à peu estompé. Nous n'y attachions pas une importance particulière, puisque toutes les relations doivent affronter l'épreuve des réalités matérielles, pendant les années « de riz et de sel ». Nous savions qu'au soir de notre vie, assises au calme l'une et l'autre, nous renouerions ce lien ancien à la manière d'autrefois. Pour l'instant, nous ne pouvions que partager du mieux possible les difficultés de notre vie quotidienne.

Dans la maison de Fleur de Neige, la dernière de ses belles-sœurs s'était mariée, lui laissant la charge des travaux dont elle s'occupait auparavant. Son beau-père, quant à lui, était mort brutalement : il s'apprêtait à abattre une bête et celle-ci s'était retournée si violemment que le couteau s'était planté dans son bras, s'enfonçant jusqu'à l'os. Il s'était vidé de son sang sur le seuil de leur demeure, comme tant d'animaux avant lui. Le mari de Fleur de Neige était désormais le maître de la maison, bien qu'il fût toujours aux ordres de sa mère. Sachant que Fleur de Neige n'avait ni famille ni biens, celle-ci l'obligea à travailler davantage et son mari ne leva pas le petit doigt pour s'y opposer. Fleur de Neige pouvait au moins se consoler avec son second fils, qui était devenu un garçon robuste. Tout le monde aimait cet enfant, persuadé que l'aîné risquait fort de ne pas franchir le cap de son dixième anniversaire, et encore moins celui de sa vingtième année.

Même si Fleur de Neige connaissait un sort moins enviable que le mien, elle était plus attentive aux propos que tenaient les gens autour d'elle. D'ailleurs, elle avait toujours manifesté plus d'intérêt que moi pour le monde extérieur. Elle m'expliqua que les rebelles dont j'avais entendu parler s'appelaient les Taiping et qu'ils cherchaient à établir un ordre plus harmonieux. Comme les Yao, ils croyaient que les esprits, les dieux et les déesses ont une influence sur les récoltes, la santé et la naissance des enfants. Les Taiping prohibaient l'usage du vin, de l'opium, du tabac, de la danse et du jeu. Ils prétendaient qu'il fallait abolir la caste des propriétaires terriens – qui possédaient quatre-vingt-dix pour cent du pays et encaissaient jusqu'à soixante-dix pour cent du produit des récoltes – et répartir équitablement la terre entre ceux qui la cultivaient. Dans notre province, des centaines de milliers de personnes avaient abandonné leurs foyers pour rejoindre les Taiping et s'étaient emparées d'innombrables villages, ainsi que de plusieurs villes. Leur chef prétendait être le fils d'un dieu célèbre. Il prêchait l'imminence de ce qu'il appelait son Royaume céleste et nourrissait autant de haine à l'égard des étrangers qu'envers la corruption politique. Je ne comprenais pas tout à fait ce que Fleur de Neige tentait de m'expliquer. Pour moi, un étranger était quelqu'un qui habitait dans un autre district. Je vivais entre les quatre murs de l'appartement des femmes, mais Fleur de Neige s'était toujours projetée dans des univers lointains, fascinée par les lieux qu'elle ne connaissait pas.

De retour chez moi, j'interrogeai mon mari à propos des Taiping, mais il me répondit :

— Une femme doit se soucier de ses enfants et du bonheur de sa famille. Si tes visites dans ton village natal te perturbent à ce point, je ne te permettrai pas d'y retourner la prochaine fois.

Je m'abstins donc par la suite de faire la moindre allusion aux problèmes du monde extérieur.

La sécheresse et ses effets désastreux sur les récoltes plongeaient toute la région dans la famine, mais je ne m'en étais pas vraiment souciée, jusqu'au jour où je m'aperçus que nos réserves étaient quasiment épuisées. Ma belle-mère nous réprimandait vertement lorsque nous renversions du thé ou mettions trop de bois dans le feu. Mon beau-père s'abstenait de prendre de la viande dans le plat de service, préférant laisser sa part à ses petits-fils. L'oncle Lu, qui avait vécu au palais impérial, ne se plaignait pas comme il aurait été en droit de le faire : mais à mesure qu'il voyait décliner l'aisance de la maisonnée, il se rabattit davantage sur mon fils aîné, en espérant que ce garçon allait tirer la famille de la mauvaise passe qu'elle traversait.

Cela donna des idées à mon mari. Un soir où nous étions couchés, les lampes mises en veilleuse, il se confia à moi :

— L'oncle Lu a décelé quelque chose chez notre garçon. J'étais très heureux qu'il prenne la relève pour assurer son éducation. Mais j'ai d'autres visées à présent et je me dis qu'il faudrait l'envoyer poursuivre ses études ailleurs. Comment y parvenir, alors que tout le district sait que nous serons bientôt contraints de vendre nos terres si nous voulons manger ?

Mon mari prit ma main dans l'obscurité.

— J'ai une idée, Fleur de Lis. Mon père la trouve excellente, mais je me fais du souci pour nos fils et pour toi.

J'attendis, inquiète de la suite.

— Les gens ont besoin d'un certain nombre de choses pour survivre, reprit-il. L'air, le soleil, l'eau sont à la disposition de tous, ainsi que le bois pour le feu, même s'il n'est pas toujours abondant. Mais le sel n'est pas gratuit. Et tout le monde en a besoin.

Je serrai sa main dans la mienne. Où voulait-il en venir ?

— J'ai demandé à mon père si je pouvais rassembler l'argent dont nous disposons encore, poursuivit-il. Je compte me rendre à Guilin, y acheter du sel et venir le revendre ici. Mon père m'a donné son accord.

Une telle entreprise présentait d'innombrables dangers. Guilin était situé dans la province voisine. Pour s'y rendre, mon mari allait devoir traverser des territoires contrôlés par les rebelles. Les paysans désespérés qui n'avaient pas rejoint leurs rangs s'étaient souvent transformés en brigands et détroussaient les voyageurs qui se risquaient sur les routes. Le commerce du sel était lui-même hasardeux, raison pour laquelle cette matière première faisait fréquemment défaut. Les hommes qui le contrôlaient dans notre province avaient monté leur propre armée, tandis que mon mari était seul. Il n'avait aucune expérience de la négociation, que ce soit avec les seigneurs de la guerre ou des commerçants aussi cupides que roublards. Comme si tout cela ne suffisait pas, mon instinct féminin me faisait craindre qu'il succombe aux charmes des beautés de Guilin. S'il réussissait dans son entreprise, il risquait d'en ramener une ou deux avec lui, à titre de concubines. Ce fut cette inquiétude féminine que j'exprimai en premier :

— Évite de cueillir des fleurs sauvages, l'implorai-je, en me servant de l'expression qui désigne par euphémisme le genre de créatures auxquelles il pouvait succomber.

— La valeur d'une femme réside dans ses vertus, et non dans sa séduction, me rassura-t-il. Tu m'as donné des fils. Mon corps va voyager au loin, mais mes yeux éviteront de se poser sur ce qu'il ne convient pas de voir. (Il marqua une pause et ajouta :) Sois fidèle, évite la tentation, obéis à ma mère et occupe-toi de nos fils.

— Je n'y manquerai pas, lui répondis-je. Mais ce n'est pas à mon sujet que je m'inquiète.

J'essayai de lui exposer mes autres craintes, mais il me répliqua :

— Devons-nous cesser de vivre à cause du malheur de quelques-uns ? Nous n'allons tout de même pas renoncer à circuler librement le long de nos rivières et de nos routes, qui appartiennent à l'ensemble du peuple chinois.

Il ajouta qu'il serait sans doute absent toute une année.

Je commençai à me faire du souci sitôt mon mari parti. À mesure que les semaines, puis les mois s'écoulaient, j'étais de plus en plus inquiète. S'il lui arrivait quelque chose, qu'allait-il advenir de moi ? En tant que veuve, peu de possibilités se présentaient. Mes enfants étant trop jeunes pour subvenir à mes besoins, mon beau-père pouvait fort bien me vendre à un autre homme. Sachant que, dans ce cas, je ne reverrais jamais mes enfants, je comprenais pourquoi tant de veuves en étaient réduites au suicide. Mais il ne servait à rien de me lamenter sur ce qu'il risquait d'advenir. Et j'essayais de faire bonne figure dans l'appartement des femmes, tout en me rongeant intérieurement sur le sort de mon mari.

Afin de trouver un peu de réconfort auprès de mon fils aîné, je me portais volontaire plusieurs fois par jour pour aller préparer le thé destiné à l'appartement des femmes, ce que je n'avais jamais fait jusqu'alors. Une fois en bas, je m'asseyais et tendais l'oreille pour écouter les leçons que lui donnait l'oncle Lu.

— Les trois puissances principales sont le Ciel, la Terre et l'Homme, récitait mon fils. Les trois sources de lumière sont le Soleil, la Lune et les Étoiles. Les dons du Ciel ne se comparent pas avec ceux de la Terre – qui sont eux-mêmes sans commune mesure avec les bienfaits nés de l'harmonie qui règne entre les hommes.

— Tous les enfants peuvent réciter un texte par cœur, intervenait l'oncle Lu. Mais que signifient ces paroles ?

Si mon fils ne répondait pas correctement à une question, je peux vous assurer que l'oncle Lu n'hésitait pas à lui infliger un coup sec sur la main, de sa baguette de bambou. Et s'il refaisait la même erreur le lendemain, la punition était double.

— Le Ciel donne à l'Homme le climat nécessaire, répondit mon fils. Mais si la Terre n'est pas fertile, cela est inutile. Et un sol fertile ne sert à rien, si l'harmonie ne règne pas entre les hommes.

Je rayonnais de fierté dans ma cachette. Mais l'oncle Lu ne se contentait pas d'une bonne réponse.

— Très bien, dit-il. Parlons maintenant de l'empire. Si l'on respecte les règles qui figurent dans le *Livre des rites*, l'ordre régnera au sein de la famille. Cela s'applique à chaque maisonnée, de cercle en cercle, assurant ainsi la sécurité de l'État jusqu'à la sphère de l'empereur lui-même. *A contrario*, une rébellion en entraîne une autre et le désordre ne tarde pas à s'étendre. Prête bien attention à ceci, mon petit. Ta famille possède des terres. Ton grand-père en a pris soin en mon absence, mais les gens savent qu'aujourd'hui je ne dispose plus d'appuis à la cour. Ils connaissent l'existence des rebelles et nous devons faire très attention.

Mais les malheurs qu'il redoutait ne vinrent finalement pas des Taiping. La dernière nouvelle qui me parvint avant que les esprits des morts ne s'abattent sur nous fut que Fleur de Neige attendait un nouvel enfant. Je brodai un mouchoir pour lui souhaiter bonheur et santé au cours des mois à venir. Une fois le texte achevé, j'ajoutai à titre décoratif un petit poisson d'argent qui nageait dans un cours d'eau, en me disant que c'était sans doute l'image la plus apaisante que je pouvais offrir à une femme qui allait devoir affronter les mois d'été enceinte.

Les grosses chaleurs arrivèrent tôt cette année-là. Il n'était pas encore temps d'aller rendre visite à nos familles d'origine, aussi restions-nous cloîtrées avec nos enfants dans l'appartement des femmes, prenant notre mal en patience. Comme la température ne cessait de croître, les hommes de Tongkou et des villages environnants emmenèrent les enfants se baigner dans la rivière – celle-là même où j'avais barboté dans ma petite enfance. Mais c'était également dans cette rivière que les servantes aux grands pieds allaient faire la vaisselle et puiser l'eau potable, depuis que les puits du village étaient saumâtres, infectés par des larves d'insectes.

Le premier cas de fièvre typhoïde se déclara dans la principale commune du comté – c'est-à-dire à Tongkou même. Il toucha le fils aîné de l'un des fermiers qui s'occupaient de nos terres, puis le mal s'étendit à toute la famille, qui fut entièrement décimée. Les premiers symptômes consistaient en une forte fièvre suivie de violents maux de tête, puis de douleurs à l'estomac. Le tout s'accompagnait généralement d'une toux rauque et d'une éruption de plaques rougeâtres sur le corps. Mais une fois que les diarrhées avaient commencé, c'était la mort assurée en quelques heures, au terme d'abominables souffrances. Dès que nous apprenions qu'un enfant était atteint, nous savions ce qui allait se passer : dans un premier temps, il allait mourir ; puis ce serait au tour de ses frères et sœurs ; et enfin, de ses parents. Les choses se répétaient invariablement de cette manière, car aucune mère ne se résolvait à abandonner un enfant malade, ni le mari son épouse, une fois celle-ci touchée à son tour. Très vite, des cas apparurent dans tous les villages de la région.

La famille Lu décida de se cloîtrer chez elle et de barricader portes et fenêtres. Les domestiques avaient disparu, peut-être congédiés par mon beau-père, à moins qu'ils se soient enfuis de leur propre chef – je l'ignore encore à ce jour. Les femmes regroupèrent tous les enfants à l'étage, dans notre appartement commun, où nous pensions être plus en sécurité qu'ailleurs. Le fils de ma troisième belle-sœur, encore nourrisson, fut le premier à manifester les symptômes. Sa peau devint sèche, son front brûlant, et ses joues s'empourprèrent. Voyant cela, j'emmenai mes enfants dans ma propre chambre et appelai mon fils aîné. Mon mari étant absent, j'aurais dû lui permettre de rester en compagnie de son grand-oncle et des autres hommes, comme il le souhaitait. Mais je ne lui laissai pas le choix.

— Je vous interdis de sortir d'ici, dis-je à mes enfants. Moi seule ai le droit de quitter cette pièce. Et votre frère aîné sera responsable de vous en mon absence. Vous devrez en tout point lui obéir.

Chaque jour, au cours de ces terribles semaines, je sortais de la chambre à deux reprises, matin et soir. Sachant comment le mal s'évacuait du corps des victimes, j'allais vider le pot de chambre moi-même, veillant à ce qu'aucune goutte n'entre en contact avec mes mains ou mes vêtements. J'allais tirer de l'eau saumâtre au puits et la faisais bouillir, avant de la filtrer jusqu'à ce qu'elle soit aussi claire que possible. Je redoutais les effets de la nourriture, mais nous étions bien obligés de manger. Je ne savais pas quoi préparer. Valait-il mieux se contenter de légumes crus, cueillis dans notre potager ? Mais je songeais aux excréments dont nous nous servions comme engrais et aux diarrhées des malades : ce n'était probablement pas la bonne solution. Je me souvins alors de la seule nourriture que me donnait ma mère lorsque j'étais patraque : du *congee*, de la bouillie de riz. J'en préparai donc deux fois par jour.

À part ça, nous restions enfermés dans la chambre. Le jour, nous entendions les gens aller et venir. La nuit, c'étaient les hurlements de douleur des malades et les cris angoissés des mères qui parvenaient jusqu'à nous. Le matin, je collais mon oreille à la porte pour écouter les nouvelles et connaître le nom des dernières victimes. Personne n'étant là pour s'occuper d'elles, les concubines moururent les unes après les autres, au milieu des femmes contre lesquelles elles avaient ourdi tant de complots.

De jour comme de nuit, je me rongeais les sangs au sujet de Fleur de Neige et de mon mari. Ma *laotong* avait-elle pris les mêmes précautions que moi ? Avait-elle survécu ? Était-elle morte ? Son fils aîné, déjà si faible, avait-il succombé à la maladie ? Toute sa famille avait-elle péri ? Et mon mari ? Avait-il trouvé la mort dans une autre province, ou sur le chemin du retour ? Si jamais il leur était arrivé quelque chose, à l'un ou à l'autre, je ne savais pas ce que je ferais. J'avais l'impression d'être en cage, prisonnière de ma propre peur.

Ma chambre avait une seule fenêtre, trop haute pour que je puisse voir ce qui se passait au dehors. Les effluves de l'épidémie et des cadavres entassés devant les maisons imprégnaient l'atmosphère d'une moiteur épaisse. Nous nous protégions du mieux possible, le visage entouré de linges, mais il était impossible d'y échapper : cette infecte odeur vous piquait les yeux et vous collait à la peau. Je passais mentalement en revue tout ce que j'avais à faire : prier sans répit la Déesse, envelopper les enfants dans des tissus écarlates, balayer la pièce trois fois par jour pour effrayer les esprits qui hantaient les lieux à la recherche d'une proie.

Un jour, alors que j'étais dans la cuisine en train de préparer de la bouillie de riz, ma belle-mère arriva, un poulet sanguinolent à la main.

— Inutile de garder ces bestiaux pour plus tard, grommela-t-elle.

Puis, tout en préparant l'animal et en découpant de l'ail, elle me lança :

— Tes enfants vont mourir, à force d'être privés de viande et de légumes. Tu vas les faire crever de faim, avant même que la maladie ne s'abatte sur eux.

Je regardai le poulet en sentant gargouiller mon estomac. Mais pour la première fois depuis mon mariage, je fis mine de ne pas l'avoir entendue et ne répondis pas. Je me contentai de verser le *congee* dans des bols, que je disposai ensuite sur un plateau. En regagnant ma chambre, je m'arrêtai devant celle de l'oncle Lu, frappai à sa porte et déposai un bol de bouillie à son intention. Je ne faisais que mon devoir. Non seulement il était le membre le plus âgé et le plus respecté de la famille, mais il donnait des leçons à mon fils. Les Classiques nous apprennent qu'en matière de relations, celle qui unit un professeur à son élève arrive juste après celle qui lie un père à son fils.

Les autres bols étaient destinés à mes enfants. Comme Jade se plaignit qu'il n'y eût pas de ciboule, de lamelles de porc ou de légumes salés pour accompagner la bouillie, je la giflai sans ménagement. Les autres ravalèrent leurs reproches, tandis que leur sœur se mordillait les lèvres en essayant de retenir ses larmes. Je n'y prêtai pas la moindre attention. J'empoignai au contraire mon balai et me mis à frotter énergiquement le sol.

Les jours passaient et aucun des occupants de la chambre n'avait manifesté le moindre symptôme. Mais la chaleur était de plus en plus étouffante, accroissant la puanteur ambiante. Un soir, en me rendant à la cuisine, j'aperçus ma troisième belle-sœur qui se profilait comme un spectre dans la pénombre de la pièce, vêtue de blanc de la tête aux pieds, en tenue de deuil. J'en déduisis que ses enfants et son mari étaient morts. Mais je fus surtout impressionnée par son regard vide, totalement dénué d'expression. Elle ne faisait aucun geste et rien n'indiquait qu'elle s'était aperçue de ma présence, alors que je me tenais à un mètre d'elle. J'étais trop effrayée pour faire un pas, en avant ou en arrière. Dehors, j'entendis le chant des oiseaux nocturnes et le long meuglement d'un buffle. Une réflexion idiote me traversa l'esprit : pourquoi les animaux ne mouraient-ils pas ? Peut-être était-ce le cas, finalement, mais personne ne me l'avait dit.

Une voix virulente s'éleva soudain derrière moi :

— Cette truie inutile est donc toujours en vie !

Ma troisième belle-sœur ne broncha pas, mais je fis volte-face et aperçus ma belle-mère. Elle avait ôté ses épingles et ses cheveux retombaient en mèches hirsutes de part et d'autre de son visage.

— Jamais nous n'aurions dû te laisser pénétrer ici, poursuivit-elle. Tu es en train de détruire le clan des Lu, espèce de sale truie impure !

Sur ces mots, elle cracha au visage de ma belle-sœur, qui n'eut même pas le réflexe de s'essuyer du revers de la main.

— Je te maudis ! lança ma belle-mère, le visage empourpré de colère. J'espère que tu vas mourir – et dans d'atroces souffrances. Si jamais ce n'était pas le cas, Maître Lu te revendra cet automne. Mais si cela ne tenait qu'à moi, tu ne reverrais même pas la lumière du jour.

Ayant prononcé ces paroles, et sans que rien n'indique qu'elle avait remarqué ma présence, ma belle-mère fit volte-face et quitta la pièce d'un pas mal assuré, en s'appuyant contre le mur. Je me tournai vers ma belle-sœur, qui semblait toujours perdue quelque part, en dehors du monde. Tout en me disant que je n'aurais pas dû agir de la sorte, je m'avançai vers elle, la pris par les épaules et la fis s'asseoir. Je mis de l'eau à bouillir puis, rassemblant tout mon courage, j'humectai un torchon et essuyai son visage. Cela fait, je jetai le linge dans le brasero et le regardai brûler. Lorsque l'eau fut bouillante, je préparai du thé, en versai une tasse pour ma belle-sœur et la posai devant elle. Elle ne fit pas un geste pour s'en emparer. Ne voyant pas quoi faire d'autre, je me mis à préparer le *congee*, touillant patiemment afin que le riz n'accroche pas au fond de la marmite.

— Je guette les cris de mes enfants. De toutes parts je cherche mon mari. Si je me remarie, comment oserai-je me présenter à eux dans l'au-delà ?

Je me tournai vers ma belle-sœur, croyant qu'elle s'adressait à moi. Mais de toute évidence, ce n'était pas le cas. Je ne savais que lui dire pour la consoler. Elle n'avait pas de grand arbre sous lequel s'abriter, ni de montagne où s'adosser. Elle se leva et quitta la cuisine d'un pas vacillant, aussi frêle et indécise qu'une lanterne disparaissant dans la nuit. Je retournai à mon fourneau.

Le lendemain matin, quand je descendis, il semblait y avoir du nouveau. Yonggang et deux autres servantes étaient de retour et nettoyaient la cuisine de fond en comble, empilant de nouvelles réserves de bois pour le feu. Yonggang m'apprit qu'on avait découvert à l'aube le cadavre de ma troisième belle-sœur. Elle s'était donné la mort en avalant de la soude. Je me suis souvent demandé ce qui se serait passé si elle avait attendu quelques heures de plus, car à l'heure du déjeuner ma belle-mère fut soudain terrassée par la fièvre. Elle devait déjà être malade la veille au soir, lorsqu'elle avait tenu des propos si cruels à sa bru.

Un choix terrible se présentait à moi. Je devais protéger mes enfants en les gardant dans ma chambre, mais mon premier devoir en tant qu'épouse était de m'occuper des parents de mon mari. Ce qui ne signifiait pas seulement leur servir du thé, laver leurs vêtements ou accepter leurs critiques d'un air avenant, mais aussi les faire passer avant tout le monde, y compris mes propres parents, mon mari ou mes enfants. Mon époux étant au loin, je devais chasser de mon cœur les sentiments que j'éprouvais pour mes enfants et faire ce qu'on attendait de moi. Si je me dérobais à mes devoirs et que ma belle-mère vienne à mourir, jamais je ne survivrais à une pareille honte.

Mais il n'était pas facile d'abandonner mes enfants. Mes autres belles-sœurs étaient cloîtrées avec les leurs, dans leurs propres chambres. Qui sait si elles n'étaient pas malades, voire mourantes ? Je ne pouvais pas davantage m'en remettre à mon beau-père. N'avait-il pas passé la nuit au chevet de sa femme ? Ne serait-il pas le prochain sur la liste ? Quant à l'oncle Lu, je ne l'avais pas aperçu depuis le début de l'épidémie, même s'il laissait son bol vide matin et soir devant sa porte, afin que je le remplisse.

Je m'assis dans la cuisine, dévorée par l'inquiétude. Yonggang vint me rejoindre, s'agenouilla devant moi et me dit :

— Je m'occuperai de vos enfants.

Je me rappelai comment elle m'avait escortée jusque chez Fleur de Neige, après mon mariage ; puis la loyauté et la discrétion dont elle avait fait preuve par la suite en allant porter mes lettres à ma *laotong*. Elle avait toujours été présente à mes côtés, au fil du temps. Et sans que j'y prenne garde, la fillette de dix ans était devenue une jeune femme de vingt-quatre ans, de robuste constitution. À mes yeux, elle n'était guère moins laide qu'une truie vautrée dans sa fange, mais je savais que la maladie l'avait épargnée et qu'elle prendrait soin de mes enfants comme s'il s'agissait des siens.

Je lui donnai des instructions précises concernant la manière dont elle devait préparer la nourriture et faire bouillir l'eau. Je lui confiai également un couteau, au cas où la situation empirerait et qu'elle ait à se défendre. Puis je remis mes enfants entre les mains du destin et allai m'occuper de la mère de mon mari.

Au cours des cinq jours suivants, je fus aussi présente à ses côtés qu'une belle-fille peut l'être. Je la lavai et la changeai lorsqu'elle n'eut plus la force de se lever pour utiliser le pot de chambre. Je lui préparai le même *congee* qu'à mes enfants. J'allai jusqu'à m'entailler le bras pour verser un peu de mon sang dans sa bouillie de riz, comme j'avais vu ma mère le faire. C'est le don le plus précieux qu'une belle-fille puisse faire et j'espérais, par une sorte de miracle, que la vitalité qui était encore en moi allait passer en elle et lui redonner des forces.

Mais je n'ai pas besoin de vous dire combien cette maladie est terrible. Vous connaissez du reste l'issue de cette histoire. Ma belle-mère mourut. Elle s'était toujours montrée loyale et parfois même attentionnée à mon égard, aussi la séparation ne fut-elle pas facile. Lorsqu'elle eut rendu son dernier soupir, je savais que je ne parviendrais jamais à faire tout ce qu'il aurait fallu pour une femme de cette stature. Je plongeai son corps amaigri et souillé dans une bassine d'eau chaude parfumée au bois de santal. Je la revêtis ensuite de ses derniers habits, en glissant dans ses manches et dans ses poches toutes les pages en *nu shu* qu'elle conservait près d'elle. Contrairement à un homme, il n'était pas question que son nom se perpétue de génération en génération. Elle avait écrit pour partager ses pensées avec ses amies, comme celles-ci l'avaient fait de leur côté. Dans des circonstances ordinaires, tous ces papiers auraient été brûlés sur sa tombe. Mais avec la chaleur ambiante et l'épidémie qui se propageait, on s'empressait d'enterrer les cadavres, sans considération pour le *feng shui*, le *nu shu* ou les devoirs filiaux. Tout ce que je pouvais faire, c'était m'assurer que ma belle-mère soit en mesure de lire les lettres de ses amies dans l'au-delà. Aussitôt après, son corps fut emmené et enterré au plus vite.

Ma belle-mère avait eu une longue vie. Et maintenant qu'elle était morte, je devenais la première dame de la maison, même si mon mari était encore absent. Mes belles-sœurs allaient désormais dépendre de moi : à elles de se débrouiller pour rester dans mes bonnes grâces ! Les concubines ayant péri, elles aussi, j'espérais voir régner une plus grande harmonie. Car une chose était claire à mes yeux : jamais il n'y aurait une autre concubine sous mon toit.

Comme les domestiques l'avaient prévu, l'épidémie ne tarda pas à quitter notre région. La population put rouvrir ses portes et dresser le bilan. Dans notre maison, nous déplorions le décès de ma belle-mère, de ma troisième belle-sœur, de ses enfants et de son mari, ainsi que celui des concubines. Mes deux autres beaux-frères et l'ensemble de leurs familles avaient survécu. Dans mon village natal, mes parents étaient morts. Je regrettais bien sûr de ne pas avoir passé plus de temps avec eux lors de ma dernière visite, mais mes relations avec mon père avaient pratiquement pris fin lorsqu'on m'avait bandé les pieds. Quant à ma mère, les choses avaient bien changé entre nous depuis la dispute au cours de laquelle je lui avais reproché de m'avoir menti au sujet de Fleur de Neige. En tant que fille mariée dans une autre famille, ma seule obligation consistait à porter pendant un an le deuil de mes parents. J'essayai d'honorer la mémoire de ma mère en tenant équitablement compte de ce qu'elle avait fait pour moi, mais je dois reconnaître que je n'étais pas terrassée par le chagrin.

L'un dans l'autre, nous avions eu de la chance. Nous n'échangeâmes pas un mot, l'oncle Lu et moi : cela n'aurait pas été convenable. Mais lorsqu'il sortit de sa chambre, il n'avait plus rien du vieil oncle débonnaire profitant paisiblement de sa retraite. Il prit en main l'éducation de mon fils avec tant de constance, d'application et d'énergie qu'il s'avéra inutile par la suite de faire appel à un nouveau précepteur. Mon fils ne faillit jamais dans ses études, soutenu par l'idée que la nuit de son mariage et le jour où son nom apparaîtrait en lettres d'or sur les listes impériales constitueraient les deux moments culminants de sa vie. Dans le premier cas, il remplirait pleinement son devoir de fils ; dans le second, il échapperait à l'anonymat d'une petite bourgade de province : sa gloire et sa renommée rayonneraient à travers la Chine entière.

Mais avant que tout cela n'advienne, mon mari rentra à la maison. Je peux difficilement exprimer le soulagement que je ressentis en voyant apparaître son palanquin sur la route principale, suivi d'une cohorte de chariots tirés par des bœufs, remplis de sacs de sel et d'autres marchandises. Tout le souci que je m'étais fait, toutes les appréhensions que j'avais nourries se voyaient d'un seul coup dissipés – du moins pour l'instant. Je fus entraînée dans le joyeux cortège que formèrent les femmes de Tongkou, tandis que les hommes entreprenaient de décharger les chariots. Nous pleurions toutes à chaudes larmes, nous libérant ainsi des angoisses qui nous avaient si longtemps minées. Pour nous toutes, le retour de mon mari était la première lueur encourageante que nous apercevions depuis des mois.

Le sel fut vendu dans l'ensemble du district à une population désespérée mais reconnaissante. La somme colossale que rapporta sa vente nous tira définitivement d'affaire et balaya tous nos soucis financiers. Nous payâmes nos impôts. Nous rachetâmes les terres que nous avions dû vendre. Le niveau de vie de la famille Lu se trouva enfin rétabli, l'abondance était de retour. La récolte fut exceptionnelle cette année-là et l'automne s'avéra donc encore plus faste. Les jours sombres s'étaient définitivement éloignés. Mon beau-père embaucha des artisans qui vinrent à Tongkou pour compléter la frise ornant la façade de notre maison. Nos voisins, tout comme les visiteurs de passage, pourraient ainsi contempler à l'avenir l'histoire de notre prospérité et l'heureuse destinée dont le Ciel nous avait gratifiés. Aujourd'hui encore, je n'ai qu'à sortir d'ici pour voir ces panneaux : on y distingue mon mari à bord du bateau qui l'emmène le long de la rivière, ses négociations avec les marchands de Guilin, les femmes de notre maison plongées pendant ce temps dans leurs travaux de broderie et enfin, son retour triomphal.

Tout y est fidèlement représenté, à l'exception de mon beau-père. Sur la frise on le voit fièrement assis, en train de surveiller ses biens. Mais en réalité, la mort de sa femme l'avait profondément affecté et il n'avait plus le cœur aux choses terrestres. Il mourut sans bruit un beau jour, au cours d'une promenade. Le premier devoir qui nous incombait, c'était d'organiser les plus imposantes funérailles qu'on eût jamais vues dans le comté. Allongé dans son cercueil, le corps de mon beau-père fut exposé pendant cinq jours à l'extérieur de la maison. Riches de notre nouvelle fortune, nous engageâmes un orchestre qui jouait nuit et jour. Des gens arrivaient de toute la région pour s'incliner devant la dépouille. Comme offrandes funéraires, ils apportaient des enveloppes blanches contenant de l'argent, des bannières de soie, des rouleaux où était calligraphié l'éloge de mon beau-père. Tous ses fils et leurs épouses se rendirent à genoux jusqu'à l'emplacement de sa tombe. La population de Tongkou et d'autres personnes venues des villages environnants marchaient en procession derrière nous. Avec nos tenues de deuil, on aurait dit une rivière de soie blanche s'écoulant dans la verdure des champs. Tous les sept pas, la procession s'arrêtait et tous les assistants s'agenouillaient, heurtant le sol du front. La tombe était située à un kilomètre du bourg, vous imaginez donc combien de fois il nous fallut faire halte sur ce sentier caillouteux.

Jeunes et vieux se lamentaient, poussant des gémissements plaintifs, tandis que l'orchestre faisait résonner ses flûtes et ses cuivres, ses tambours et ses cymbales. En tant que fils aîné, mon mari brûla les faux billets et alluma quelques pétards. Les hommes et les femmes chantaient. Plusieurs moines accomplirent les rites afin que mon beau-père – et tous ceux qui avaient trouvé la mort pendant l'épidémie – mène une existence heureuse dans le monde des esprits. Après l'enterrement, nous avions convié toute la population de la bourgade à un grand banquet. Avant que les invités repartent, les cousins de la famille Lu leur distribuèrent des fausses pièces en guise de porte-bonheur, des sucreries pour chasser l'âpre goût de la mort et des serviettes parfumées pour purifier leur corps. Ainsi s'acheva la première semaine des rites funéraires. Les cérémonies durèrent au total quarante-neuf jours, faisant alterner banquets et offrandes, discours et chants, musique et larmes. Lorsque tout eut pris fin – même si la période de deuil n'était pas terminée pour mon mari et moi –, chacun savait dans la région que nous étions désormais, au moins quant au titre, le nouveau Maître et la nouvelle Dame Lu.

DANS LES MONTAGNES

J'ignorais toujours ce qu'il était advenu de Fleur de Neige et de sa famille pendant l'épidémie de typhoïde. Préoccupée par le sort de mes enfants, ayant dû m'occuper de ma belle-mère, accaparée ensuite par le retour de mon mari, puis par la mort et les funérailles de mon beau-père, j'avais pour la première fois de ma vie oublié ma *laotong*. Ce fut elle qui m'écrivit la première.

Chère Fleur de Lis,

On me dit que tu es en vie. Je suis désolée pour tes beaux-parents – et plus triste encore de savoir ce qui est arrivé à ton père et ta mère. Je les aimais beaucoup.
Ici nous avons survécu à l'épidémie. Au tout début, j'ai fait une fausse couche : il s'agissait d'une fille et mon mari m'a dit que c'était aussi bien. Si j'avais porté tous mes enfants à terme, j'aurais quatre filles aujourd'hui – une vraie catastrophe ! Et pourtant, avoir dû tenir à trois reprises le corps d'un enfant mort-né dans mes bras, c'est trois de trop.
Tu m'encourages toujours à réessayer. Je réessaierai donc. J'aimerais bien avoir trois fils, comme toi. Comme tu le dis, une femme ne vaut rien sans ses fils.
Beaucoup de gens sont morts par ici. La situation s'est stabilisée à présent, mais ma belle-mère est en

vie. Elle dit du mal de moi tous les jours et monte mon mari contre moi.

Je t'invite à venir me voir. Mon misérable seuil ne soutient pas la comparaison avec le tien, mais j'ai hâte de t'exposer mes soucis et de partager les tiens. Si tu m'aimes, viens – je t'en prie. J'ai envie que nous nous retrouvions avant que débute le bandage des pieds de nos filles. Nous devons aussi discuter à ce propos.

FLEUR DE NEIGE

Depuis que ma belle-mère était dans l'au-delà, je ne cessais de penser à ce qu'elle m'avait dit un jour, concernant le devoir des femmes : « Obéis, obéis, obéis – et plus tard tu feras ce qu'il te plaît. » Maintenant qu'elle n'était plus là pour me surveiller, je pouvais enfin aller voir Fleur de Neige au grand jour.

Mon mari émit de nombreuses objections. Nos trois fils avaient respectivement onze, huit et deux ans, notre fille venait de fêter ses six ans, et il préférait me savoir à la maison. Plusieurs jours durant, je m'employai à le rassurer. Les enfants auraient de quoi s'occuper et je lui préparerais ses plats préférés. Je lui frictionnais les pieds tous les soirs, lorsqu'il revenait de ses tournées à travers champs, et poussais même le massage un peu plus loin. Mais il ne voulait toujours pas me laisser partir et je regrette à présent de ne pas l'avoir écouté.

Le vingt-huitième jour du dixième mois, j'enfilai une tunique de soie bleu lavande, sur laquelle j'avais brodé un motif de chrysanthèmes convenant à l'automne. Je croyais autrefois que je porterais toute ma vie les vêtements que j'avais confectionnés pour constituer mon trousseau. Je n'avais pas songé que ma belle-mère mourrait un jour, laissant derrière elle quantité d'étoffes inutilisées. Ni que mon mari deviendrait assez riche pour que je puisse m'offrir la plus belle soie de Suzhou. Mais comme je me rendais chez Fleur de Neige – qui mettait autrefois mes vêtements à chacune de ses visites – je n'emportai aucune tenue de rechange, malgré mes trois jours d'absence.

Le palanquin me déposa devant la maison de Fleur de Neige. Elle était assise à l'extérieur, sur la terrasse, vêtue d'une tunique, d'un pantalon et d'un tablier en coton de médiocre qualité. Le tissu indigo délavé était couvert de taches. Nous n'entrâmes pas tout de suite à l'intérieur. Fleur de Neige était heureuse de m'avoir à ses côtés, dans la fraîcheur de cette fin de journée. Tout en l'écoutant me parler de choses et d'autres, j'examinai pour la première fois avec attention la vaste bassine où l'on faisait bouillir les carcasses des cochons. Dans l'encadrement de la porte, j'aperçus à l'intérieur de la viande qui pendait, suspendue à des crocs. L'odeur qui s'en dégageait me retournait l'estomac. Mais le pire, ce fut de voir une truie débarquer sur la terrasse en compagnie de ses petits. Lorsque nous eûmes terminé notre portion de riz et de légumes à la vapeur, Fleur de Neige prit nos bols et les posa à nos pieds pour que les cochons finissent nos restes. Quand nous vîmes que le boucher s'apprêtait à rentrer – il poussait une charrette chargée de quatre cochons aux pattes ligotées, couchés sur le flanc – nous montâmes au premier, où la fille de Fleur de Neige était occupée à broder, tandis que sa belle-mère épinçait du coton. La pièce était sombre et sentait le moisi. La fenêtre à croisillons était encore plus petite et moins bien décorée que celle de ma maison natale. Même à l'étage, on n'échappait pas aux effluves porcins qui imprégnaient les lieux.

Nous nous assîmes et abordâmes le sujet qui nous tenait le plus à cœur, c'est-à-dire le sort de nos filles.

— As-tu songé à quel moment nous allions commencer leur bandage ? me demanda Fleur de Neige.

Normalement, il aurait fallu entamer les opérations cette année. Étant donné sa question, j'espérais toutefois que ma *laotong* serait du même avis que moi.

— Nos mères ont attendu que nous ayons sept ans, avançai-je prudemment, et cela ne nous a pas empêchées par la suite d'être heureuses ensemble.

Fleur de Neige eut un grand sourire.

— Je m'étais fait la même réflexion, approuva-t-elle. Nos huit caractères correspondaient, il est vrai, à la perfection. Ne pouvons-nous faire en sorte que nos filles en héritent un peu, en commençant leur bandage au même âge que le nôtre ?

Je jetai un coup d'œil à sa fille. Lune de Printemps avait la même beauté que sa mère à son âge – une peau douce comme de la soie, une chevelure d'un noir de jais –, mais son attitude témoignait d'une étrange résignation : les yeux baissés, elle fixait obstinément le tissu qu'elle brodait, évitant avec soin d'écouter une conversation qui la concernait pourtant au premier chef.

— Elles seront comme une paire de canards mandarins, dis-je, soulagée que nous soyons tombées si facilement d'accord.

Heureusement que Fleur de Neige avait Lune de Printemps : sinon, elle se serait retrouvée seule avec sa belle-mère à longueur de journée. Cette femme était aussi méchante et mal intentionnée que dans mon souvenir. Elle lui répétait à tout bout de champ : « Ton fils aîné ne vaut pas mieux qu'une fille. Il est tellement chétif qu'il n'aura jamais la force d'abattre un cochon. » Même si ce n'est pas à mon honneur, j'avoue m'être demandé pourquoi les esprits n'avaient pas voulu de cette femme, pendant l'épidémie.

Le repas que nous prîmes le soir me rappela des saveurs qui remontaient à mon enfance : des haricots salés, des pieds de cochon à la sauce piquante, du riz rouge et des tranches de potirons sautées. J'avais l'impression de faire constamment le même repas, à Jintian, simplement parce qu'il y avait toujours du cochon au menu : de la couenne de porc aux haricots noirs, des oreilles de cochon farcies, des intestins et même du pénis de cochon sauté à l'ail et au piment... Fleur de Neige n'y touchait pas, se contentant de légumes et de riz blanc.

Après le dîner, sa belle-mère se retira pour la nuit. La tradition voulait que deux *laotong* partagent le même lit lors de leurs visites l'une chez l'autre – ce qui impliquait que le mari devait dormir ailleurs –, mais le boucher déclara qu'il n'avait pas l'intention de modifier ses habitudes. De surcroît, prétendait-il, « rien de plus fourbe que le cœur d'une femme ». Ce vieux proverbe comportait peut-être une part de vérité, il n'en était pas moins inélégant de le lancer au visage de Dame Lu. Quoi qu'il en soit, il était chez lui et nous devions nous plier à ses volontés.

Fleur de Neige me raccompagna à l'étage et prépara un lit à mon intention dans l'appartement des femmes, déployant une couette élimée mais propre, tirée de son propre trousseau. Elle posa sur le coffre une bassine d'eau chaude afin que je puisse me débarbouiller. Ah, comme j'aurais voulu y plonger un chiffon et effacer d'un geste les soucis qui marquaient le visage de ma *laotong* ! Tandis que je me faisais cette réflexion, elle me donna un vêtement presque identique au sien et que je me rappelais l'avoir vu tailler jadis dans une pièce de l'ancien trousseau de sa mère. Fleur de Neige se pencha, déposa un baiser sur ma joue et me chuchota à l'oreille :

— Nous aurons tout le loisir demain de discuter ensemble et d'évoquer le passé. Je te montrerai mes travaux de broderie et les dernières phrases que j'ai inscrites sur notre éventail.

Sur ces mots, elle me laissa. Je soufflai pour éteindre la lanterne et me glissai sous la couette. La lune était presque pleine et la lueur bleutée qui passait entre les croisillons de la fenêtre me ramenait des années en arrière. J'enfouis mon visage dans les plis de l'étoffe d'où émanait le parfum de Fleur de Neige, aussi frais qu'au « temps des chignons ». Le souvenir de nos petits gémissements de plaisir emplit tout à coup mes oreilles. Seule au milieu de cette pièce plongée dans les ténèbres, je rougis à l'évocation de souvenirs qu'il était sans doute préférable de laisser dans l'oubli. Mais je ne parvins pas à les chasser. Je me redressai soudain : ces soupirs n'étaient nullement le fruit de mon imagination, ils provenaient bel et bien de la chambre de Fleur de Neige… Ma *laotong* et son mari étaient en train d'accomplir leur devoir conjugal ! Elle était peut-être devenue végétarienne mais n'avait pas poussé l'abstinence aussi loin que l'épouse de Monsieur Wang… Je me bouchai les oreilles et essayai de m'endormir, mais ce n'était pas très commode. L'heureux sort que je connaissais avait fini par me rendre intolérante. L'impureté et la vulgarité qui caractérisaient la belle-famille de Fleur de Neige froissaient mes sentiments et me mettaient mal à l'aise, aussi bien moralement que physiquement.

Le lendemain matin, le boucher partit pour la journée et sa mère regagna sa chambre. J'aidai ma *laotong* à faire la vaisselle, à rapporter de l'eau et du bois pour le feu, à couper les légumes pour le repas de midi et à aller chercher des tranches de porc dans la remise où elles étaient conservées. Une fois ces besognes accomplies, Fleur de Neige fit chauffer de l'eau afin que nous puissions nous laver. Elle porta la bouilloire à l'étage, dans l'appartement des femmes, et referma la porte derrière nous. Jamais nous n'avions pris de telles précautions : à quoi bon le faire aujourd'hui ? Il faisait incroyablement chaud dans cette maison, bien que ce fût déjà le dixième mois, mais j'eus des frissons en voyant Fleur de Neige ôter ses vêtements mouillés.

Comment exprimer cela sans avoir l'air de parler comme un époux ? En la regardant, je m'aperçus que son corps commençait à s'empâter. Le contact de ses mains n'avait plus la même douceur sur ma peau. Des rides apparaissaient à la commissure de ses lèvres et au coin de ses yeux. Ses cheveux étaient noués en chignon au-dessus de sa nuque et certains blanchissaient déjà. Fleur de Neige avait mon âge : trente-deux ans. Les femmes dans notre district vivaient rarement plus de quarante ans. Mais ma belle-mère, qui venait à peine de rejoindre l'au-delà, était restée très belle, bien qu'ayant atteint l'âge canonique de cinquante et un ans.

Le soir, nous eûmes encore droit à du porc pour le dîner.

Je ne l'avais pas pressenti à l'époque, mais le monde extérieur – le monde tumultueux des hommes – était sur le point d'interférer dans notre vie. Au cours de la deuxième nuit que je passais chez Fleur de Neige, nous fûmes tous réveillés par un vacarme terrifiant. Nous nous retrouvâmes en bas, dans la pièce principale, serrés les uns contre les autres, y compris le boucher. De la fumée envahissait la pièce. Une maison – et peut-être un village entier – brûlait dans les environs. Nos vêtements se couvraient de poussière et de cendre. Le fracas du métal entrechoqué et le piétinement des chevaux ébranlaient les murs. Dans les ténèbres ambiantes, nous n'avions pas la moindre idée de ce qui se passait, ni de l'ampleur de la catastrophe.

Apparemment, un véritable cataclysme était sur le point de se produire. Les gens qui habitaient les villages situés un peu plus bas dans la vallée commençaient à s'enfuir, abandonnant leurs fermes pour aller chercher refuge dans les collines. Depuis la fenêtre de Fleur de Neige, le lendemain matin, nous en vîmes des centaines passer sur la route – des hommes, des femmes, des enfants, à pied ou à cheval, entassés sur des charrettes à bras ou tirées par des bœufs. Le boucher courut jusqu'à la sortie du village et cria aux réfugiés dont le flot s'écoulait :

— Que se passe-t-il ? C'est la guerre ?

Des voix lui répondirent :

— L'empereur a écrit au gouverneur de Yongming en lui disant qu'il était temps d'agir contre les Taiping !

— Les troupes impériales sont arrivées pour anéantir les rebelles !

— Il y a des combats de partout !

Le boucher mit ses mains en porte-voix et hurla :

— Que faut-il faire ?

— Prenez la fuite !

— Les troupes seront bientôt là !

J'étais pétrifiée, envahie par un sentiment de panique. Pourquoi mon mari ne venait-il pas me chercher ? Je n'arrêtais pas de me répéter que je n'aurais jamais dû choisir un moment pareil pour rendre visite à Fleur de Neige, après avoir attendu tant d'années... Mais telle est la nature du destin. On opte pour une solution qui paraît raisonnable, et les dieux en décident autrement.

J'aidai donc Fleur de Neige à rassembler des affaires pour ses enfants et elle. À la cuisine, nous remplîmes un grand sac de riz, en y ajoutant du thé et de l'alcool – ce dernier était destiné à soigner les blessures. Puis nous enroulâmes quatre couettes de son trousseau, en les serrant le plus possible, et les déposâmes près de l'entrée. Une fois ces préparatifs achevés, j'allais enfiler la tunique de soie que j'avais en arrivant et m'installai sur la terrasse, en guettant l'arrivée de mon mari. Mais il ne se montrait pas. Je regardais la route qui menait à Tongkou : des cohortes de gens prenaient la fuite, là-bas aussi, sauf qu'au lieu de partir se réfugier dans les collines, ils coupaient à travers champs et prenaient la direction de Yongming. Le spectacle de ces deux flots humains – l'un se dirigeant vers les collines, l'autre vers la ville – me plongea dans l'incertitude. Fleur de Neige ne m'avait-elle pas toujours dit que les montagnes environnantes constituaient notre protection naturelle ? Dans ce cas, pourquoi la population de Tongkou prenait-elle la direction opposée ?

En fin d'après-midi, je vis un palanquin émerger de la foule qui fuyait Tongkou et se diriger vers Jintian. Je savais qu'il venait me chercher, mais le boucher refusa de l'attendre.

— Il est grand temps de partir ! beugla-t-il.

Je voulus rester sur place et attendre que ma famille m'ait récupérée. Mais le boucher s'y opposa.

— Dans ce cas, dis-je, je vais aller moi-même à la rencontre de ce palanquin.

J'avais passé tant d'heures à ma fenêtre, m'imaginant en train d'accomplir ce trajet. Qu'est-ce qui m'en empêchait à présent ?

Le boucher leva la main pour me réduire au silence.

— Beaucoup d'hommes vont et viennent dans les parages, dit-il. Savez-vous ce qu'ils seraient capables de faire, en apercevant une femme seule ? Et le sort que votre famille me réserverait, s'il vous arrivait malheur ?

— Mais…

— Viens avec nous, Fleur de Lis, m'interrompit Fleur de Neige. Nous ne serons absents que quelques heures. Tu rejoindras ta famille après. Mieux vaut être en sécurité.

Le boucher nous souleva à tour de rôle – sa mère, sa femme, ses enfants et moi – pour nous hisser à bord de sa charrette. Tandis qu'il commençait à nous pousser, aidé par son fils aîné, je regardais la vallée qui s'étendait au pied de Jintian. Des flammes et des nuages de fumée s'élevaient de tous côtés.

Fleur de Neige passait sans arrêt de l'eau à son mari et à son fils aîné. Nous étions au milieu de l'automne, et quand le soleil se coucha nous sentîmes aussitôt la fraîcheur nous gagner. Mais le mari et le fils de Fleur de Neige transpiraient comme en plein été. Sans qu'on le lui ait demandé, Lune de Printemps sauta hors de la charrette, prenant son petit frère avec elle. Elle le porta d'abord contre sa hanche, puis sur son dos et finit par le poser à terre, lui tenant la main pour qu'il marche à ses côtés.

Le boucher répétait sans cesse à sa mère et à son épouse que nous allions bientôt nous arrêter, mais nous ne fîmes pas halte de la nuit, entraînés comme nous l'étions sur la piste du malheur. Juste avant l'aube, au moment où les ténèbres sont les plus intenses, nous atteignîmes les premiers contreforts des collines et la route se mit à grimper. Le visage du boucher s'empourpra, les veines de son cou saillirent, ses bras tremblèrent sous l'effort qu'il faisait pour pousser la charrette à l'assaut des collines. Mais il finit par abandonner la partie et s'effondra de tout son long sur le sentier. Fleur de Neige se risqua jusqu'au bord de la charrette, avant de se décider à descendre. Une fois que ses pieds eurent touché le sol, elle se tourna vers moi. Nos regards se croisèrent. Le ciel derrière elle rougeoyait des lueurs de l'incendie. Et les bruits qui parvenaient jusqu'à nous me poussèrent à abandonner à mon tour la charrette. Nous prîmes chacune sur le dos deux couettes enroulées. Le boucher jeta le sac de riz en travers de son épaule et les enfants portèrent comme ils le pouvaient le reste des provisions. Je me demandai brusquement pourquoi nous nous chargions d'une telle quantité de nourriture, si nous ne devions nous absenter que quelques heures. Je n'allais peut-être pas revoir mon mari et mes enfants avant plusieurs jours. Entre-temps, j'allais me retrouver en pleine nature, en compagnie du boucher… Je plongeai mon visage dans mes mains, le temps de reprendre mes esprits. En aucun cas je ne devais lui montrer ma faiblesse.

Nous rejoignîmes la cohorte de ceux qui s'enfuyaient à pied. Fleur de Neige et moi prîmes chacune un bras de la mère du boucher et la soutînmes de la sorte, en escaladant la colline. Elle n'était pas spécialement légère, mais on voyait bien qu'elle était de l'année du Rat ! Mais que pouvions-nous faire d'autre, ma *laotong* et moi, sur ce redoutable sentier ?

Les hommes autour de nous avaient des mines sinistres. Ils avaient laissé derrière eux leurs maisons et leurs biens et se demandaient s'ils n'allaient pas retrouver un tas de cendres fumantes une fois rentrés chez eux. Les femmes avaient le visage sillonné de larmes dues à la peur, mais aussi à la douleur d'avoir davantage marché en une seule nuit que pendant tout le reste de leur vie. Les enfants ne se plaignaient pas, ils étaient bien trop effrayés. Notre fuite venait seulement de commencer.

Le lendemain, en fin d'après-midi – nous n'avions toujours pas fait halte un instant –, la route se rétrécit, ne formant plus qu'un étroit sentier, de plus en plus raide. Trop de scènes éprouvantes agressaient nos yeux, sans parler du vacarme constant qui heurtait nos oreilles. Nous dépassions parfois des vieillards qui s'étaient assis pour se reposer et ne se relèveraient visiblement plus. Jamais je n'aurais imaginé voir des parents abandonnés de la sorte. On entendait parfois des suppliques adressées d'une voix faible à un fils ou une fille : « Laisse-moi, tu reviendras me chercher quand tout sera terminé. » Ou encore : « Continue sans moi. Sauve les enfants. N'oublie pas de dresser un autel pour moi à la prochaine fête du Printemps. » Chaque fois que nous apercevions une vieille femme dans cette situation, mes pensées se portaient vers ma mère. Jamais elle n'aurait pu faire un tel voyage, appuyée sur sa canne. Aurait-elle demandé elle aussi qu'on la laisse ? Papa l'aurait-il abandonnée ? Ou mon frère aîné ?

Mes pieds me faisaient autant souffrir qu'à l'époque de mon bandage et la douleur se propageait dans mes jambes à chaque pas. Mais je pouvais m'estimer heureuse. J'apercevais des femmes de mon âge – et même plus jeunes – dont les pieds s'étaient brisés à la suite d'un tel effort, ou après avoir heurté un rocher : leurs membres étaient intacts au-dessus de la cheville, mais elles étaient totalement impotentes et restaient paralysées sur le bord du talus, en larmes, attendant de mourir de froid ou de faim. Néanmoins, nous poursuivions notre route sans nous arrêter ni regarder en arrière, ravalant notre honte, sourds aux plaintes et aux cris d'agonie qui s'élevaient autour de nous.

Lorsque la nuit suivante arriva et que l'obscurité s'étendit, le découragement gagna la plupart d'entre nous. Les gens abandonnaient leurs affaires. Des familles se trouvaient séparées. Des maris cherchaient leurs femmes, des mères appelaient leurs enfants. Nous étions à la fin de l'automne, la saison où l'on entreprend traditionnellement le bandage : aussi croisions-nous des fillettes dont les os s'étaient récemment brisés et que leurs familles n'hésitaient pas à abandonner sur le bord de la route, comme elles l'avaient fait pour la nourriture et les vêtements superflus. Nous vîmes aussi des petits garçons qui imploraient le secours de tous ceux qui passaient. Mais comment les femmes auraient-elles pu les aider, alors qu'elles s'efforçaient elles-mêmes de tenir bon et de continuer à marcher, soutenues par leur mari et serrant dans leurs bras leurs propres enfants ? Quand on craint pour sa vie, on ne pense pas aux autres – sauf aux êtres qu'on aime. Et encore...

Nous n'avions pas d'horloge pour nous indiquer l'heure, mais il faisait nuit et nous étions tous bien au-delà de l'épuisement. Cela faisait plus de trente-six heures que nous marchions à présent – sans avoir pris le moindre repos ni avalé quoi que ce soit, en dehors de quelques gorgées d'eau. D'horribles cris s'élevaient régulièrement çà et là, sans qu'on en devine la cause. La température avait chuté. Les feuilles et les branches autour de nous se couvraient de gelée. Fleur de Neige portait une tunique en coton, la mienne était en soie : nous n'étions pas vraiment équipées pour affronter le froid qui arrivait. Sous nos sandales, les rochers étaient de plus en plus glissants. J'étais sûre que mes pieds s'étaient mis à saigner. Et pourtant, nous continuions d'avancer. La mère du boucher titubait entre nous. C'était une vieille femme affaiblie, mais sa nature de Rat la poussait à lutter pour sa survie.

Le sentier n'était plus large que de trente centimètres à présent. À notre droite, la pente de la montagne – il serait absurde de la qualifier encore de colline – était si raide que nous la frôlions de l'épaule tout en progressant lentement, en file indienne. À gauche, l'à-pic se perdait dans les ténèbres. Je ne distinguais pas ce qui se trouvait en dessous. Mais le long du sentier, aussi bien devant moi que derrière, avançaient de nombreuses femmes aux pieds bandés, comme des fleurs emportées dans le tourbillon d'une tempête. Nos pieds n'étaient pas notre seul handicap. Les muscles de nos jambes, qui n'avaient jamais autant travaillé, nous élançaient affreusement, agités de spasmes et de tremblements.

Depuis une heure, nous suivions une famille – le père, la mère et leurs trois enfants. Soudain, la femme glissa sur un rocher et bascula d'un seul coup dans le vide, disparaissant dans le puits de ténèbres qui s'ouvrait sous nos pieds. Le cri épouvantable qu'elle poussa se prolongea longtemps, avant de s'interrompre brusquement. C'étaient des cris de ce genre que nous avions entendus à intervalles réguliers au cours de la nuit. À partir de cet instant, j'eus soin de me retenir des deux mains à la paroi, quitte à m'entailler la peau sur les pointes acérées des rochers. J'aurais fait n'importe quoi plutôt que de subir le même sort et de pousser à mon tour ce hurlement lancinant.

Nous atteignîmes enfin un terre-plein circulaire. Tout autour de nous, les crêtes des montagnes se découpaient sur le ciel. Des foyers étaient allumés çà et là. Nous étions déjà en altitude, mais comme l'aire était située en contrebas de la paroi, les Taiping ne pouvaient pas apercevoir la lueur de nos feux. Du moins l'espérions-nous. Nous descendîmes prudemment à l'intérieur de la cuvette. Peut-être était-ce dû au fait que j'étais séparée de ma famille, mais je ne percevais que des voix d'enfants autour des feux. Tous avaient un regard vide, sans expression. Sans doute venaient-ils de perdre un grand-père, une sœur ou un parent quelconque. Ils paraissaient terrorisés. Jamais un enfant ne devrait se retrouver dans une situation pareille.

Fleur de Neige reconnut trois familles de Jintian, qui avaient trouvé un refuge relativement confortable au pied d'un grand arbre. Ayant aperçu le sac de riz que le boucher portait toujours à l'épaule, ils se serrèrent pour nous faire un peu de place autour du feu. Dès que je fus assise, mes pieds et mes mains commencèrent à me cuire, non à cause des flammes mais de ma chair à vif et de mes os endoloris.

J'aidai Fleur de Neige à frotter les mains de ses enfants pour les réchauffer. Ils s'endormirent sans demander leur reste, même le plus âgé. Nous les calâmes du mieux possible afin qu'ils soient blottis les uns contre les autres, avant de les recouvrir d'une couette. Puis nous nous glissâmes sous une autre couette, ma *laotong* et moi, tandis que sa belle-mère en accaparait une rien que pour elle. La dernière était destinée au boucher. Mais celui-ci avait pris à part l'un des hommes de Jintian et lui parlait à l'oreille. Quelques instants plus tard, il s'agenouilla auprès de Fleur de Neige.

— Je vais chercher du bois, dit-il.

Fleur de Neige lui agrippa le bras.

— Ne t'en va pas ! lui lança-t-elle. Ne nous laisse pas seules !

— Si le feu s'éteint, nous ne passerons pas la nuit, dit-il. Il va neiger, tu ne le sens pas ? Ne crains rien, nos voisins sont là, ajouta-t-il en se dégageant. Si besoin est, n'hésite pas à jouer des coudes pour te rapprocher du feu.

Elle n'osera pas le faire, songeai-je. Quant à moi, il n'était pas question que je me laisse mourir de froid, séparée de ma famille.

En dépit de notre fatigue, nous étions trop effrayées pour nous endormir. Nous n'osions même pas fermer les yeux. Sans parler de la faim et de la soif qui nous tenaillaient. Dans le petit cercle que nous formions autour du feu, les femmes – j'appris par la suite qu'il s'agissait d'un groupe de « sœurs adoptives » – voulurent nous distraire et se mirent à chanter une histoire. Curieusement, alors que ma belle-mère était une vraie lettrée en matière de *nu shu* et connaissait de très nombreux caractères, le chant et les psalmodies ne revêtaient pas une grande importance à ses yeux. Composer un poème ou rédiger une lettre dans un style irréprochable l'intéressait plus que d'améliorer le niveau de son chant. Pour cette raison, mes belles-sœurs et moi-même avions oublié une grande partie des chansons apprises dans notre jeunesse. L'histoire qui était chantée cette nuit-là ne m'était pas inconnue, mais je ne l'avais plus entendue depuis ma tendre enfance. Elle racontait les débuts du peuple Yao, sa fondation et sa lutte courageuse pour l'indépendance.

— Nous sommes le peuple des Yao, commença Lotus, une femme plus jeune que moi d'environ dix ans.

Dans les temps anciens, Gao Xin, un généreux empereur de la dynastie des Han, était menacé par un général aussi perfide qu'ambitieux. Un chien galeux du nom de Panhu entendit parler des ennuis de l'empereur et défia le général au combat. Il triompha de lui et pour le récompenser l'empereur lui offrit la main de sa fille. Panhu était enchanté, mais sa promise était bien embarrassée : elle n'avait pas la moindre envie d'épouser un chien. Elle ne pouvait néanmoins se dérober à son devoir. Panhu et elle allèrent s'établir dans les montagnes, où elle donna naissance à douze enfants, qui formèrent le tout premier clan Yao. Une fois adultes, ils édifièrent un village appelé Qianjiadong – la Grotte aux Mille Familles.

La première partie du récit étant achevée, ce fut au tour d'une autre femme, Branche de Saule, d'entonner la suite. À côté de moi, Fleur de Neige frissonnait. Se souvenait-elle des jours de notre enfance où nous écoutions ma sœur aînée et ses compagnes chanter ainsi l'histoire de nos origines ?

— Pourrions-nous trouver ailleurs un lieu plus riche en terres fertiles ? chantait Branche de Saule. Et aussi bien protégé, puisqu'on ne peut y accéder qu'en empruntant un tunnel sinueux ? Aux yeux du peuple Yao, Qianjiadong était un endroit magique. Mais un tel paradis ne pouvait rester éternellement à l'abri des convoitises.

J'entendais à présent d'autres femmes reprendre les paroles du chant, autour des feux disséminés sur le terre-plein. Les hommes auraient dû nous faire taire, car les rebelles ne pouvaient manquer de nous entendre. Mais la pureté de ces voix de femmes nous redonnait à tous force et courage.

Branche de Saule poursuivit :

— Bien des générations plus tard, sous la dynastie des Yuan, un représentant du gouverneur local franchit par hasard le tunnel lors de ses pérégrinations et découvrit le peuple des Yao. Chacun était splendidement vêtu et tout le monde prospérait, tant le sol était riche. Ayant entendu parler de cet endroit merveilleux, l'empereur – témoignant de son ingratitude – exigea que les Yao lui versent des impôts faramineux.

Ce fut à cet instant que tombèrent les premiers flocons. Fleur de Neige glissa son bras sous le mien et entonna à son tour la suite de l'histoire :

— Pourquoi devrions-nous payer ? voulait savoir le peuple des Yao. Au sommet de la montagne qui abritait leur village, ils construisirent un parapet de pierre. L'empereur envoya trois collecteurs d'impôts dans la grotte, pour mener les négociations. Ils ne revinrent pas. L'empereur en envoya trois autres…

Les femmes autour du feu se joignirent à elle :

— Ils ne revinrent pas.

— L'empereur envoya un troisième contingent.

La voix de Fleur de Neige avait gagné en puissance, résonnant clairement d'un bord à l'autre des montagnes. Jamais elle n'avait chanté ainsi devant moi. Si les rebelles l'avaient entendue, nul doute qu'ils auraient pris la fuite, croyant avoir affaire à l'esprit d'une renarde !

— Ils ne revinrent pas, répéta le chœur des femmes.

— L'empereur envoya des troupes. Un terrible siège eut lieu. Les Yao mouraient par dizaines – hommes, femmes et enfants. Que fallait-il faire ? Le chef de la tribu prit une corne de buffle et la brisa en douze morceaux, qu'il distribua entre les différents groupes, leur ordonnant de se disperser et d'aller s'établir ailleurs.

— De se disperser et d'aller s'établir ailleurs, répétèrent les femmes.

— C'est ainsi que le peuple des Yao est parti s'installer dans les vallées et les montagnes, au sein de cette province et au-delà, termina Fleur de Neige.

Fleur de Prunier, la plus jeune du groupe, prit le relais pour livrer la conclusion de l'histoire :

— On dit que dans cinq cents ans, quel que soit alors son lieu de résidence, le peuple des Yao retraversera la grotte, réunira les douze morceaux de la corne et reconstruira son village enchanté. Ce temps ne tardera guère.

Cela faisait des années que je n'avais plus entendu cette histoire et je ne savais trop quoi en penser. Les Yao s'étaient crus en sécurité à l'abri de leur montagne, de leur parapet et de leur caverne secrète, mais ils se trompaient. Je me demandais à présent qui allait nous surprendre en premier dans notre repaire montagneux, et ce qu'il adviendrait ensuite. S'il s'agissait des Taiping, ils chercheraient sans doute à nous convaincre de rejoindre leurs troupes. Mais si c'était la grande armée du Hunan, ils nous prendraient probablement pour des rebelles. Dans l'un ou l'autre cas, allions-nous comme nos lointains ancêtres devoir mener un combat perdu d'avance ? Et pourrions-nous jamais rentrer chez nous ? Je pensais aux Taiping, qui s'étaient révoltés – comme les Yao jadis – contre le système féodal et les impôts écrasants. Avaient-ils raison ? Devions-nous nous joindre à eux ? N'était-ce pas faire honneur à nos ancêtres que d'agir de la sorte ?

Aucune d'entre nous ne ferma l'œil cette nuit-là.

L'HIVER

Les quatre familles originaires de Jintian restèrent regroupées sous les branches du grand arbre, mais nos épreuves étaient loin d'être terminées. Plusieurs jours s'écoulèrent sans que la situation évolue. Il neigea cette année-là dans notre province comme cela n'avait jamais été le cas, de mémoire humaine. La température était glaciale du matin au soir. L'air sortait de nos bouches en petits nuages compacts qui se dissipaient dans le ciel. Nous étions constamment sur nos gardes. Chaque famille veillait jalousement sur ses réserves de nourriture, nul ne sachant combien de temps nous allions être retenus ici. Les gens souffraient de bronchites et de maux de gorge. Des hommes, des femmes, des enfants mouraient tous les jours, victimes du terrible froid qui régnait la nuit.

Comme ceux de la plupart des femmes parties se réfugier dans les montagnes, nos pieds avaient beaucoup souffert au cours de notre fuite. Ne disposant d'aucune intimité, il nous fallait défaire nos bandages et nous laver sous le regard des hommes. La même promiscuité s'appliquait aux autres fonctions naturelles et nous dûmes apprendre à faire nos besoins derrière un arbre ou dans des latrines communes, lorsque celles-ci furent creusées. Mais contrairement à la plupart des femmes présentes dans le camp, j'étais séparée de ma famille. Mon fils aîné et mes autres enfants me manquaient terriblement. Je me faisais sans cesse du souci pour mon mari et ses frères, mes belles-sœurs et leurs enfants – et même pour nos servantes –, me demandant s'ils avaient réussi à trouver refuge dans la ville de Yongming.

Presque un mois s'écoula avant que mes pieds cicatrisent et que je puisse à nouveau marcher sans qu'ils se remettent à saigner. Au début du douzième mois lunaire, je décidai de partir chaque matin en quête de mes frères et de ma sœur aînée, ainsi que leurs familles. J'espérais qu'ils étaient sains et saufs et avaient eux aussi trouvé refuge par ici, mais comment les retrouver au milieu d'une foule pareille ? Nous étions plus de dix mille à nous être ainsi dispersés dans les montagnes. Chaque jour, après m'être enveloppée dans une couette, je me mettais en route, en ayant soin de repérer l'itinéraire : car je savais que je périrais à coup sûr si je ne retrouvais pas mon chemin pour rejoindre Fleur de Neige et sa famille.

Deux semaines environ après avoir entrepris mes recherches, je tombai un jour sur un groupe de femmes originaires du village de Getan, qui avaient trouvé refuge sur un surplomb rocheux. Je leur demandai si elles connaissaient ma sœur aînée.

— Oui, oui, nous la connaissons, lança gaiement l'une d'elles.

— Nous l'avons perdue de vue dès la première nuit, dit sa voisine. Si vous la voyez, dites-lui de venir nous rejoindre. Nous pouvons encore accueillir une famille, sur ce rocher.

Au cas où cela m'aurait donné des idées, une autre femme – qui semblait à la tête de leur petit groupe – s'empressa d'ajouter qu'il n'y avait de place ici que pour les habitants de Getan.

— Je comprends, répondis-je. Mais si vous l'apercevez, de votre côté, pouvez-vous lui dire que sa sœur est à sa recherche ?

— Sa sœur ? Vous êtes celle qu'on appelle Dame Lu ?

— Oui, répondis-je prudemment.

Si ces femmes pensaient que j'avais quoi que ce soit à leur offrir, elles se trompaient lourdement.

— Il y a des hommes qui vous cherchent.

À ces mots, mon cœur fit un bond dans ma poitrine.

— De qui s'agit-il ? demandai-je. De mes frères ?

Les femmes se dévisagèrent, puis me regardèrent à nouveau. Celle qui était à leur tête reprit la parole :

— Ils se sont bien gardés de nous le dire. Vous savez comment les choses se passent, par ici. Mais celui qui dirigeait leur groupe était de constitution robuste. Ses vêtements et ses chaussures étaient de qualité. Et ses cheveux lui retombaient sur le front, comme ceci, ajouta-t-elle avec un petit geste.

Il s'agissait bel et bien de mon mari !

— Qu'a-t-il dit ? demandai-je. Où se trouve-t-il ? Comment...

— Nous l'ignorons, m'interrompit-elle. Mais si vous êtes Dame Lu, sachez qu'un homme est à votre recherche. Et ne vous faites pas de souci, ajouta-t-elle en me tapotant la main. Il nous a dit qu'il reviendrait.

En dépit de mes recherches, aucun autre écho de sa présence ne parvint jusqu'à moi. Je finis par penser que ces femmes m'avaient menti, par pure jalousie. Mais lorsque je retournai à l'endroit où elles étaient installées, sur le piton rocheux, elles avaient disparu et d'autres familles avaient pris leur place. Après avoir constaté la chose, je regagnai mon propre campement, en proie à une profonde détresse. J'étais censée être Dame Lu : toutefois, en me voyant, nul ne s'en serait douté... Ma tunique bleu lavande brodée de chrysanthèmes était tachée, déchirée de partout, mes chaussures maculées de poussière et de sang. Quant à mon visage, je ne pouvais qu'imaginer l'état dans lequel l'avaient mis les assauts répétés du gel et du vent. Regardant en arrière, du haut de mes quatre-vingts ans, je vois bien de quelle vanité je faisais preuve en ayant des pensées d'une telle frivolité alors que nous manquions de nourriture et que nous grelottions de froid.

Le mari de Fleur de Neige devint un véritable héros au sein de notre petit groupe. Exerçant un métier impur, il accomplissait la plupart des tâches nécessaires sans émettre une plainte ni attendre le moindre remerciement. Né sous le signe du Coq, il en avait hérité les traits distinctifs : il était fanfaron et s'avérait parfois d'une agressivité redoutable. Son tempérament le portait naturellement à la survie, y compris dans un environnement hostile. Il savait chasser, dépecer les bêtes, les faire cuire sur un feu de bois, nettoyer et sécher les peaux afin qu'elles nous tiennent chaud. Il pouvait transporter d'énormes charges de bois et de grandes quantités d'eau, sans être jamais fatigué. Là-haut, dans la montagne, on ne le considérait plus comme un profanateur : il était au contraire notre défenseur et notre gardien. Fleur de Neige était fière de lui. Quant à moi, je lui étais, je lui suis toujours, reconnaissante de m'avoir sauvé la vie.

Avec sa mère, par contre, c'était une autre affaire. Elle était toujours à fouiner de partout, pour ne pas démentir sa nature de Rat. Même dans ces circonstances tragiques, elle n'arrêtait pas de se plaindre et d'émettre des reproches, y compris pour les choses les plus futiles. C'était toujours elle qui s'asseyait le plus près du feu. Elle ne lâchait jamais la couette qu'elle avait accaparée le premier soir et n'hésitait pas à s'emparer des autres, jusqu'à ce qu'on les lui réclame. Elle dissimulait de la nourriture dans ses manches et la grignotait à la dérobée, lorsqu'elle croyait que personne ne la regardait. On prétend que les rats ont un esprit de clan : nous en avions tous les jours la preuve. Elle cherchait sans cesse à commander et à manipuler son fils, ce qui était du reste parfaitement superflu : il lui aurait obéi de toute façon, par simple piété filiale. Aussi, lorsque la vieille lui déclara qu'elle devait manger davantage que sa belle-fille, il veilla à ce que sa mère reçoive une meilleure part que sa femme. Je pouvais difficilement interférer dans leurs affaires, aussi me contentai-je de partager ma propre ration avec Fleur de Neige. Un jour, après que nous eûmes raclé le fond du sac de riz, elle déclara que son petit-fils n'avait pas droit à la nourriture que le boucher ramenait de la cueillette ou de la chasse.

— Ces aliments nous sont trop précieux, dit-elle. Inutile de les gaspiller pour un être aussi faible. Lorsqu'il mourra, nous en serons tous soulagés.

J'observai le garçon. Il avait alors onze ans, le même âge que mon fils aîné. Il fixait sa grand-mère de ses yeux cernés, trop bouleversé pour réagir. Je pensais que Fleur de Neige allait intervenir pour le défendre. C'était son fils aîné, après tout... Mais ma *laotong* n'aimait pas cet enfant comme elle l'aurait dû. Même en ce terrible instant, alors qu'il venait d'être condamné à une mort à peu près certaine, son regard ne s'était pas posé sur lui, mais sur son frère cadet. Aussi attendrissant que fût ce dernier, je ne pouvais pas assister sans réagir à un tel traitement, qui allait à l'encontre de toutes les traditions. Qu'allais-je dire à mes ancêtres, lorsqu'ils me reprocheraient d'avoir laissé mourir un enfant ? Comment saluerais-je ce pauvre garçon, lorsque je le croiserais dans l'au-delà ? En tant que fils aîné, il méritait au contraire la plus large portion. Je partageai donc ma ration avec Fleur de Neige et son fils. Lorsque le boucher s'en aperçut, il gifla d'abord son fils, puis sa femme.

— Cette nourriture est pour Dame Lu, dit-il.

Avant que quiconque ait pu réagir, la vieille profita aussitôt de l'occasion :

— Mon fils, pourquoi sommes-nous d'ailleurs obligés de nourrir cette femme ? Elle n'est pour nous qu'une étrangère. Nous devons tout d'abord protéger notre lignée, c'est-à-dire toi, ton second fils et moi.

Elle avait évité de mentionner l'aîné et Lune de Printemps, qui parvenaient à survivre en grappillant des bribes de nourriture mais paraissaient chaque jour plus décharnés.

Pour une fois, le boucher ne s'en laissa pas conter par sa mère.

— Dame Lu est notre invitée, dit-il. Si nous la ramenons saine et sauve dans sa famille, nous ne manquerons pas d'en tirer quelque bénéfice.

— De l'argent ? s'enquit sa mère.

C'était bien une remarque de Rat... L'avarice et l'avidité de cette femme suaient par tous ses pores.

— Maître Lu peut nous venir en aide de bien des manières, répondit le boucher.

Les yeux de la vieille s'étrécirent tandis qu'elle considérait la question. Avant qu'elle reprenne la parole, je lançai brusquement :

— Si vous espérez une récompense, il va falloir songer à augmenter ma ration ! Sinon, ajoutai-je avec une grimace empruntée à l'une des concubines de mon beau-père, je dirai à mon mari que je n'ai bénéficié d'aucune hospitalité parmi vous. Que je n'y ai trouvé au contraire qu'avarice, mépris et vulgarité.

J'avais pris un sacré risque, en disant ça ! Le boucher aurait fort bien pu me chasser sur-le-champ. Pourtant, malgré les reproches incessants de sa mère, je continuai de recevoir la plus grosse ration de nourriture, que je pus ainsi partager avec Fleur de Neige, son fils aîné et Lune de Printemps. Mais cela ne nous empêchait pas d'être sans cesse affamés... Nous étions devenus de véritables squelettes et restions étendus à longueur de journée, les yeux clos, en essayant d'économiser le peu de force qui nous restait. Des maladies d'ordinaire anodines continuaient à décimer nos rangs. Mal nourris comme nous l'étions, nous contentant de thé chaud et d'infusions d'herbes revigorantes, nos organismes ne parvenaient pas à lutter contre les microbes. De plus en plus de personnes succombaient : la plupart du temps, les survivants n'avaient même pas la force d'évacuer leurs cadavres.

Dès qu'il le pouvait, le fils aîné de Fleur de Neige venait se blottir contre moi. Il était mal aimé, de toute évidence, mais moins empoté que sa famille le prétendait. Je me souvenais du jour où nous étions allées au temple de Gupo, ma *laotong* et moi, en espérant mettre au monde des fils aux goûts raffinés. Je voyais bien que ce garçon avait des capacités, même s'il n'avait pas reçu la moindre éducation. J'étais certes incapable de lui apprendre l'écriture des hommes, mais je pouvais lui répéter ce que j'avais retenu des leçons données par l'oncle Lu à mon fils aîné. « Les cinq catégories que les Chinois respectent par-dessus tout sont le Ciel, la Terre, l'empereur, les parents et les professeurs... » Après avoir épuisé mes souvenirs, j'entrepris de lui réciter un conte didactique que se transmettent les femmes de notre comté – l'histoire d'un fils cadet devenu mandarin et qui revient un jour dans sa famille. Mais je l'adaptai afin qu'il corresponde au sort de ce malheureux garçon.

— Un fils aîné court le long d'une rivière, commençai-je. Aussi vert que le bambou, il ne connaît rien de la vie. Il vit avec sa mère, son père, sa jeune sœur et son frère cadet. Le frère cadet suivra les traces de son père. Sa jeune sœur se mariera au loin. Mais les yeux du père et de la mère ne se posent jamais sur l'aîné. Lorsqu'ils le font, c'est pour le battre jusqu'à ce que sa tête ait enflé comme une pastèque.

Le garçon se glissa contre moi et leva les yeux, tandis que je poursuivais :

— Un jour, le garçon ouvre le coffre où son père range son argent, en prend une poignée et la glisse dans sa poche. Puis il ouvre le coffre où sa mère serre la nourriture et en remplit une sacoche. Sans dire au revoir à personne, il quitte sa maison et part à travers champs. Il franchit la rivière à la nage et poursuit son chemin. Il marche ainsi, cherchant à rejoindre Guilin. Tu trouves que le voyage que nous avons fait jusqu'ici était pénible ? Eh bien, ce n'est rien à côté des épreuves que connaît ce garçon. Sur la route, il n'a pas d'amis, pas de bienfaiteur. Il ne possède rien en dehors des vêtements qu'il a sur le dos. Une fois qu'il a épuisé ses réserves, il est obligé de mendier pour survivre.

Le fils de Fleur de Neige devint tout rouge. On n'avait pas dû manquer de lui raconter que ses grands-parents avaient été réduits jadis à une telle extrémité.

— Certains prétendent qu'il s'agit là d'une activité déshonorante, poursuivis-je, mais lorsqu'on n'a plus que cette solution pour vivre, il faut au contraire un grand courage pour s'y livrer.

De l'autre côté du foyer, la mère du boucher grommela :

— Ce passage ne figure pas dans l'histoire…

J'ignorai sa remarque. Je connaissais fort bien la version officielle, mais j'avais une autre idée en tête.

— Arrivé à Guilin, le garçon se mit à errer dans les rues, observant les gens qui portaient l'habit de mandarin. Il les écoutait discuter et s'exerçait à parler de la même manière qu'eux. Assis devant les maisons de thé, il imitait les façons des clients. Une fois qu'il eut acquis ces bonnes manières, quelqu'un finit par le remarquer.

Parvenue à ce point, j'interrompis mon récit.

— Mon petit, dis-je, il existe des gens généreux sur terre. Tu ne me croiras peut-être pas, mais il m'est arrivé d'en rencontrer. Il faut toujours rester à l'affût : quelqu'un peut surgir un jour et devenir ton bienfaiteur.

— Comme vous ? demanda le garçon.

Sa grand-mère renifla d'un air méprisant, mais cette fois encore je l'ignorai.

— Cet homme prit le garçon chez lui comme domestique, poursuivis-je. Tout en l'ayant à son service, il lui enseigna ce qu'il savait. Et par la suite, il engagea pour lui un précepteur. Au bout de plusieurs années, le garçon, qui était devenu un homme, passa les examens impériaux et accéda au grade de mandarin, à l'échelon inférieur.

« Cette épreuve accomplie, il retourna vêtu de ses nouveaux habits dans son village natal. Sur le seuil de sa maison, le chien le reconnut et aboya trois fois. Son père et sa mère sortirent mais ne reconnurent pas leur fils. Son frère cadet sortit et ne le reconnut pas. Quant à sa sœur, elle s'était mariée au loin. Lorsqu'il leur eut appris qui il était, ils s'inclinèrent devant lui et ne tardèrent pas à lui demander des faveurs. « Nous aurions besoin d'un nouveau puits, dit son père. Peux-tu engager quelqu'un pour venir le creuser ? — Je n'ai pas un centimètre de soie, dit sa mère, peux-tu en acheter pour moi ? — Je me suis occupé de nos parents, dit son frère. Me donneras-tu de l'argent pour compenser le temps que je leur ai consacré ? » Le mandarin se rappela combien ils l'avaient mal traité jadis. Il remonta dans son palanquin et repartit à Guilin, où il se maria, eut de nombreux fils et mena une vie heureuse.

— Pourquoi lui racontez-vous ces sornettes ? s'exclama la vieille en crachant dans le feu. Vous voulez donc achever ce gamin ? À quoi bon lui donner de telles espérances, alors que sa vie est fichue ?

Je connaissais la réponse, mais n'allais pas la révéler à cette vieille à face de Rat. Certes, nous n'étions pas dans des circonstances ordinaires. Mais, me trouvant loin de ma famille, j'avais besoin de m'occuper de quelqu'un. J'imaginais mon mari dans le rôle du bienfaiteur. Pourquoi pas ? Fleur de Neige m'avait bien rendu service, au temps de notre jeunesse : ma famille ne pouvait-elle pas influer aujourd'hui sur l'avenir de ce garçon ?

Les animaux ne tardèrent pas à se faire rares dans les environs, chassés de leurs repaires par la présence d'une telle population – ou ayant succombé, comme beaucoup d'entre nous, aux rigueurs de ce cruel hiver. Originaires des campagnes, les hommes s'affaiblissaient de jour en jour. Ils n'avaient emmené que ce qui était transportable. Lorsque ces provisions furent épuisées, les familles commencèrent à mourir de faim. De nombreux maris demandèrent à leurs épouses de descendre dans la vallée pour rapporter de la nourriture. Dans notre district, comme vous le savez, il est interdit de lever la main sur une femme en temps de guerre. C'est pourquoi on nous envoie souvent chercher de l'eau, des aliments ou d'autres denrées en période de troubles. Mais ni les Taiping, ni les soldats de la grande armée du Hunan n'étaient originaires de la région. Ils ignoraient les coutumes du peuple Yao. De surcroît, comment nous autres femmes, avec nos pieds bandés, aurions-nous descendu la montagne en plein hiver et remonté des stocks de provisions, affamées et épuisées comme nous l'étions ?

Un petit groupe d'hommes fut donc constitué et gagna prudemment la vallée, dans l'espoir de récupérer de la nourriture et d'autres produits de première nécessité dans les villages que nous avions abandonnés. Très peu d'entre eux revinrent. Les survivants nous racontèrent que leurs compagnons avaient été décapités, et leurs têtes plantées sur des lances. Leurs veuves, incapables de supporter la nouvelle, se suicidèrent en se jetant dans les profondeurs du ravin qu'elles avaient eu tant de peine à gravir. D'autres avalèrent des braises incandescentes, se tranchèrent la gorge ou se laissèrent simplement mourir de faim. Celles qui n'avaient pas suivi leur exemple se déshonorèrent davantage en cherchant à se lier avec d'autres hommes, à l'intérieur du camp. On aurait dit que l'air des montagnes leur faisait oublier les règles du veuvage. Même pauvre, même jeune – et même en ayant des enfants – il vaut encore mieux mourir, rester fidèle à son mari et honorer sa mémoire, en évitant de le couvrir de honte.

Séparée de mes enfants, j'observais ceux de Fleur de Neige. Je voyais l'influence qu'elle avait eue sur eux. Comme les miens me manquaient terriblement, je ne pouvais m'empêcher de faire la comparaison. Dans mon foyer, mon fils aîné tenait déjà bien sa place et un brillant avenir s'offrait à lui. Mais celui de Fleur de Neige occupait une position encore plus basse que sa mère. Il paraissait abandonné. Pourtant, avec sa douceur et sa délicatesse, c'était à mes yeux celui qui ressemblait le plus à ma *laotong*. Était-ce pour cette raison qu'elle s'était aussi durement détournée de lui ?

Mon deuxième fils était un gentil garçon, vif et éveillé, mais il n'avait pas la curiosité de son frère aîné. Je le voyais bien vivre à nos côtés sa vie durant, après s'être marié et avoir fait des enfants, travaillant sous les ordres de l'aîné. Le second fils de Fleur de Neige incarnait au contraire l'espoir de sa famille. Il avait hérité de la robuste constitution de son père et manifestait déjà des qualités d'endurance, en dépit de son jeune âge : il n'avait pas peur, ne grelottait pas de froid, ne se plaignait jamais de la faim. Il suivait son père comme une ombre et l'accompagnait même lorsqu'il partait chasser. Sans doute lui était-il utile, sinon le boucher ne se serait pas encombré de sa présence. Lorsqu'ils revenaient avec une dépouille quelconque, le garçon s'asseyait sur ses talons, à côté de son père, et le regardait préparer l'animal avant de le faire cuire. Cette ressemblance entre le père et le fils m'éclaira grandement au sujet de Fleur de Neige. Sans doute son mari était-il sale, grossier et très inférieur à ma *laotong* sous tous les rapports, mais l'amour qu'elle vouait à cet enfant trahissait les sentiments qu'elle portait probablement à son mari.

Le visage et les manières de Lune de Printemps étaient à l'opposé de ceux de ma fille. Jade avait hérité de la relative disgrâce de ma propre famille, raison pour laquelle je me montrais si dure à son égard. Étant donné l'aisance que nous avait apportée la vente du sel, nous allions pouvoir lui constituer une dot confortable. J'étais convaincue que Jade ferait une épouse honorable – mais Lune de Printemps risquait de se révéler hors du commun, si elle bénéficiait des avantages que j'avais eus jadis.

La présence des enfants de Fleur de Neige me faisait davantage regretter les miens.

J'étais rongée par l'anxiété, mais la situation était un peu tempérée par les nuits que je passais aux côtés de Fleur de Neige. Comment vous avouer une chose pareille ? Même en pleine montagne, dans des circonstances aussi dramatiques et au milieu d'une telle promiscuité, le boucher n'avait pas renoncé à accomplir son devoir conjugal avec ma *laotong* ! Tous deux se livraient donc à leurs ébats malgré le froid, à peine abrités sous leur couette... Si nous détournions pudiquement les yeux, nous pouvions difficilement nous boucher les oreilles. Dieu merci, son mari n'était pas d'une nature trop expansive et se contentait de grommeler de temps à autre. Toutefois, à plusieurs reprises, j'entendis de petits cris de plaisir, indéniablement poussés par ma *laotong*. Ce genre de chose me dépassait. Une fois leurs ébats terminés, Fleur de Neige venait me rejoindre et me prenait dans ses bras, comme nous le faisions dans notre enfance. L'odeur du sexe imprégnait son corps, mais vu la température ambiante, j'étais heureuse qu'elle vienne me tenir chaud. Sans cela, j'aurais peut-être connu le même sort que tant de femmes, qui mouraient pendant la nuit.

Évidemment, à force de se livrer à ces ébats nocturnes, Fleur de Neige finit par retomber enceinte. Je me dis toutefois que son sang mensuel tardait peut-être à venir – il en allait de même pour moi – à cause du manque de nourriture et du froid. Mais elle ne l'entendait pas de cette oreille.

— J'ai déjà été enceinte, dit-elle, je sais reconnaître les signes.

— Dans ce cas, j'espère qu'il s'agira d'un fils.

— J'en suis sûre, cette fois-ci, dit-elle avec un mélange d'assurance et de joie.

— Avoir un fils est toujours une bénédiction, ajoutai-je. Tu devrais être fière de ton aîné.

— Oui, répondit-elle sans grande conviction. Je vous ai observés tous les deux ces jours-ci. Tu as de l'affection pour cet enfant. Pourrais-tu envisager de le prendre pour gendre ?

J'aimais bien ce garçon, mais sa proposition était tout bonnement grotesque.

— Il ne peut y avoir aucune alliance matrimoniale entre nos deux familles, lui rappelai-je.

Je devais à Fleur de Neige une bonne partie de ce que j'étais devenue et je voulais rendre un service de même nature à sa fille. Mais il était hors de question que je laisse la mienne s'abaisser à une telle alliance.

— Il est plus important d'unir durablement nos filles, tu ne crois pas ?

— Tu as raison, répondit Fleur de Neige sans percevoir, me sembla-t-il, mes sentiments profonds. Dès que nous serons rentrées chez nous, nous contacterons tante Wang, comme nous l'avions prévu. Lorsque les pieds de nos filles auront la taille voulue, elles se rendront au temple de Gupo pour signer leur contrat, acheter leur éventail et aller goûter le dessert aux taros.

— Pourquoi ne pas nous retrouver aussi à Shexia, à cette occasion ? Nous pourrons ainsi les observer.

— Tu veux dire, les espionner ? demanda Fleur de Neige, l'air incrédule.

Comme je souriais, elle éclata de rire.

— Et moi qui croyais avoir l'esprit tordu ! s'exclama-t-elle.

En dépit des privations, ces projets concernant nos filles nous redonnèrent un peu d'espoir au fil de ces terribles mois. Nous fêtâmes l'anniversaire du second fils de Fleur de Neige, qui venait d'avoir cinq ans. C'était un drôle de petit bonhomme et nous aimions l'observer lorsqu'il était en compagnie de son père. On aurait dit deux petits cochons : ils se flairaient et se frottaient l'un contre l'autre, couverts de crasse et de poussière, visiblement enchantés d'être ensemble. L'aîné, quant à lui, préférait la compagnie des femmes. À cause de l'intérêt que je lui manifestais, Fleur de Neige se mit à lui prêter davantage d'attention. Voyant que sa mère s'intéressait à lui, il souriait d'un air ravi. Derrière son expression, je reconnaissais le visage de ma *laotong* au même âge – avec ce mélange de douceur, d'intelligence et de franchise. Et Fleur de Neige lui retournait son regard, je n'irai pas jusqu'à dire avec amour, mais comme s'il lui plaisait davantage qu'auparavant.

Un jour, alors que je psalmodiais une complainte, elle me lança :

— Tu ne devrais pas lui apprendre nos chants de femmes. Nous avions appris des poèmes dans notre jeunesse...

— Grâce à ta mère.

— Et je suis sûre que tu en as appris d'autres depuis, dans la famille de ton mari.

— En effet.

Nous étions brusquement excitées toutes les deux, à échanger les titres des poèmes que nous connaissions. Fleur de Neige saisit la main de son fils.

— Enseignons-lui ce que nous savons, pour en faire un homme cultivé.

Je savais que nos compétences étaient limitées, puisque nous étions l'une et l'autre illettrées. Mais ce garçon était comme un champignon séché que l'on plonge dans l'eau bouillante : il absorbait tout ce que nous lui donnions. Il sut bientôt réciter le poème de la dynastie Tang que nous aimions tant jadis, Fleur de Neige et moi, ainsi que de nombreux passages des Classiques à l'usage des enfants que j'avais appris par cœur en faisant répéter ses leçons à mon fils. Pour la première fois, j'aperçus de la fierté dans le regard de ma *laotong*. Le reste de sa famille était loin de partager ce sentiment, mais pour une fois elle sut résister à leur pression. Sans doute se souvenait-elle de la fillette qu'elle avait été et qui écartait le rideau du palanquin pour découvrir le monde extérieur...

Aussi éprouvantes et angoissantes qu'elles aient été, ces journées avaient pourtant un côté merveilleux, car Fleur de Neige irradiait un bonheur que je ne lui connaissais plus depuis des années. Elle appréciait la compagnie des trois sœurs adoptives de Jintian et se réjouissait visiblement de ne plus être enfermée chez elle, aux côtés de sa belle-mère. Assise au milieu de ces femmes, elle chantait des airs que je n'avais plus entendus depuis des lustres. Loin de l'atmosphère confinée de sa sinistre demeure, son âme de Cheval s'épanouissait pleinement.

Et puis, lors d'une nuit glaciale – cela faisait plus de dix semaines que nous avions trouvé refuge dans les montagnes –, le fils cadet de Fleur de Neige s'endormit, recroquevillé près du feu, et ne se réveilla pas. J'ignore si ce fut la maladie, la faim, le froid ou les trois réunis qui l'emportèrent, mais au petit matin une pellicule de givre avait recouvert son corps et son visage était devenu bleu. Les lamentations de Fleur de Neige résonnèrent à travers la montagne, mais la réaction du boucher fut encore plus terrible. Il serrait son fils dans ses bras, secoué de sanglots : les larmes sillonnaient la poussière et la crasse accumulées sur ses joues depuis des semaines. Il n'écoutait personne – pas même sa mère – et ne voulait pas relâcher son garçon. Même lorsque les paysans de notre groupe vinrent s'asseoir près de lui et tentèrent de le consoler, il ne voulut pas entendre raison. De temps à autre, il relevait la tête et criait, face au ciel : « Comment ai-je pu perdre mon fils, mon bien le plus précieux ? » La question que le boucher lançait, le cœur brisé, figurait dans nombre de nos chants en *nu shu*. Je contemplais le cercle des femmes assises autour du feu et voyais que chacune se posait en silence la même question : un homme pouvait-il éprouver le même désespoir que nous autres femmes, en perdant son enfant ?

Deux jours durant, il resta prostré de la sorte, tandis que nous psalmodiions des chants funèbres. Le troisième jour il se leva, serrant toujours contre lui le cadavre de son fils, et quitta notre foyer. Après avoir traversé d'autres cercles attroupés autour des feux, il s'enfonça dans les bois où il s'était si souvent aventuré avec son garçon, au cours des semaines précédentes. Il revint deux jours plus tard, les mains vides. Lorsque Fleur de Neige lui demanda où il avait enterré leur fils, le boucher se retourna et lui assena un coup de poing d'une telle violence qu'elle recula de deux mètres avant de s'effondrer avec un bruit sourd sur le sol tapissé de neige.

Il la battit ensuite avec une telle hargne qu'elle fit aussitôt une fausse couche : de longues coulées de sang noir constellaient les pentes neigeuses, autour du feu de camp. Sa grossesse n'était pas très avancée, aussi ne vîmes-nous pas le fœtus, mais le boucher était convaincu de l'avoir une fois encore débarrassée d'une fille. « Il n'y a rien de plus retors que le cœur d'une femme », répétait-il à satiété, comme si nous ne connaissions pas le proverbe. Nous étions du reste trop occupées à soigner Fleur de Neige : il fallait la défaire de ses vêtements, laver ses cuisses maculées de sang, récupérer la doublure de l'une des couettes pour éponger le liquide putride qui s'écoulait toujours entre ses jambes…

Quand j'y repense, je me dis que c'est un miracle que Fleur de Neige ait survécu à ces deux ultimes semaines au milieu des montagnes, au cours desquelles son mari la battait quotidiennement sans qu'elle réagisse. Elle était plus affaiblie encore d'avoir perdu autant de sang. Son corps était couvert de plaies et de bleus, à cause du traitement que lui faisait subir son mari : les coups pleuvaient littéralement sur elle, quand il s'y mettait. Pourquoi n'essayais-je pas de l'arrêter ? J'étais Dame Lu et, jusqu'alors, il avait respecté mes volontés. Mais peut-être n'aurait-ce pas été le cas cette fois-ci. Et justement, *étant Dame Lu*, je ne pouvais pas prendre ce risque. C'était un individu costaud, qui n'hésitait pas à faire usage de sa force, comme on vient de le voir. De mon côté, j'étais une femme. Malgré mon statut social, j'étais seule. Et impuissante. Et il le savait aussi bien que moi.

Alors que ma *laotong* était au plus bas, je réalisai à quel point j'avais besoin de mon mari. La plus grande partie de notre vie commune avait été régie par le respect des rôles qui nous étaient assignés. Je regrettais à présent les moments où je n'avais pas su être une épouse digne de lui. Et je me jurais intérieurement que si jamais je réchappais de cette équipée, je ferais mon possible pour ne pas usurper le titre de Dame Lu. En faisant ce vœu, j'ignorais que je ne tarderais pas à faire preuve d'une cruauté bien supérieure à celle du mari de Fleur de Neige.

Sous les ramures de l'arbre, nous soignions Fleur de Neige de notre mieux, nettoyant ses plaies avec de la neige que nous faisions bouillir pour éviter d'éventuelles infections. Pour les bandages, nous nous servions de morceaux d'étoffe arrachés à nos propres vêtements.

Les trois sœurs adoptives voulaient lui préparer un bouillon avec la moelle des animaux que le boucher avait rapportés. Mais je leur rappelai que Fleur de Neige était végétarienne et nous allâmes à tour de rôle chercher dans la forêt des écorces et des racines, avec lesquelles nous préparions un potage amer que nous lui fîmes boire à la cuillère tout en psalmodiant pour elle des chants de réconfort.

Cependant, notre présence et nos attentions ne l'apaisaient en rien. Elle ne dormait pas et restait assise près du feu, les bras serrés autour des genoux, le corps agité de sanglots désespérés. Cela faisait longtemps que nous n'avions plus de vêtements propres, mais nous essayions au moins de préserver notre apparence. Fleur de Neige n'y prêtait plus la moindre attention. Elle n'allait pas ramasser une poignée de neige le matin pour se laver le visage, ne se frottait plus les dents avec l'ourlet de sa tunique. Ses cheveux pendaient en désordre, me rappelant le soir où ma belle-mère avait surgi, rongée par la fièvre. Son comportement ressemblait de plus en plus à celui de ma troisième belle-sœur, cette nuit-là : elle était à peine présente parmi nous et son esprit flottait ailleurs, nul ne savait où.

Chaque jour, à un moment donné, Fleur de Neige se levait, quittait le feu de camp et partait déambuler dans la montagne enneigée. On aurait dit qu'elle marchait dans un rêve, divaguant ainsi sans attaches ni racines. Je l'accompagnais dans toutes ses escapades, la tenant par le bras, mais elle ne paraissait pas s'en rendre compte. Nous trébuchions sur les rochers couverts de neige et finissions toujours par rejoindre le bord du ravin. Là, elle se mettait à pousser de longs cris plaintifs, que le vent du nord balayait et emportait au loin.

J'étais épouvantée, songeant sans cesse à notre terrible fuite à travers les collines et aux cris affreux de ces femmes qui tombaient avant de s'écraser, des dizaines de mètres plus bas. Fleur de Neige ne semblait pas partager ma hantise. Son regard se portait au-delà du précipice, observant les faucons qui planaient et s'élevaient vers les sommets. Je pensais aux innombrables allusions que ma *laotong* avait faites dans sa vie à l'envol des oiseaux... Comme il lui aurait été facile de faire un pas en avant et de s'élancer dans le vide... Mais je restais constamment à ses côtés et me gardais bien de lui lâcher le bras.

Je lui parlais de choses terre à terre, pour la ramener parmi nous, lui demandant par exemple si elle voulait se charger de contacter Madame Wang à propos de nos filles. Comme elle ne répondait pas, j'essayais autre chose : « Nous vivons si près l'une de l'autre : pourquoi attendre que nos filles soient devenues *laotong* pour les faire se rencontrer ? Tu pourrais venir passer quelques jours chez moi avec Lune de Printemps, cela leur ferait davantage de souvenirs en commun par la suite. » Ou encore : « Regarde cette fleur des neiges : le printemps arrive, nous ne tarderons plus à quitter cet endroit. » Mais dix jours durant, je n'eus droit pour toute réponse qu'à de vagues monosyllabes.

Et puis, le onzième jour, en gagnant le bord du ravin, elle retrouva la parole :

— J'ai perdu cinq enfants et chaque fois mon mari me l'a reproché. Il a toujours manifesté sa rancœur en faisant usage de ses poings. Je croyais au début qu'il était en colère contre moi, parce que je concevais des filles. Mais maintenant, avec la mort de mon fils... Je me demande si c'était vraiment du chagrin que mon mari éprouvait...

Elle s'interrompit et inclina la tête, comme si elle examinait la question.

— Quoi qu'il en soit, conclut-elle avec un regard désespéré, il a toujours fallu qu'il se serve de ses poings.

Ce qui signifiait que le boucher s'était mis à la battre dès qu'elle s'était établie chez lui. Même si un tel comportement de la part d'un mari est fréquent dans notre district, cela me fit de la peine qu'elle me l'ait caché pendant si longtemps. J'avais cru qu'elle ne me mentirait plus jamais, que nous n'aurions plus de secrets l'une pour l'autre. Mais à dire vrai, ce n'était pas cela qui me tracassait le plus : je me sentais surtout coupable de ne pas avoir entrevu le malheur de ma *laotong*, durant toutes ces années.

— Fleur de Neige…, commençai-je.

— Non, écoute-moi. Tu crois que mon mari représente le mal incarné, mais ce n'est pas un méchant homme.

— Il te traite à peine comme un être humain…

— Fleur de Lis, m'interrompit-elle. C'est mon mari.

Un instant plus tard, elle ajouta :

— Cela fait longtemps que je songe à mourir, mais il y a toujours quelqu'un pour me retenir.

— Ne dis pas des choses pareilles !

Elle ignora ma remarque.

— Est-ce qu'il t'arrive de penser au destin ? me demanda-t-elle. Moi, j'y pense tous les jours. Que se serait-il passé si ma mère n'avait pas épousé mon père ? Si mon père ne s'était pas mis à fumer de l'opium ? Si mes parents ne m'avaient pas mariée à ce boucher ? Et si j'avais été un garçon ? Aurais-je pu sauver ma famille ? Ah, Fleur de Lis, j'ai éprouvé tant de honte face à toi…

— Jamais je n'ai…

— Depuis que tu as mis les pieds dans ma maison natale, je n'ai cessé de ressentir toute la pitié que je t'inspire. Ne le nie pas, insista-t-elle. Tu crois que j'ai terriblement déchu, mais ma mère a connu un sort bien pire. Quand j'étais petite, je me souviens l'avoir entendue pleurer nuit et jour, tant sa tristesse était grande. Je suis sûre qu'elle avait envie de mourir, mais elle ne pouvait pas m'abandonner. Et ensuite, quand je me suis installée chez mon mari, elle ne pouvait pas abandonner mon père.

Voyant où elle voulait en venir, je rétorquai :

— Ta mère n'a jamais laissé l'amertume envahir son cœur. Jamais elle n'a baissé les bras…

— Elle est partie sur les routes avec mon père. Je n'ai jamais su le sort qu'ils avaient connu. Mais si elle s'est résolue à mourir, je suis certaine qu'elle a attendu que mon père meure en premier. Cela remonte à plus de douze ans, maintenant. Je me suis souvent demandé si je n'aurais pas pu l'aider, lui dire de venir vivre auprès de moi… J'avais rêvé jadis de me marier et de trouver le bonheur, loin de la maladie de mon père et de la tristesse de ma mère. J'ignorais que j'allais vivre comme une mendiante dans la maison de mon mari. Mais peu à peu, j'ai appris à obtenir de lui quelques compensations. Tu vois, Fleur de Lis, il y a une chose qu'on ne nous enseigne pas, au sujet des hommes – c'est que nous pouvons les rendre heureux en nous livrant à leur désir. Et d'ailleurs, on peut soi-même y prendre du plaisir : il suffit de se laisser aller.

Elle me faisait penser à ces vieilles femmes qui essaient d'effrayer les jeunes filles avant leur mariage en leur tenant ce genre de propos.

— Tu n'as pas besoin de me mentir, dis-je. Je suis ta *laotong*. Tu peux avoir confiance en moi.

Elle cessa de fixer les nuages et posa les yeux sur moi. Pendant une fraction de seconde, elle me regarda comme si elle ne me reconnaissait pas.

— Fleur de Lis, me dit-elle d'une voix empreinte à la fois de tristesse et de compassion. Tu possèdes tout ce dont on peut rêver, mais c'est comme si tu n'avais rien.

Ces mots me piquèrent au vif, mais elle ne me laissa pas le temps d'y réfléchir et poursuivit :

— Nous n'avons pas respecté les règles d'abstinence qui suivent les grossesses, mon mari et moi. Nous voulions tous les deux avoir davantage de fils. Mais tu vois ce qui s'est produit : je n'ai conçu quasiment que des filles.

J'avais une explication à ce sujet.

— Elles n'étaient pas destinées à vivre, dis-je. Remercies-en le Ciel, car cela t'a épargné bien des soucis. Tout ce que nous pouvons faire, nous autres femmes, c'est de recommencer, d'essayer sans relâche…

— Ah, Fleur de Lis… Quand tu parles ainsi, mon esprit se vide. Je n'entends plus que le vent qui agite les arbres. Ne sens-tu pas le sol qui cède sous mes pieds ?

Retourne-t'en à présent, laisse-moi rejoindre ma mère…

Bien des années s'étaient écoulées depuis que Fleur de Neige avait perdu sa première fille. À l'époque, je n'avais pas compris son chagrin. Mais à présent, connaissant mieux les misères de l'existence, je voyais les choses autrement. Si l'on accepte volontiers qu'une veuve se défigure ou se suicide pour sauver la face devant sa belle-famille, pourquoi une mère n'en viendrait-elle pas à de telles extrémités après avoir perdu un ou plusieurs enfants ? Nous les aimons, nous prenons soin d'eux, nous les soignons quand ils sont malades. Si ce sont des garçons, nous les préparons à faire leurs premiers pas dans le monde des hommes. Si ce sont des filles, nous leur bandons les pieds, leur apprenons notre écriture secrète et les élevons pour qu'elles deviennent de bonnes épouses, des belles-filles respectueuses, des mères irréprochables. Mais aucune femme ne devrait survivre à ses enfants. Cela va à l'encontre de la loi naturelle. Et quand cela arrive, pourquoi n'avalerait-elle pas du poison, ne se pendrait-elle pas à une branche ou ne sauterait-elle pas du haut d'un ravin ?

— J'en arrive tous les jours à la même conclusion, reprit Fleur de Neige en regardant la vallée qui s'étendait dans les profondeurs du gouffre. Et puis, chaque fois, je repense à ta tante. Songe comme elle a dû souffrir, Fleur de Lis… Et combien nous nous sommes peu souciées de son malheur.

Je lui répondis, en toute sincérité :

— Elle a terriblement souffert, mais je crois que nous l'avons soutenue dans cette épreuve.

— Tu te rappelles comme Belle Lune était gentille ? Comme elle était modeste et retenue, même à l'instant de mourir ? Souviens-toi, quand ta tante est arrivée et s'est penchée sur son cadavre… Nous appréhendions toutes sa réaction et avions recouvert de mousseline le visage de sa fille. Ta tante n'a même pas pu le revoir. Pourquoi avons-nous fait preuve d'une telle cruauté ?

J'aurais pu lui répondre que Belle Lune était dans un tel état qu'il valait mieux que sa mère ne voie pas son visage. Mais je préférai changer de sujet :

— Nous irons lui rendre visite dès que possible. Je suis sûre qu'elle sera heureuse de nous revoir.

— Toi peut-être, répondit Fleur de Neige. Mais moi, c'est moins sûr. Je lui rappellerai trop son malheur... En tout cas, en pensant à elle, je me redis chaque jour qu'il faut savoir endurer son destin.

Elle jeta un dernier regard en bas, vers les collines noyées dans la brume, et poursuivit :

— Nous ferions mieux de rentrer. Tu as l'air d'avoir froid. De plus, j'aimerais que tu m'aides à écrire quelque chose. (Elle fouilla dans sa tunique et en sortit notre éventail.) Je l'ai emporté, j'avais peur que les rebelles mettent le feu à la maison et qu'il parte en fumée.

Elle me fixa droit dans les yeux, poussa un profond soupir et secoua la tête.

— J'ai juré de ne plus te mentir, dit-elle. La vérité, c'est que j'étais convaincue que nous allions mourir, en nous enfuyant dans ces montagnes. Et je voulais l'avoir sous la main.

Elle me tira par le bras.

— Recule-toi donc, me dit-elle. Ça me donne la chair de poule, de te voir si près du bord.

Nous rejoignîmes le camp. Pour fabriquer une encre de fortune, nous retirâmes du feu deux bûches à moitié consumées : après les avoir laissées refroidir, nous raclâmes les parties carbonisées et plongeâmes ces fragments dans de l'eau, que nous fîmes ensuite bouillir avec quelques racines. Le résultat n'avait pas toute l'épaisseur et la noirceur requises, mais cela ferait l'affaire. En guise de pinceau, nous taillâmes aussi finement que possible une tige de bambou arrachée d'un panier. À tour de rôle, nous évoquâmes notre voyage, la perte du bébé de Fleur de Neige, les nuits glaciales, la chaleur et la bénédiction de l'amitié. Lorsque ce fut terminé, Fleur de Neige replia l'éventail et le remit à sa place, dans sa tunique.

Cette nuit-là, le boucher ne battit pas ma *laotong*. Il voulut au contraire accomplir avec elle son devoir conjugal – et il parvint à ses fins ! Une fois leurs ébats terminés, elle revint me trouver, se glissa sous la couette et se blottit contre moi, posant la main sur ma joue. Elle était épuisée, après toutes ces nuits d'insomnie : très vite je sentis la pression de son corps se relâcher. Avant de sombrer dans le sommeil, elle murmura à mon oreille : « Il m'aime à sa façon. Tu verras, tout ira mieux désormais. Son cœur a changé. »

« Oui, me dis-je. Jusqu'à ce que sa colère éclate à nouveau contre la douce femme qui dort à mes côtés… »

Le lendemain, on nous annonça que nous pouvions regagner nos villages en toute sécurité. Au bout de ces trois mois passés dans les montagnes, je pensais que nous avions connu l'horreur ultime. Mais tel n'était pas le cas. Sur le chemin du retour, nous découvrîmes les cadavres de tous ceux que nous avions dû laisser derrière nous – dans un état de décomposition d'autant plus avancé que nous les avions livrés aux assauts conjugués des éléments et des animaux affamés. Leurs ossements brillaient sous le soleil renaissant. Mais les lambeaux de vêtements permettaient généralement de les identifier et des cris déchirants s'élevaient à intervalles réguliers.

Comme si cela ne suffisait pas, nous étions pour la plupart tellement affaiblis que la mort faisait encore des victimes parmi nous, alors que nous nous apprêtions à rentrer. Ce furent surtout des femmes qui périrent en descendant la montagne. En équilibre sur leurs pieds minuscules, certaines vacillaient dangereusement au-dessus de l'abîme qui s'ouvrait à notre droite. Et cette fois, non seulement nous entendions les cris qu'elles poussaient, mais, comme c'était le jour, nous voyions les malheureuses battre l'air de leurs bras avant que leurs corps ne basculent dans le vide. La veille encore, je me serais inquiétée pour Fleur de Neige. Mais elle avait aujourd'hui un regard concentré et progressait lentement, en posant prudemment un pied devant l'autre.

Le boucher portait sa mère sur son dos. À un moment donné, Fleur de Neige s'arrêta, contemplant d'un air indécis une femme qui enveloppait les restes décomposés de son enfant, sans doute pour les emmener et les enterrer dignement. Voyant cela, le boucher déposa sa mère et saisit Fleur de Neige par l'épaule.

— Ne t'arrête pas, lui dit-il d'une voix affectueuse. Nous atteindrons bientôt l'endroit où est restée notre charrette, tu pourras te reposer pendant le reste du trajet.

Voyant qu'elle ne détachait pas son regard du spectacle qu'offraient cette mère et son enfant, il ajouta :

— Je reviendrai au printemps et je ramènerai son corps à la maison. Je te promets qu'il reposera près de nous.

Fleur de Neige se décida enfin et contourna la femme chargée de son minuscule et horrible fardeau.

La charrette à bras n'était plus là où nous l'avions laissée. Comme tant d'autres objets abandonnés trois mois plus tôt, elle avait disparu – emportée soit par les rebelles, soit par la grande armée du Hunan. Mais comme le terrain redevenait plat, nous nous sentions brusquement des ailes et en oubliâmes nos douleurs, nos blessures, nos privations. Jintian était intact, d'après ce que je pus constater. J'aidai la mère du boucher à pénétrer chez elle, puis je ressortis aussitôt : je voulais rentrer chez moi. J'avais tellement marché qu'il m'aurait été égal de faire à pied les derniers *li* qui me séparaient de Tongkou. Mais le boucher voulait aller en personne prévenir mon mari de notre retour, afin qu'il vienne me chercher.

À peine se fut-il mis en route que Fleur de Neige me prit par le bras.

— Viens, dit-elle en me poussant vers la maison, nous n'avons pas beaucoup de temps.

Une fois à l'étage, elle me dit :

— Jadis, tu m'as fait une grande faveur en m'aidant à constituer mon trousseau. J'ai aujourd'hui l'occasion de te rendre une infime partie de cette dette.

Elle ouvrit un coffre et en sortit une veste bleu foncé, ornée sur le devant d'un pan de soie bleu pâle en forme de nuage. Ce tissu – je m'en souvenais parfaitement – provenait du vêtement que portait Fleur de Neige le jour de notre rencontre. Elle me tendit la veste.

— Je serais honorée que tu la portes pour tes retrouvailles avec ton mari.

J'avais constaté la pitoyable allure de ma *laotong*, sans penser à l'effet que je pouvais faire. J'avais porté trois mois durant ma tenue de soie bleu lavande, qui était évidemment en loques et dans un état de saleté repoussante. Mais en m'observant dans la glace, tandis que l'eau chauffait, je pus évaluer l'étendue des dégâts. Mon visage était terriblement marqué par ces trois mois passés dans la neige et la boue – sans parler des méfaits du soleil, à l'altitude où nous étions.

J'avais à peine le temps de faire quelques rapides ablutions. Fleur de Neige me recoiffa de son mieux, entourant ensuite mon chignon d'une parure propre. À l'instant même où j'enfilais la tenue qu'elle venait de m'offrir, nous entendîmes les sabots d'un poney et les roues d'une charrette qui se rapprochaient. Elle acheva rapidement de boutonner ma tunique. Nous nous dévisageâmes un instant, face à face. Puis elle posa la main sur le carré de soie bleue qui couvrait ma poitrine.

— Tu es très belle, dit-elle.

Devant moi se tenait la personne que j'aimais plus que tout au monde. Pourtant, j'étais tracassée par ce qu'elle m'avait dit avant que nous ne quittions la montagne, à propos de la pitié que j'aurais eue pour elle. Je ne voulais pas la quitter sans avoir clarifié ce point.

— Jamais je n'ai pensé que tu...

Je n'arrivais pas à trouver le mot juste.

— ... que tu m'étais inférieure, achevai-je.

Fleur de Neige sourit. Je sentais mon cœur battre sous sa main.

— Tu ne m'as jamais menti, dit-elle.

Avant que j'aie pu répondre, j'entendis la voix de mon mari qui m'appelait :

— Fleur de Lis ! Fleur de Lis !

Aussitôt, je dévalai littéralement l'escalier et me précipitai dehors. Quand je l'aperçus, je tombai à genoux et m'inclinai à ses pieds, tant j'étais gênée par l'image que je devais offrir. Il me releva et me prit dans ses bras.

— Fleur de Lis...

Il n'arrêtait pas de répéter mon nom, tout en me couvrant de baisers, sans se soucier du spectacle que nous offrions.

— Dalang...

C'était la première fois que je prononçais son prénom.

Il me prit par les épaules et se recula un peu, pour mieux étudier mon visage. Des larmes brillaient dans ses yeux. Puis il m'étreignit à nouveau, me serrant fortement contre lui.

— Il a d'abord fallu que j'aide les gens à sortir de Tongkou, m'expliqua-t-il. Puis que je m'assure que nos enfants étaient sains et saufs...

Comme je l'appris par la suite, l'évacuation de Tongkou, sous sa conduite, avait fait de mon mari un chef de village à part entière, estimé et respecté de tous.

Son corps tremblait tandis qu'il ajoutait :

— Je suis souvent parti à ta recherche...

Dans nos chants féminins, nous disons fréquemment : « Je n'ai pas de sentiment pour mon mari », ou « Mon mari n'éprouve rien pour moi. » Ce sont là des refrains connus, extrêmement populaires. Mais ce jour-là, nous éprouvions de profonds sentiments l'un pour l'autre, mon mari et moi.

Mes derniers instants à Jintian se mélangent dans mon souvenir. Mon mari donna au boucher une confortable récompense. Nous nous embrassâmes,

Fleur de Neige et moi. Elle me proposa d'emmener l'éventail, mais je préférais qu'elle le garde : sa douleur était encore fraîche, alors que je nageais en plein bonheur. Je dis au revoir à son fils, en lui promettant de lui envoyer des cahiers pour qu'il puisse étudier l'écriture des hommes. Enfin, je me penchai vers la fille de ma *laotong*, en lui disant que nous nous reverrions bientôt. Puis je montai dans la charrette et mon mari saisit les rênes. Je fis un dernier signe de la main à Fleur de Neige, avant de me retourner. Je m'apprêtais à retrouver Tongkou, ma maison et l'ensemble de ma famille.

Une lettre de récrimination

À travers toute la région, la reconstruction commença. Ceux d'entre nous qui avaient survécu avaient traversé trop d'épreuves cette année-là, entre l'épidémie, les troubles liés à la rébellion et les morts que cela avait entraînées. Nous étions tous diminués – aussi bien moralement que par les pertes subies – mais soulagés d'être en vie. Peu à peu, nous reprîmes des forces. Les hommes repartirent travailler dans les champs, les fils retournèrent à leurs études et les femmes à leurs appartements. Nous étions à nouveau tournés vers l'avenir. Il m'était arrivé par le passé de m'interroger sur le monde extérieur, le domaine des hommes, mais je me jurais à présent de ne plus m'y aventurer. J'étais faite pour vivre à l'étage, dans la compagnie des femmes. J'étais heureuse de revoir mes belles-sœurs et de passer de longues après-midi auprès d'elles, à broder, boire du thé et psalmodier nos chants en *nu shu*. Mais cela était peu de chose, comparé au bonheur d'avoir retrouvé mes enfants. Les trois derniers mois avaient représenté une éternité, pour eux comme pour moi. Ils avaient changé au cours de cette séparation. Mon fils aîné avait fêté ses douze ans. À l'abri dans le chef-lieu du district pendant cette période agitée, sous la protection des troupes impériales, il avait beaucoup étudié, assimilant la leçon suprême : quel que soit leur lieu de résidence ou leur dialecte, tous les lettrés lisaient les mêmes textes et passaient les mêmes examens. Une seule et même règle avait donc cours à travers tout le royaume, privilégiant la loyauté et l'intégrité. Même loin de la capitale, dans une région reculée comme la nôtre, les mandarins locaux – qui avaient tous reçu la même éducation – aidaient les gens du peuple à comprendre le lien qui les unissait à l'empereur. Si mon fils persistait dans cette voie, nul doute qu'il partirait un jour passer les examens.

Je vis davantage Fleur de Neige cette année-là que cela n'avait été le cas depuis notre enfance. Nos époux respectifs n'y émettaient aucune objection, même si la rébellion faisait encore rage dans d'autres parties du pays. Après tout ce qui s'était passé, mon mari estimait que j'étais en sécurité sous la protection du boucher. Et celui-ci encourageait sa femme à venir me voir, sachant qu'elle revenait toujours chargée de présents, qu'il s'agisse de nourriture ou de pièces sonnantes et trébuchantes. Nous dormions ensemble, chez l'une comme chez l'autre, nos époux acceptant de s'effacer pour l'occasion. Le boucher avait fini par se plier à cette règle, suivant en cela l'exemple de mon mari. Du reste, comment auraient-ils pu s'opposer à ces visites régulières, à ces nuits que nous passions ensemble, à ces confidences chuchotées sur l'oreiller ? « Obéis, obéis, obéis – et plus tard tu feras ce qu'il te plaît. »

Nous continuions de nous retrouver à Puwei lors de certaines fêtes, comme nous l'avions toujours fait. Cela faisait du bien à Fleur de Neige de revoir ma tante et mon oncle, qui jouissaient de l'estime générale en raison de leur bonté. Ma tante était aimée comme une grand-mère par tous ses « petits-enfants ». Par ailleurs, mon oncle se retrouvait dans une meilleure position qu'il ne l'était du vivant de mon père. Mon frère aîné avait besoin de ses conseils et mon oncle était ravi de lui venir en aide. Ainsi finissaient-ils leur vie de manière plus heureuse que nul ne l'aurait jamais imaginé.

Lorsque nous nous rendîmes cette année-là au temple de Gupo, Fleur de Neige et moi, nous fîmes des offrandes particulières pour remercier le Ciel de nous avoir permis de survivre à ce terrible hiver. Puis, bras dessus bras dessous, nous rejoignîmes l'échoppe du marchand de taros. Tout en mangeant, nous évoquâmes l'avenir de nos filles et la meilleure manière de procéder à leur bandage, afin qu'elles aient de parfaits « lis dorés ». De retour dans nos foyers respectifs, nous préparâmes les bandes de tissu, achetâmes les plantes médicinales nécessaires, brodâmes des chaussons miniatures afin de les déposer au pied de l'autel de Guanyin. Nous fabriquâmes des boulettes de riz gluant pour les offrir à la Demoiselle aux pieds menus et fîmes manger à nos filles des brioches fourrées aux haricots rouges, dans l'espoir d'assouplir leurs os. Chacune de son côté, nous parlâmes à Madame Wang de l'union que nous projetions pour nos filles. À la rencontre suivante, nous ne pûmes nous empêcher de nous moquer gentiment d'elle : notre tante n'avait décidément pas changé, avec ses airs rusés et son visage trop poudré.

Aujourd'hui encore, en repensant à ces mois du printemps et du début de l'été, je me rends compte que j'étais pleinement heureuse. J'avais ma famille et ma *laotong* près de moi et, comme je l'ai dit, j'étais tournée vers l'avenir. Mais pour Fleur de Neige, il en allait autrement. Elle n'avait pas repris le poids qu'elle avait perdu. Elle mangeait du bout des lèvres – quelques grains de riz, deux ou trois morceaux de légumes – et se contentait de boire du thé. Sa peau avait encore pâli et son visage était toujours aussi émacié. Lorsqu'elle revint à Tongkou, je lui proposai d'aller rendre visite à ses anciennes amies, mais elle déclina poliment mon offre, prétendant qu'elles ne devaient pas avoir très envie de la revoir ou qu'elles l'avaient probablement oubliée. Je finis tout de même par obtenir qu'elle vienne m'assister pour les journées « de Chaise et de Chant » qui devaient avoir lieu l'année suivante à Tongkou pour une jeune fille de la famille Lu.

L'après-midi, Fleur de Neige s'asseyait à mes côtés. J'étais plongée dans mes travaux de broderie, mais elle regardait par la fenêtre, l'esprit ailleurs. C'était un peu comme si elle avait sauté dans ce précipice, au bout du compte : quelque chose s'était brisé en elle, à la fin de notre séjour forcé dans les montagnes. Je voyais qu'elle était triste, mais refusais de l'accepter. Mon mari m'alerta plusieurs fois à ce sujet.

— Tu es forte, me dit-il un soir, alors que Fleur de Neige venait de repartir à Jintian. Tu as survécu aux épreuves de l'hiver dernier et je suis de jour en jour plus fier de toi, tant tu t'occupes bien de notre foyer. Tu es un exemple pour toutes les femmes du village. Mais – ne te fâche pas, s'il te plaît – tu es aveugle dès qu'il s'agit de ta *laotong*. Elle n'est pas ton « âme sœur » en tout, loin de là ! Peut-être le drame qu'elle a vécu cet hiver était-il trop lourd pour elle. Je ne la connais pas suffisamment, mais tu dois te rendre compte qu'elle essaie de faire bonne figure, dans une situation qui n'a rien d'enviable pour elle. Peut-être t'a-t-il fallu des années pour l'admettre, mais tous les hommes ne sont pas comme ton mari.

Le fait qu'il me tienne un pareil discours m'embarrassait terriblement. Non, ce n'est pas exact : disons que j'étais irritée qu'il interfère de la sorte dans la sphère privée des femmes. Mais je me gardai bien d'en débattre avec lui, cela n'aurait pas été honorable. Pourtant, au fond de moi, j'avais envie de lui prouver qu'il avait tort. J'examinai donc plus attentivement Fleur de Neige à son retour, la fois suivante. Et je l'écoutai vraiment. La vie s'était effectivement dégradée pour elle. Sa belle-mère la rationnait et ne lui donnait même pas le tiers du riz dont elle avait besoin pour vivre.

— Je ne mange que du potage de riz, me dit-elle, mais cela m'est égal. Je n'ai pas très faim ces temps-ci.

Pire encore, le boucher s'était remis à la battre.

— Tu m'avais assurée qu'il ne recommencerait pas, m'insurgeai-je, refusant de croire ce que mon mari avait fort bien compris.

— S'il me frappe, qu'y puis-je ? Je peux difficilement lui rendre ses coups...

— Pourquoi ne m'en as-tu pas parlé ?

Elle répondit par une autre question :

— Pourquoi t'ennuierais-je avec des choses sur lesquelles tu n'as pas d'influence ?

— Nous pouvons influer sur notre destin, dis-je. Il suffit de le vouloir vraiment. J'ai changé le cours de ma vie. Tu le peux aussi.

Fleur de Neige me dévisagea d'un air sceptique.

— Cela arrive-t-il souvent ? demandai-je.

J'essayais de garder mon calme, mais j'étais furieuse que son mari ait repris ses violences et qu'elle accepte la chose avec une telle passivité. J'étais également blessée qu'elle ne se soit pas confiée à moi.

— Ce séjour dans la montagne l'a changé, dit-elle. Il nous a tous affectés, d'ailleurs. Tu ne t'en es pas rendu compte ?

— Cela arrive-t-il souvent ? répétai-je.

— Je déplais à mon mari de bien des façons...

En d'autres termes, cela devait se passer plus fréquemment qu'elle ne voulait bien l'admettre.

— Je veux que tu viennes vivre ici, à mes côtés, dis-je.

— Abandonner son foyer est la pire décision que puisse prendre une femme, répondit-elle. Tu le sais aussi bien que moi.

C'était exact. Il s'agissait là d'une offense que le mari avait le droit de punir en tuant sa femme de ses propres mains.

— De plus, reprit Fleur de Neige, je n'abandonnerai jamais mes enfants. Mon fils a besoin de ma protection.

— Au prix de ta propre souffrance ?

Que pouvait-elle répondre à ça ?

En y repensant aujourd'hui, avec la lucidité de mes quatre-vingts ans, je vois bien que je manifestais une irritation démesurée face au fatalisme de Fleur de Neige. Dans le passé, je l'avais engagée à respecter les règles et les traditions qui régissent l'univers des femmes, afin de combattre les infortunes dont elle était victime. Cette fois, j'allais plus loin en la poussant à manipuler son Coq de mari. J'étais persuadée qu'étant née sous le signe du Cheval, elle pouvait mettre à profit son opiniâtreté pour modifier la situation. N'ayant plus auprès d'elle qu'une fille méprisée et un fils mal aimé, il fallait qu'elle retombe enceinte au plus vite. Pour cela, il fallait prier le Ciel, manger correctement, ramener de chez l'herboriste des plantes fortifiantes… Si elle offrait à son mari ce qu'il attendait, nul doute qu'il aurait davantage de considération pour elle. Mais ce n'était pas tout…

Lorsque la Fête des Morts arriva, le quinzième jour du septième mois, je me mis à bombarder Fleur de Neige de questions – qui étaient d'ailleurs plutôt des suggestions, elle aurait dû le comprendre. Pourquoi n'essayait-elle pas d'être une meilleure épouse ? Pourquoi refusait-elle de combler son mari ? Pourquoi ne se pinçait-elle pas les joues pour se redonner des couleurs ? Pourquoi ne mangeait-elle pas davantage ? Pourquoi n'allait-elle pas trouver sa belle-mère, préparer ses repas, coudre et chanter avec elle, allégeant de la sorte ses dernières années ? Je croyais donner des conseils pratiques à ma *laotong*, sans avoir la moindre idée de ses préoccupations. Mais j'étais Dame Lu et j'étais convaincue d'avoir raison.

Et quand je fus à court d'idées, je l'interrogeai sur ses rapports avec ma propre famille. N'était-elle pas heureuse de se retrouver parmi nous ? N'aimait-elle pas les vêtements de soie que je lui offrais ? Ne présentait-elle pas avec déférence à son mari les cadeaux que lui adressait la famille Lu ? N'était-elle pas satisfaite que j'aie engagé un précepteur pour apprendre à lire et à écrire à son fils et aux autres enfants de Jintian ? Ne voyait-elle pas qu'en faisant de nos filles deux *laotong*, nous allions bouleverser le destin de Lune de Printemps, comme le mien l'avait été jadis ?

Si elle m'aimait vraiment, pourquoi ne suivait-elle pas mon exemple – qui consistait à respecter les conventions assurant la protection des femmes – afin d'améliorer sa situation ?

Face à ce flot d'interrogations, elle se contentait d'acquiescer ou de pousser un soupir. Sa réaction m'irritait davantage. Je reprenais mon discours de plus belle, jusqu'à ce qu'elle baisse les bras, me promettant d'agir comme je le lui conseillais. Mais elle ne le faisait pas. Et la fois suivante, ma colère s'en trouvait accrue. Je ne comprenais pas que l'esprit fougueux du Cheval qui avait mû Fleur de Neige dans son enfance était à présent brisé. J'étais assez stupide pour croire que je parviendrais à remettre en piste un cheval devenu boiteux.

Ma vie changea radicalement le quinzième jour du huitième mois lunaire, durant la sixième année du règne de Xianfeng. La fête de la Mi-automne arrivait. D'ici quelques jours, nous devions commencer le bandage de nos filles. Il était prévu que Fleur de Neige et ses enfants viennent passer ces jours de fête à mes côtés. Pourtant, ce ne furent pas eux qui se présentèrent à ma porte, mais Lotus, l'une des jeunes femmes en compagnie desquelles nous avions passé l'hiver dans la montagne. Je l'invitai à monter prendre le thé avec moi à l'étage.

— Je vous remercie, dit-elle, mais je suis venue à Tongkou pour voir ma famille natale.

— Les familles sont toujours heureuses de retrouver leurs filles qui se sont mariées au loin, dis-je par politesse. Je suis sûre que chacun se réjouit de vous revoir.

— Et moi de même, dit Lotus en plongeant la main dans le panier rempli de gâteaux de lune qu'elle portait à son bras. Notre amie m'a chargée de vous remettre ceci.

Elle me tendit un paquet oblong, enveloppé dans un carré de soie vert céladon que j'avais récemment offert à Fleur de Neige. Après me l'avoir donné, Lotus me souhaita une heureuse fortune, fit demi-tour et disparut bientôt à l'angle de la ruelle.

Étant donné la forme du paquet, je savais ce qu'il contenait. Mais je ne comprenais pas pourquoi Fleur de Neige n'était pas venue et m'envoyait notre éventail à la place. Je montai l'objet à l'étage et attendis que mes belles-sœurs soient parties distribuer à travers le village les gâteaux de lune qu'elles avaient préparés. Je poussai ma fille à les accompagner afin de mettre à profit ses derniers jours de liberté. Lorsqu'elles eurent quitté la pièce, j'allai m'asseoir à côté de la fenêtre. Un halo de lumière passait à travers les croisillons, dessinant sur ma table de travail un motif qui ressemblait à des branchages. Je considérai le paquet un bon moment. Pourquoi redoutais-je tant de l'ouvrir ? Je m'y résolus enfin et sortis l'éventail de son étoffe. Puis je l'ouvris, révélant lentement chaque pli. À la suite des phrases que nous avions tracées avec cette encre de fortune, avant de quitter les montagnes, je découvris une nouvelle rangée de caractères.

J'ai trop d'ennuis, avait écrit Fleur de Neige de sa calligraphie régulière, qui avait toujours été supérieure à la mienne. *Il m'est impossible d'être celle que tu souhaites. Tu n'auras plus à supporter mes plaintes à l'avenir. Trois sœurs adoptives ont promis de m'aimer telle que je suis. Écris-moi, non plus comme avant pour me consoler, mais pour me rappeler les jours heureux que nous avons partagés dans notre enfance.* Son message s'arrêtait là.

J'avais l'impression qu'on m'avait plongé une épée dans le corps. *Aimer* ? Parlait-elle sérieusement d'être *aimée* par ces sœurs adoptives – sur *notre* éventail secret ? Encore sous le choc, je relus ses quelques phrases. *Trois sœurs adoptives ont promis de m'aimer*. Mais nous étions *laotong* – et c'était une union suffisamment forte pour triompher de bien des séparations. Notre lien était même censé prévaloir sur celui qui nous unissait à un homme par le biais du mariage. Nous avions juré d'être fidèles l'une à l'autre, jusqu'à ce que la mort nous sépare. Le fait qu'elle paraisse renoncer à un tel engagement pour nouer de nouvelles relations avec ces sœurs adoptives dépassait l'entendement. Elle allait jusqu'à suggérer que cela ne nous empêchait pas de rester amies… À mes yeux, ce qu'elle m'avait écrit était dix mille fois pire que si mon mari m'avait annoncé qu'il venait de prendre une concubine. De plus, j'avais eu moi-même la possibilité de former une nouvelle communauté de sœurs adoptives après mon mariage : ma belle-mère m'y avait même fortement encouragée, mais j'avais tout fait au contraire pour préserver ma relation avec Fleur de Neige. Et aujourd'hui, elle me repoussait ? On aurait dit que cette femme pour laquelle mon cœur vibrait d'un tel amour ne se souciait plus de moi, que je ne comptais plus à ses yeux de la même manière qu'autrefois.

Je songeai brusquement que les trois sœurs adoptives dont elle me parlait devaient être celles que nous avions rencontrées dans la montagne. Je fis redéfiler dans mon esprit les images de l'hiver passé. Ces femmes n'avaient-elles pas conspiré dès le début pour me séparer de ma *laotong* ? Fleur de Neige avait-elle été attirée par elles comme l'est un mari par de nouvelles concubines – plus jeunes, plus belles, plus empressées qu'une épouse fidèle ? Le lit de ces femmes était-il plus chaud, leurs corps plus fermes, leurs histoires plus croustillantes ? Quand elle les regardait, peut-être ne lisait-elle aucune attente, aucune exigence dans leurs regards...

Rien de ce que j'avais connu jusque-là n'était comparable à la douleur que je ressentais. Elle était bien pire que tout ce que j'avais pu vivre dans mon enfance. Mais soudain, un changement se produisit en moi. Je cessai de réagir comme la petite fille qui était tombée amoureuse de Fleur de Neige autrefois et décidai de me comporter comme Dame Lu – la maîtresse de maison qui pensait que les règles et les conventions peuvent apporter la paix intérieure. Il m'était plus facile de me pencher sur les travers de Fleur de Neige que de me laisser envahir par les émotions qui déchiraient mon cœur.

En raison de l'amour que j'éprouvais pour elle, j'avais toujours fait preuve d'une grande indulgence à l'égard de Fleur de Neige. Mais il suffisait de considérer ses faiblesses pour que ses trahisons et ses mensonges apparaissent au grand jour. Je songeai à tout ce qu'elle m'avait caché, des années durant – concernant sa famille, sa vie d'épouse et même de femme battue... Non seulement elle ne s'était pas avérée une *laotong* très loyale, mais son manque d'honnêteté empêchait même qu'on la tienne pour une véritable amie. Comme si cela ne suffisait pas, je pensai à ce qui s'était déroulé ces dernières semaines. De toute évidence, Fleur de Neige avait profité de mon statut social pour piocher sans vergogne dans ma garde-robe et mes réserves, ou pour ménager un meilleur avenir à sa fille, tout en faisant fi de mes conseils et de mes recommandations. J'eus brusquement l'impression d'avoir été dupée et prise pour une idiote.

Il se produisit ensuite un phénomène étrange. Une image de ma mère surgit dans mon esprit. Je me souvins combien j'avais désiré son amour, lorsque j'étais enfant. À l'époque de mon bandage, j'avais cru qu'en lui obéissant aveuglément je gagnerais son affection. Mais je m'étais trompée : la vérité, c'est qu'elle n'éprouvait aucun sentiment pour moi. Eh bien, il en allait probablement de même pour Fleur de Neige : elle n'avait jamais obéi qu'à ses intérêts égoïstes. Ma première réaction à l'égard de ma mère, lorsque j'avais compris son manque d'intérêt pour moi, avait été la colère. Mais au fil du temps, j'avais fini par devenir indifférente à son endroit. Pour me protéger, il fallait que j'adopte la même attitude à l'égard de Fleur de Neige. Personne ne devait jamais connaître le désespoir où me plongeait son abandon. Il fallait que je dissimule ma rage et ma détresse, car de tels sentiments étaient indignes d'une femme honorable.

Je refermai l'éventail et le mis de côté. Fleur de Neige me demandait de lui répondre. Je ne le fis pas. Une semaine s'écoula. Le jour que nous avions fixé pour le début du bandage de nos filles arriva, mais je m'abstins d'y procéder. Une autre semaine passa. Lotus revint se présenter chez moi, m'apportant cette fois une lettre. Yonggang me la monta à l'étage. Je la dépliai et contemplai les caractères, qui étaient pour moi autant de coups d'épée dans le cœur.

Pourquoi ne m'as-tu pas écrit ? Es-tu malade ? La bonne fortune a-t-elle encore frappé à ta porte ? J'ai commencé le bandage de ma fille le vingt-quatrième jour de ce mois, comme cela avait été le cas pour nous jadis. As-tu procédé de même ? J'aperçois ta maison depuis ma fenêtre. Mon cœur s'envole vers toi, entonnant un chant de bonheur pour nos filles.

Je lus sa lettre d'une traite, puis l'approchai de la flamme de ma lampe à huile. Je regardai le papier se gondoler, les mots noircir et partir en fumée. Au cours des jours suivants – la température s'était rafraîchie et j'avais entrepris le bandage de ma fille – d'autres lettres arrivèrent. Je les brûlai de la même manière.

J'avais alors trente-trois ans. S'il me restait sept années à vivre – et *a fortiori* dix-sept – je pourrais m'estimer heureuse. Mais je ne pouvais supporter une minute de plus cette douleur qui me rongeait. Mon tourment était grand, mais je m'imposai la même discipline qui m'avait permis de surmonter l'épreuve du bandage, de l'épidémie ou du séjour dans les montagnes : j'entrepris d'éradiquer le mal de mon cœur. Chaque fois qu'un souvenir surgissait, je le recouvrais mentalement d'une couche d'encre noire. Si mon regard se posait sur un quelconque objet me rappelant le passé, je fermais aussitôt les yeux. S'il s'agissait d'une odeur, je respirais une fleur capiteuse ou rajoutais de l'ail dans la poêle. Si c'était par le toucher que le souvenir remontait – une caresse de ma fille sur ma main, le souffle de mon mari étendu contre moi ou celui de la brise sur mes seins lorsque je me baignais –, je le chassais en me frottant vigoureusement la peau. J'étais aussi impitoyable qu'un paysan après la récolte, arrachant les mauvaises herbes de son champ. Je voulais faire table rase, sachant que c'était la seule manière de panser mes blessures.

Comme les souvenirs et l'amour de Fleur de Neige continuaient de me tourmenter, j'édifiai une pagode fleurie, semblable à celle que nous avions construite pour éloigner l'esprit de Belle Lune. Il fallait que je conjure ce nouveau spectre, afin qu'il cesse de me hanter. Je vidai mes paniers, mes coffres, mes tiroirs et mes étagères de tous les objets que m'avait offerts Fleur de Neige, au fil des années. Je rassemblai toutes les lettres qu'elle m'avait écrites – enfin, à peu près, car certaines échappèrent à mes recherches. D'autres objets manquaient également à l'appel, comme notre éventail, sur lequel je ne réussis pas à mettre la main. Mais enfin, je plaçai tout ce que j'avais pu réunir au pied de la pagode fleurie. Puis je composai une lettre :

Toi qui jadis connaissais mon cœur, ignore désormais tout de moi. Je brûle tes mots, en espérant qu'ils se disperseront dans les nuées. Toi qui m'as trahie et abandonnée, tu as quitté mon cœur à jamais. Je t'en prie, laisse-moi en paix.

Je pliai la feuille et la glissai à travers la minuscule fenêtre à croisillons de la pagode fleurie. Puis je mis le feu à l'édifice, l'arrosant d'huile afin que les mouchoirs et les divers tissus brodés se consument aussi.

Mais le souvenir de Fleur de Neige continua pourtant de me hanter. Lorsque je commençai le bandage de ma fille, j'avais l'impression qu'elle était présente dans la pièce, la main sur mon épaule et me chuchotant à l'oreille : « Assure-toi que les bandes de tissu ne plissent pas. Montre à ta fille ton amour maternel. » Je me mis à chanter pour chasser ses paroles. Parfois, le soir, il me semblait sentir sa main posée sur ma joue et je n'arrivais pas à m'endormir. Je restais étendue, furieuse contre elle et contre moi, me répétant sans arrêt : je te hais, je te hais, je te hais… Tu m'as trahie, tu as rompu ta promesse.

Deux personnes eurent à supporter le contrecoup de ma souffrance. La première fut ma fille, je l'avoue à ma honte. Et la seconde, à mon très grand regret, fut la vieille Madame Wang. Mon amour maternel était immense et lorsque je bandai les pieds de Jade, vous ne pouvez imaginer toutes les précautions que je pris. Je me souvenais non seulement de ce qui était arrivé à ma petite sœur, mais aussi des leçons de ma belle-mère, qui m'avait exhortée à exécuter cette opération proprement, afin d'éviter tout risque d'infection ou de malformation. Mais c'était aussi ma propre souffrance que je lisais dans celle de ma fille…

Ses os – comme son caractère – étaient d'une grande souplesse, mais cela ne l'empêchait pas de pleurer à chaudes larmes. Cela m'était déjà insupportable, alors que nous venions à peine de commencer. Mais je parvins à ravaler mes sentiments et obligeai ma fille à arpenter de long en large l'appartement des femmes, serrant un peu plus ses bandages chaque fois que nous les changions et lui lançant sans aménité les mêmes recommandations que ma mère : « C'est à travers la douleur qu'on acquiert la beauté – et à travers la souffrance qu'on atteint la paix. Aujourd'hui, c'est moi qui bande tes pieds ; mais demain, tu en récolteras les bénéfices. » J'espérais à travers mon action récupérer une infime partie de ces bénéfices et atteindre la paix que ma mère m'avait promise.

J'allai même trouver d'autres mères de Tongkou qui étaient elles aussi en train de bander les pieds de leurs filles. « Nous habitons toutes ici, leur dis-je, et appartenons à des familles respectables. Nos filles ne pourraient-elles devenir des sœurs adoptives ? »

Au bout du compte, les pieds de ma fille ne dépassèrent pas la taille des miens. Mais avant de connaître l'issue de cette opération, je reçus la visite de Madame Wang, au cours du cinquième mois de l'année lunaire. Dans mon esprit, elle avait toujours été une vieille femme. Mais ce jour-là, je l'examinai d'un œil plus critique. Elle était alors beaucoup plus jeune que je ne le suis à présent. La première fois que je l'avais vue, au temps lointain de mon enfance, elle devait avoir une quarantaine d'années. En y réfléchissant, je crois que Madame Wang, une fois devenue veuve, n'avait pas eu plus envie de mourir que de se remarier. Elle avait donc choisi de se débrouiller seule et y était parvenue, ayant l'esprit porté vers le commerce. À présent qu'elle approchait les soixante-dix ans, elle n'avait plus besoin de se cacher derrière l'écran du maquillage ou de vêtements trop voyants. C'était une vieille femme rusée et habile en affaires, mais dont je connaissais le point faible. Elle adorait sa nièce.

— Dame Lu, commença-t-elle en prenant un siège. Cela fait bien longtemps…

Voyant que je ne lui proposais pas de thé, elle regarda autour d'elle d'un air alarmé.

— Votre époux est-il à la maison ? s'enquit-elle.

— Maître Lu rentrera plus tard, répondis-je. Mais c'est vous qui êtes en avance. Ma fille est trop jeune pour que nous songions déjà à négocier son mariage.

Madame Wang se donna une claque sur la cuisse et émit un petit gloussement. Voyant que je ne me joignais pas à elle, elle reprit aussitôt son sérieux.

— Vous savez fort bien que ce n'est pas la raison de ma visite, dit-elle. Je suis venue pour une alliance entre deux *laotong*. Et vous n'ignorez pas que c'est une affaire qui se règle entre femmes.

Je me mis à faire crisser la pointe de mon ongle sur l'accoudoir de mon fauteuil. Le bruit était insupportable, mais je ne m'interrompis pas. Madame Wang sortit de sa manche un éventail et me dit :

— J'ai apporté ceci pour votre fille. Peut-être pourrais-je le lui remettre ?

— Ma fille est à l'étage, dis-je. Mais Maître Lu n'apprécierait probablement pas qu'elle lise un message avant qu'il en ait lui-même pris connaissance.

— Mais, Dame Lu, il s'agit de notre écriture secrète…

— Dans ce cas, donnez-le-moi.

La vieille entremetteuse vit que ma main tremblait et risqua, d'une voix hésitante :

— Fleur de Neige…

— Taisez-vous !

L'interjection avait été plus cinglante que je ne l'avais voulu, mais je ne supportais plus d'entendre prononcer ce nom. Je me calmai et repris :

— L'éventail, je vous prie…

Elle me le tendit d'un air réticent. À l'intérieur de ma tête, je disposais d'une armée de pinceaux prêts à badigeonner d'encre noire les souvenirs qui risquaient de resurgir. J'ouvris l'éventail d'un geste bref.

J'apprends qu'une jeune fille de noble caractère, experte dans les arts domestiques, vit dans cette maison. C'étaient les premiers mots que Fleur de Neige m'avait écrits, bien des années plus tôt. Je relevai les yeux et vis que Madame Wang m'observait avec attention. Mais les traits de mon visage demeurèrent aussi lisses que la surface d'un étang par une nuit calme. *Nos deux familles cultivent un jardin. Deux fleurs y sont écloses. Les voici prêtes à se rencontrer. Nous sommes nées toi et moi la même année. Ne pourrions-nous devenir lao-tong ? Nous prendrons notre envol ensemble vers les nuées.*

Je reconnaissais l'intonation de Fleur de Neige derrière chacun des caractères, tracés avec soin. Je refermai l'éventail et le tendis à Madame Wang. Celle-ci ne le prit pas.

— Je crois qu'il y a un malentendu, Madame Wang. Les huit caractères de ces deux fillettes ne correspondent pas. Elles ne sont nées ni le même jour, ni le même mois. Plus grave encore, leurs pieds n'avaient pas la même taille avant que ne débute leur bandage et je doute qu'il en aille différemment par la suite. Quant aux conditions de leurs familles respectives, ajoutai-je en désignant la pièce où nous nous trouvions, il est de notoriété publique que tout les sépare.

Les yeux de Madame Wang s'étrécirent.

— Vous croyez que j'ignore ce qui se trame derrière toute cette affaire ? dit-elle avec une moue de dédain. Vous avez rompu votre lien sans la moindre explication. Votre *laotong* pleure jour et nuit depuis lors, tant son désarroi est grand.

— Son désarroi ? dis-je. Savez-vous ce qu'elle a fait ?

— Parlez-lui, poursuivit Madame Wang. Ne remettez pas en cause une union souhaitée par deux mères aimantes.

Je ne pouvais entrer dans les vues de l'entremetteuse. Trop souvent par le passé je m'étais laissé fléchir, convaincre ou influencer par la tristesse de Fleur de Neige. Je ne pouvais pas davantage prendre le risque de la voir au milieu de ses nouvelles sœurs adoptives. Je me tourmentais déjà assez en songeant à leur intimité physique ou aux secrets qu'elles s'échangeaient.

— Madame Wang, dis-je, je ne tiens pas à ce que ma fille s'abaisse au point d'être unie à l'héritière d'un boucher.

Je m'étais montrée délibérément méprisante, dans l'espoir que l'entremetteuse abandonne le sujet. Mais on aurait dit qu'elle ne m'avait pas entendue, car elle reprit :

— Je vous revois toutes les deux, quand vous étiez petites. Un jour que vous franchissiez un pont, vos silhouettes se reflétaient dans l'eau : vous aviez la même taille, les mêmes pieds, la même allure déterminée. Vous vous étiez juré fidélité. Vous aviez promis de rester éternellement liées, de ne jamais vous séparer…

— Vous ne savez pas de quoi vous parlez, dis-je. Le jour où nous avons signé notre contrat, vous nous aviez dit : « Pas question de sœurs adoptives, en ce qui vous concerne. » Vous en souvenez-vous ? Eh bien, demandez donc à votre nièce si elle a suivi votre conseil.

Je jetai l'éventail sur les genoux de l'entremetteuse et détournai les yeux. Mon cœur était aussi glacé que l'eau de la rivière le jour où j'y avais trempé les pieds. Je sentais le regard de la vieille femme posé sur moi, incisif et interrogateur, mais elle renonça finalement à poursuivre. Je l'entendis se lever, mais ne fis pas un geste.

— Je transmettrai votre message, dit-elle enfin d'une voix empreinte d'une douceur et d'une compréhension qui me remuèrent étrangement. Mais je tiens à vous dire ceci : Vous êtes une personne peu banale – et même unique, je le sais depuis longtemps. Tout le monde dans notre district envie votre sort. Chacun vous souhaite longévité et prospérité. Mais ce que je constate, c'est que vous avez brisé deux cœurs, et j'en suis extrêmement triste. Je me souviens de la petite fille que vous étiez. À l'époque, en dehors de vos jolis pieds, vous ne possédiez strictement *rien*. Mais vous connaissez aujourd'hui l'abondance, Dame Lu – une abondance de rancune, d'ingratitude et de méchanceté.

Sur ces paroles, elle se dirigea vers la porte. Je l'entendis monter dans son palanquin et dire à ses porteurs de la conduire à Jintian. Je n'arrivais pas à croire qu'elle ait réussi à avoir le dernier mot.

Une année s'écoula. Je voyais approcher les journées « de Chaise et de Chant » de la cousine de Fleur de Neige, qui vivait à deux pas de chez moi, et mon cœur était toujours déchiré, martelant ma poitrine sur un rythme obsédant. Nous avions prévu jadis de nous rendre ensemble à cette cérémonie, Fleur de Neige et moi. J'ignorais si elle comptait toujours venir. Mais j'espérais dans ce cas que nous pourrions éviter une confrontation. Je ne tenais pas à l'affronter comme j'avais affronté ma mère.

Le dixième jour du dixième mois arriva, marquant le début des cérémonies du mariage. Je me rendis chez mes voisins et montai à l'étage. La future mariée était belle, entourée de ses sœurs adoptives. J'aperçus aussi Madame Wang. Fleur de Neige était à ses côtés, les cheveux ramenés en arrière ainsi qu'il convenait pour une femme mariée, et vêtue d'une tenue que je lui avais offerte. Je sentis mon cœur se serrer et mon estomac se nouer. On aurait dit que mon sang s'était arrêté de battre ; j'étais à deux doigts de défaillir. Je me demandai si j'allais avoir la force d'assister à la cérémonie et me hâtai de regarder les autres invitées. Fleur de Neige n'avait pas demandé à Lotus, Branche de Saule et Fleur de Prunier de l'accompagner. Je poussai un soupir de soulagement : si l'une d'entre elles avait été présente, je me serais éclipsée sur-le-champ.

Je pris un siège, à l'opposé de l'endroit où Fleur de Neige et sa tante étaient assises. La cérémonie se déroula avec son cortège habituel de chansons, de lamentations, de récits légendaires et de plaisanteries. Puis la mère de la mariée s'adressa à Fleur de Neige et lui demanda de nous parler de son existence depuis qu'elle avait quitté Tongkou.

— J'ai décidé de vous chanter aujourd'hui une « lettre de récrimination », annonça Fleur de Neige.

Je n'avais pas prévu une chose pareille. Comment Fleur de Neige osait-elle étaler ses reproches sur la place publique, alors que c'était moi qui avais été trahie ? Si j'avais été prévenue, j'aurais au moins pu préparer un chant pour lui répondre.

— Le faisan pousse un cri rauque qui se répercute au loin, commença-t-elle.

Entendant la phrase qui ouvre traditionnellement ce type de complainte, les femmes de l'assemblée se tournèrent vers elle. Fleur de Neige se mit alors à chanter, sur le même rythme obsédant qui m'oppressait ces derniers mois :

— Pendant cinq jours, j'ai prié et brûlé de l'encens pour trouver le courage de venir jusqu'ici. Pendant trois jours, j'ai fait bouillir de l'eau parfumée pour purifier mon corps et mes habits, afin d'être présentable aux yeux de mes anciennes amies. J'ai mis mon âme dans ce chant. Quand j'étais petite, tout le monde m'enviait, mais chacune d'entre vous connaît le destin qui m'attendait. J'ai quitté mon village natal, j'ai perdu ma famille. Les femmes sont maudites dans ma lignée, depuis deux générations. Mon mari n'est pas tendre avec moi, ma belle-mère est cruelle. Sept fois j'ai été enceinte, mais seuls trois de mes enfants ont respiré l'air de ce monde. Je n'ai plus aujourd'hui qu'un fils et une fille. On dirait que le mauvais sort s'est acharné sur moi. J'ai dû commettre de terribles actions dans une vie antérieure.

Les sœurs adoptives de la mariée se mirent à pleurer afin de manifester leur compassion, comme elles étaient censées le faire. Leurs mères suivaient attentivement la complainte, poussant des « Oooh ! » et des « Aaah ! » lors des passages les plus attristants et hochaient la tête en constatant que le destin d'une femme était décidément inéluctable.

— J'ai connu un seul bonheur dans ma vie, poursuivit Fleur de Neige : celui que je dois à ma *laotong*. Dans notre contrat, nous avions écrit que jamais un mot méchant n'aurait cours entre nous. Et ce fut le cas, vingt-sept ans durant. Nous ne nous cachions rien. Nous étions comme deux sarments de vigne, étroitement mêlés. Mais à force de m'entendre lui conter mes malheurs, elle finit par perdre patience. Elle me rappela que les hommes travaillent aux champs et que les femmes tissent, que c'est par le labeur qu'on met un terme à la famine. Elle pensait sans doute que je pouvais changer le cours de mon destin. Mais existe-t-il un monde sans pauvres ni laissés pour compte ?

Je vis avec stupéfaction que toutes les femmes pleuraient en l'entendant.

— Pourquoi t'es-tu détournée de moi ? lança-t-elle en haussant la voix. Nous étions *laotong* toi et moi – nos âmes étaient unies même quand la vie nous séparait.

Puis, brusquement, elle passa à un autre sujet :

— Et pourquoi as-tu fait tant de peine à ma fille ? Lune de Printemps est trop jeune pour comprendre tes raisons, que tu n'as d'ailleurs pas exposées. Je ne m'attendais certes pas à ce que tu fasses preuve d'une telle méchanceté. Rappelle-toi, je t'en supplie, qu'autrefois notre entente était plus profonde que l'océan. Ne condamne pas une troisième génération à la souffrance.

Après cette dernière saillie, l'atmosphère changea dans la pièce. L'assistance songeait à cette ultime injustice. La vie des femmes était déjà suffisamment pénible sans que je l'alourdisse – *a fortiori* pour un être plus faible que moi.

Je me levai. J'étais Dame Lu, la femme la plus respectée du comté, et j'aurais dû rester au-dessus de tout ça. Mais je décidai au contraire d'écouter la musique intérieure qui me taraudait depuis des semaines.

— Le faisan pousse un cri rauque qui se répercute au loin, déclarai-je, tandis que les termes de ma propre « lettre de récrimination » prenaient forme dans mon esprit.

Je commençai par réfuter la dernière et la plus injuste des accusations portées par Fleur de Neige. Mon regard parcourut l'assemblée des femmes tandis que je chantais :

— Nos deux filles ne peuvent être *laotong*, leurs caractères ne s'accordent pas et elles n'ont rien en commun. Votre ancienne voisine souhaite ce destin pour sa fille, mais je ne tiens pas à enfreindre un tabou. En refusant son offre, je me suis comportée comme n'importe quelle mère l'aurait fait.

Je déclarai ensuite :

— Toutes les femmes présentes dans cette pièce ont connu des épreuves. Dans notre enfance, on nous a élevées comme des branches inutiles. Nous aimons peut-être encore notre famille, mais ne vivons plus depuis longtemps avec elle. Nous sommes allées nous marier dans des villages que nous ne connaissions pas, avec des hommes que nous n'avions jamais vus. Nous travaillons sans répit et si nous nous plaignons, nous perdons le peu de respect que nous témoigne notre belle-famille. Nous portons des enfants : tantôt ils meurent, tantôt c'est nous qui succombons. Quand nos maris sont las de nous, ils prennent des concubines. Nous avons toutes été confrontées à la calamité des mauvaises récoltes, des hivers trop rigoureux, de la sécheresse qui ravage les plantations. Rien d'extraordinaire dans tout cela. Mais cette femme nous demande de prêter une attention particulière à son malheur.

Je me tournai vers Fleur de Neige. Des larmes me montèrent aux yeux sitôt que je m'adressai à elle. Et à peine mes paroles étaient-elles sorties de ma bouche que je les regrettai :

— Nous étions unies toi et moi comme une paire de canards mandarins. Je t'ai toujours été fidèle mais tu m'as repoussée pour aller trouver refuge auprès de ces sœurs adoptives. Quand deux fillettes ont échangé leur éventail, elles n'en envoient pas un autre à la première venue. Un bon cheval n'a pas deux selles, une femme digne de ce nom ne fait pas d'infidélité à sa *laotong*. Peut-être est-ce à cause de ta perfidie que ton époux, ta belle-mère, tes enfants et même l'âme sœur que tu as trahie ne t'ont pas chérie comme ils l'auraient pu. Tu nous fais honte à toutes, avec tes idées puériles. Si mon mari arrivait aujourd'hui à la maison avec une concubine, je me verrais répudiée, négligée, chassée de ses pensées. Comme chacune ici présente, je serais bien forcée de l'accepter. Mais de... ta... part...

Ma gorge se serra et les larmes que j'essayais de refouler jaillirent de mes yeux. Pendant un instant, je crus que je n'allais pas pouvoir continuer. J'essayai de mettre ma douleur de côté et d'exprimer quelque chose que toutes les femmes ici réunies pourraient comprendre.

— Nous pouvons nous attendre à perdre l'affection de notre mari – il en a le droit et nous ne sommes que des femmes – mais une telle trahison de la part d'une autre femme, qui devrait savoir pour l'avoir vécu soi-même quelle cruauté cela représente, voilà qui est impitoyable.

Je continuai en rappelant à mes voisines mon statut et celui de mon mari, qui était allé chercher du sel au loin et avait fait en sorte que la population de Tongkou puisse se mettre à l'abri, lors de la rébellion.

— Le seuil de ma maison est propre, dis-je. Mais qu'en est-il du tien ? ajoutai-je en me tournant vers Fleur de Neige.

À cet instant, la vague de colère qui couvait au plus profond de moi remonta à la surface et aucune femme dans la pièce n'aurait pu endiguer le flot de mes paroles.

J'avais l'impression qu'un coup de poignard en plein cœur les avait libérées. Je savais *tout*, concernant Fleur de Neige. Drapée dans ma dignité de Dame Lu, j'entrepris de l'humilier devant les autres femmes, en révélant ses moindres faiblesses. Je ne leur cachai rien, tout simplement parce que je ne me contrôlais plus. Une image très ancienne me revint brusquement à l'esprit : celle de ma petite sœur en train d'agiter les jambes, tandis que ses bandages se dénouaient autour d'elle. À chaque invective que je lançais, j'avais l'impression que mes propres liens se desserraient et que j'étais enfin libre de dire ce que je pensais. Il m'a fallu des années pour comprendre que c'était une image tout à fait erronée. Mes liens ne se défaisaient nullement : ils se resserraient au contraire, pour étouffer le seul amour véritable qu'il m'avait été donné de connaître.

— Cette femme, qui était jadis votre voisine, a constitué son trousseau à partir de celui de sa propre mère. De sorte que la pauvre femme n'avait plus rien à se mettre et grelottait de froid lorsqu'elle devait sortir. Cette femme, qui était jadis votre voisine, tient fort mal sa maison. Son mari exerce un métier indigne, égorgeant des cochons par centaines sur le seuil de sa propre demeure. Cette femme, qui était jadis votre voisine, a de nombreux talents mais les garde pour elle, refusant d'apprendre notre langage secret aux femmes de sa maisonnée. Cette femme, qui était jadis votre voisine, a menti sur la réalité de sa condition pendant toute son enfance. Et elle a continué de mentir en tant qu'épouse et mère pendant ses années « de riz et de sel ». Non seulement à vous toutes, mais à sa *laotong*.

Je marquai une pause, parcourant des yeux l'assemblée des femmes.

— Savez-vous à quoi elle occupe son temps ? Je vais vous le dire. À ses plaisirs lubriques ! Les femelles des animaux sont périodiquement en chaleur, mais cette femme l'est en permanence ! Ses cris bestiaux font la honte de sa maison. Quand nous étions dans les montagnes, fuyant les rebelles, elle préférait accomplir son devoir conjugal avec son mari plutôt que de rester avec moi – sa *laotong* ! Elle vous a dit qu'elle avait dû commettre de terribles actions dans une vie antérieure. Mais moi, Dame Lu, je vous certifie que ce sont ses actes dans sa vie *présente* qui ont forgé son destin.

Fleur de Neige traversa la pièce et s'avança vers moi, le visage sillonné de larmes. Mais j'étais tellement possédée que je ne parvenais à extérioriser que ma colère.

— Nous avons rédigé un contrat quand nous étions enfants, déclarai-je pour conclure. Tu avais pris un engagement, et tu l'as rompu.

Fleur de Neige prit une profonde inspiration et répondit d'une voix tremblante :

— Tu m'avais demandé jadis de ne jamais te mentir. Mais quand je te disais la vérité, tu l'interprétais mal. Ou bien elle te déplaisait. J'ai rencontré dans mon village des femmes qui ne me jugent pas. Et qui ne me demandent pas d'être celle que je ne suis pas.

Chacun des mots qu'elle prononçait renforçait mes pires soupçons.

— Elles ne m'humilient pas en public, poursuivit Fleur de Neige. Je fais de la broderie en leur compagnie et nous nous consultons quand nous avons des problèmes. Elles n'ont pas pitié de moi. Elles me rendent visite quand je ne vais pas bien. Je vis dans la solitude et l'isolement. J'ai besoin de compagnes qui me réconfortent tous les jours, pas seulement lorsque l'envie les prend. Qui me voient telle que je suis aujourd'hui, et non comme dans leur souvenir. Je me sens comme un oiseau qui vole seul, sans trouver sa partenaire…

Ses excuses correspondaient point par point à ce que j'avais redouté. Je fermai les yeux, en essayant de refouler mes sentiments. Pour me protéger, il fallait que j'aille jusqu'au bout, comme je l'avais fait avec ma mère. Lorsque je rouvris les yeux, Fleur de Neige s'était relevée et se dirigeait vers la porte. Quand je vis que Madame Wang ne la suivait pas, un sentiment de triomphe envahit mon cœur. Même sa propre tante lui refusait son soutien !

Tandis que Fleur de Neige disparaissait dans l'escalier, je me jurai intérieurement de ne jamais la revoir.

Quand j'y repense à présent, je sais que j'ai terriblement failli ce jour-là à mes devoirs et à mes obligations de femme. Ce que Fleur de Neige avait fait était peut-être impardonnable, mais mon discours était en tout point méprisable. J'avais laissé parler ma colère et, en dernier ressort, mon désir de vengeance. Ironiquement, cette épreuve que j'ai tant regrettée plus tard m'a aidée à acquérir définitivement mon statut de Dame Lu. Mes voisines pouvaient témoigner du courage dont j'avais fait preuve lorsque mon mari était parti à Guilin. Elles savaient que je m'étais occupée de ma belle-mère pendant l'épidémie et que j'avais manifesté une grande piété filiale lors des funérailles de mon beau-père. Après avoir survécu à ce terrible hiver dans les montagnes, elles m'avaient vue envoyer des professeurs dans les villages environnants, assister à toutes les cérémonies dans la plupart des familles de Tongkou et m'acquitter, de manière générale, de mon rôle d'épouse du chef du village. Mais ce jour-là, j'ai véritablement gagné leur respect, en remplissant le rôle qui nous est dévolu en tant que femmes, mais que peu d'entre nous ont l'occasion d'exercer. Une épouse doit donner l'exemple de la règle et du droit dans la sphère féminine. Si elle y parvient, ces règles se transmettront autour d'elle, de famille en famille, influençant non seulement l'attitude des femmes et des enfants, mais également celle des hommes. Ainsi ces derniers s'attacheront-ils à faire régner l'ordre et la paix dans le monde extérieur et l'empereur pourra-t-il contempler le résultat avec satisfaction, du haut de son trône. J'avais accompli cet exploit au sein de notre communauté, en démontrant à mes voisines que Fleur de Neige était une femme vile, indigne de participer à nos activités. J'avais atteint mon but, même si cela signifiait la ruine de ma *laotong*.

Mon « chant de récrimination » connut son heure de gloire. Il fut reproduit sur des mouchoirs et des éventails. On l'enseigna aux jeunes filles et on le chanta pendant les cérémonies de mariage, pour prévenir les futures épouses du danger qui les guettait. Et de la sorte, la disgrâce de Fleur de Neige se répandit à travers tout le district. Quant à moi, ces événements m'avaient laissée exsangue. À quoi cela me servait-il d'être devenue Dame Lu, si l'amour avait déserté ma vie ?

DANS LES NUÉES

Huit années passèrent. L'empereur Xianfeng mourut au cours de cette période. L'empereur Tongzhi lui succéda sur le trône et la révolte des Taiping s'acheva quelque part dans une province lointaine. Mon fils aîné se maria ; une fois enceinte, sa femme vint s'installer chez nous et mit au monde le premier de mes nombreux petits-fils. Mon fils passa également les examens impériaux pour devenir *shengyuan*, mandarin à l'échelle du district. Puis il poursuivit ses études et accéda au statut de *xiucai*, mandarin relevant du gouvernement provincial. Il n'avait pas beaucoup de temps à consacrer à son épouse, mais je crois que celle-ci se sentait à l'aise à l'étage, dans l'appartement des femmes. C'était une jeune femme de qualité, bien élevée et de grand talent, que j'appréciais beaucoup. Ma fille, qui avait désormais seize ans, était fiancée au fils d'un marchand de riz de Guilin. Je risquais donc de ne plus la revoir, une fois qu'elle serait mariée, mais cette alliance allait renforcer nos liens avec le commerce du sel. La famille Lu était riche, respectée et favorisée par le destin. J'étais âgée de quarante-deux ans à présent et j'avais fait tout ce qui était en mon pouvoir pour chasser Fleur de Neige de ma mémoire.

Un jour de fin d'automne, dans la quatrième année du règne de l'empereur Tongzhi, Yonggang vint me trouver à l'étage et me chuchota à l'oreille que quelqu'un demandait à me voir. Je lui dis de faire monter la personne en question, mais les yeux de la servante se posèrent sur ma fille et ma belle-fille, qui brodaient côte à côte, et elle hocha négativement la tête. S'il ne s'agissait pas d'une impertinence de sa part, c'est que l'affaire était sérieuse. Je descendis sans un mot. À l'instant où je pénétrai dans la pièce principale, une jeune fille en haillons tomba à genoux et se jeta par terre, frappant le sol du front. Des mendiantes de ce genre se présentaient fréquemment chez moi, ayant entendu parler de ma générosité.

— Dame Lu, vous seule pouvez m'aider, lança la jeune fille tout en rampant vers moi, jusqu'à ce que son front vienne heurter mes chaussures.

Je me penchai et posai la main sur son épaule.

— Donne-moi ta gamelle, dis-je, je vais la remplir.

— Je ne suis pas une mendiante, ce n'est pas pour de la nourriture que je suis venue vous trouver.

— Dans ce cas, que veux-tu ?

La jeune fille se mit à pleurer. Je lui dis de se relever. Comme elle ne le faisait pas, je posai à nouveau la main sur son épaule. À côté de moi, Yonggang ne disait rien et gardait les yeux rivés au sol.

— Lève-toi, ordonnai-je.

La jeune fille releva la tête et me regarda dans les yeux. Je l'aurais reconnue n'importe où. La fille de Fleur de Neige ressemblait trait pour trait à sa mère au même âge. Des mèches indisciplinées encadraient son visage aussi pâle que la lune de printemps dont elle portait le nom. Dans les brumes du souvenir, je la revis lorsqu'elle venait de naître, puis au cours de ce terrible hiver que nous avions passé dans les montagnes. Jadis, cette belle jeune fille avait été la fille de ma *laotong*. Et aujourd'hui, elle était à mes pieds, frappant à nouveau le sol du front et implorant mon aide.

— Ma mère est très malade, dit-elle. Elle ne passera pas l'hiver. Nous ne pouvons plus rien pour elle, sinon apaiser son esprit rongé par le chagrin. Je vous en prie, venez la voir ! Elle vous appelle. Il n'y a que vous qui puissiez la soulager.

Ne serait-ce que cinq ans plus tôt, ma douleur était encore si vive que j'aurais sans doute renvoyé la jeune fille. Mais j'avais appris beaucoup de choses en accomplissant les devoirs qui m'incombaient en tant que Dame Lu. Jamais sans doute je n'aurais pardonné à Fleur de Neige la peine qu'elle m'avait faite, mais en raison de ma position dans le comté, je me devais de lui manifester ma compassion. Je dis à Lune de Printemps de rentrer chez elle, en lui promettant que je la suivrais de près. Après quoi, je fis apprêter un palanquin et me rendis à Jintian. En chemin, je me préparai intérieurement à affronter Fleur de Neige et le boucher, ainsi que leur fils, qui devait être marié à présent, mais aussi – et surtout ! – les fameuses sœurs adoptives.

Le palanquin me déposa juste devant la maison. Tout était comme avant. Du bois était empilé près de l'entrée. La plate-forme et sa bassine encastrée attendaient leurs futures victimes. J'hésitai un instant. La silhouette du boucher se découpa soudain dans l'encadrement de la porte. Il paraissait plus vieux, plus amaigri qu'avant, mais n'avait pas vraiment changé.

— Je ne supporte pas de l'entendre souffrir.

Tels furent les premiers mots qu'il m'adressa, au bout de huit ans, en s'essuyant les yeux du revers de la main.

— Elle m'a donné un fils, reprit-il, qui m'a aidé à faire prospérer mon affaire. Elle m'a donné une fille serviable. Sa présence a embelli ma maison. Elle s'est occupée de ma mère jusqu'à son décès. Elle s'est en tout point comportée comme une digne épouse. Mais j'ai été cruel envers elle, Dame Lu. Je le vois à présent.

Il s'effaça pour me laisser entrer et ajouta :

— Il vaut mieux la laisser en compagnie des femmes.

Je le vis s'éloigner en direction des champs – le seul endroit où un homme puisse se retirer pour cacher son chagrin.

Il m'est pénible d'évoquer le souvenir de cette journée, même au bout de tant d'années. Je croyais avoir définitivement effacé Fleur de Neige de ma mémoire. Je pensais ne jamais pouvoir lui pardonner d'avoir préféré la compagnie de ses sœurs adoptives à la mienne. Mais à peine l'eus-je aperçue, allongée dans son lit, que ces sentiments s'envolèrent sur-le-champ. Le temps l'avait marquée. J'étais certes moi aussi une femme âgée, mais ma peau était encore douce, grâce aux poudres et aux onguents. Et mes vêtements témoignaient aux yeux de tous de la position qui était la mienne. Fleur de Neige, dans son lit, ressemblait à une vieille mendiante en haillons. Contrairement à sa fille, dont le visage m'avait été immédiatement familier, je ne l'aurais sans doute pas reconnue si je l'avais aperçue dans la rue, dans les parages du temple de Gupo.

Les autres femmes étaient évidemment présentes – Lotus, Branche de Saule et Fleur de Prunier. Comme je l'avais soupçonné dès le départ, les sœurs adoptives de Fleur de Neige étaient bien celles dont nous avions partagé l'existence dans les montagnes. Nous n'échangeâmes pas le moindre salut.

Comme je m'approchais du lit, Lune de Printemps se leva et se plaça sur le côté. Fleur de Neige avait les yeux fermés et son visage était d'une pâleur mortelle. Ne sachant trop que faire, je regardai sa fille. Celle-ci opina du menton et je pris dans la mienne la main glacée de Fleur de Neige. Elle remua faiblement, sans ouvrir les yeux, puis humecta ses lèvres desséchées.

— Je sens…

Elle s'interrompit et secoua la tête, comme pour chasser une pensée qui lui était venue.

Je l'appelai doucement par son nom, tout en lui serrant la main.

Les yeux de ma *laotong* s'ouvrirent et se fixèrent sur moi, refusant tout d'abord de croire ce qu'ils voyaient.

— J'ai reconnu le contact de ta main, murmura-t-elle enfin. Je savais que c'était toi.

Sa voix était faible, mais sitôt qu'elle parla, les années de douleur et de tourment se dissipèrent. Derrière ce corps rongé par la maladie, je distinguais à nouveau la petite fille qui m'avait proposé de devenir sa *laotong*, à l'aube de ma vie.

— J'ai entendu que tu m'appelais, mentis-je. Je suis venue aussi vite que j'ai pu.

— Je t'attendais.

Son visage se tordit brusquement de douleur, tandis qu'elle portait la main à son ventre et relevait instinctivement les jambes. Sans un mot, sa fille plongea un linge dans une bassine d'eau, l'essora et me le tendit. Je le pris et épongeai la sueur qui avait inondé le front de ma *laotong*, pendant sa contraction.

Malgré sa souffrance, elle reprit :

— Je suis désolée pour tout ce qui s'est passé, mais je veux que tu saches que mon amour pour toi n'a jamais été entamé.

Tandis qu'elle s'excusait de la sorte, un nouveau spasme parcourut son corps, plus violent que le précédent. Ses yeux se refermèrent et elle cessa de parler. J'humectai à nouveau le linge et le plaçai sur son front. Puis je repris sa main et restai assise auprès d'elle jusqu'au coucher du soleil. Les autres femmes s'étaient éclipsées et Lune de Printemps était descendue préparer le dîner. Restée seule avec Fleur de Neige, je soulevai la couette qui la recouvrait. La maladie ne lui avait laissé que la peau sur les os et une affreuse tumeur gonflait son ventre, comme si elle avait été enceinte.

Aujourd'hui encore, je suis incapable d'expliquer les émotions qui m'agitaient. J'avais cru que je ne pourrais jamais lui pardonner, mais au lieu de m'attarder sur la question je considérai le ventre de ma *laotong*, en songeant qu'elle devait porter cette tumeur en elle depuis des années. Il était de mon devoir de...

Non, ce n'est pas exact. Ma douleur, pendant toutes ces années, tenait au fait que j'aimais toujours Fleur de Neige. Elle était la seule personne au monde à connaître mes faiblesses et à m'avoir aimée malgré tout. Et moi, je n'avais jamais cessé de l'aimer, même au plus fort de ma haine.

Je rabattis la couette et la bordai. Puis j'entrepris d'échafauder un plan. Il fallait faire venir un bon docteur. Fleur de Neige devait s'alimenter. Et nous allions également avoir besoin d'un devin. Je voulais qu'elle se batte comme je l'aurais fait à sa place. Je ne comprenais *toujours pas* qu'on ne peut pas davantage maîtriser les élans de l'amour que changer le cours du destin.

Je portai la main glacée de Fleur de Neige à mes lèvres, avant de redescendre. Le boucher était assis, effondré devant la table. Le fils de Fleur de Neige, qui était à présent un homme, se tenait aux côtés de sa sœur. Tous deux me regardaient avec une expression qu'ils avaient héritée de leur mère – un mélange de supplique, de fierté et de résignation.

— Je vais retourner chez moi, leur annonçai-je.

Voyant la déception se peindre sur leurs visages, je levai la main et ajoutai :

— Je serai de retour demain. Je vous demande entre-temps de m'aménager un endroit où je puisse dormir. Je ne bougerai plus d'ici jusqu'à ce que…

Je m'interrompis, incapable de poursuivre.

Une fois installée chez elle, je croyais que nous allions remporter la bataille ensemble. Mais j'ignorais que nous n'avions plus que deux semaines devant nous. Voilà le temps dont je disposais pour prouver mon amour à Fleur de Neige. Pas un instant je ne quittai sa chambre, durant ces quelques jours. Sa fille m'apportait à manger et vidait régulièrement le seau où je faisais mes besoins. Chaque jour, je lavais ma *laotong*, avant de me débarbouiller moi-même dans la cuvette. C'était devant une semblable bassine, bien des années plus tôt, que j'avais su que Fleur de Neige m'aimait. J'espérais qu'elle aurait conscience de mes gestes et se souviendrait du passé, comprenant ainsi que rien n'avait changé.

La nuit, lorsque tout le monde s'était retiré, j'abandonnais le lit de camp que sa famille avait mis à ma disposition pour aller me glisser sous la couette, aux côtés de Fleur de Neige. Je la prenais dans mes bras, en essayant de lui communiquer un peu de ma chaleur et d'apaiser la souffrance qui minait son corps, au point qu'elle gémissait même en rêvant. Chaque soir, je m'endormais en espérant que ma présence finirait par résorber la tumeur qui lui gonflait le ventre. Chaque matin, je me réveillais en sentant sa main posée sur ma joue et ses yeux cernés qui scrutaient les miens.

Pendant des années, c'était le médecin de Jintian qui s'était occupé de Fleur de Neige. Mais j'avais fait venir le mien. Un seul coup d'œil lui suffit.

— Il n'y a rien à faire pour la sauver, Dame Lu, me dit-il en hochant la tête. Nous ne pouvons qu'attendre l'instant de sa mort. Regardez : la peau est déjà violacée, au-dessus des bandages. Après les chevilles, ce sera le tour des jambes. Et ses forces iront en décroissant, à mesure que le mal s'étendra. Sa respiration, selon moi, ne tardera pas à se modifier. Vous percevrez une inspiration, une expiration, puis plus rien. Et quand vous croirez que tout est fini, vous entendrez une nouvelle inspiration. Ne pleurez pas, Dame Lu. À ce moment-là, la fin sera très proche et elle n'aura même plus conscience de la douleur.

Le médecin laissa des sachets d'herbes, qu'il fallait faire bouillir dans une décoction médicinale. Je le payai et me jurai de ne plus faire appel à ses services. Après son départ, Lotus – la plus âgée des sœurs adoptives – essaya de me consoler :

— Le mari de Fleur de Neige en a déjà fait venir plusieurs, dit-elle. Mais aucun médecin ne peut plus rien pour elle.

Ma lointaine colère menaçait de refaire surface. Mais j'aperçus de la sympathie et de la compassion sur le visage de Lotus – non seulement pour Fleur de Neige, mais pour moi.

Je me rappelai que, de toutes les saveurs, l'amertume était la plus chargée de *yin*. Elle faisait baisser la fièvre et calmait les tourments du cœur. Convaincue que le concombre amer s'avérerait efficace pour enrayer la maladie de Fleur de Neige, je demandai à ses sœurs adoptives de m'aider à en préparer une soupe. Je m'assis ensuite au bord du lit et fis manger Fleur de Neige à la cuillère. Au début, elle l'avala sans broncher.

Mais au bout de quelques instants, elle refusa obstinément de desserrer les lèvres et se tourna de l'autre côté, comme si je n'avais pas été là.

Branche de Saule, la deuxième des sœurs adoptives, me prit à part, m'enleva le bol des mains et me chuchota :

— Il est trop tard, Dame Lu. Elle n'a plus envie de manger. Il faut la laisser partir en paix.

Plus tard dans la journée, ce fut elle qui nettoya le drap où Fleur de Neige avait vomi mon brouet de concombre amer.

Ma dernière tentative consista à faire venir le devin.

— Un esprit s'est installé dans le corps de votre amie, déclara-t-il. Ne vous inquiétez pas, nous allons le chasser : sitôt qu'il sera parti, elle sera guérie. Madame Fleur de Neige, dit-il en se penchant vers elle, voici les formules que vous devez chanter. Quant à vous, ajouta-t-il à notre intention, mettez-vous à genoux et priez.

Lune de Printemps, Madame Wang – qui était présente elle aussi, la plupart du temps –, les trois sœurs adoptives et moi, nous nous agenouillâmes autour du lit et priâmes la déesse de la Miséricorde, tandis que Fleur de Neige répétait d'une voix mourante les formules dictées par le devin. Au bout d'un moment, celui-ci tira de sa poche une feuille de papier et y inscrivit une incantation magique. Il y mit le feu et, brandissant la flamme, parcourut la pièce en tous sens pour chasser l'esprit affamé. Puis il sortit une épée et en donna plusieurs coups dans la fumée qui s'était répandue, s'écriant à trois reprises : « Esprit, va-t'en ! »

Mais cela s'avéra inutile. Je le payai et le regardai s'éloigner sur sa charrette, à travers la fenêtre à croisillons, en me jurant de ne plus jamais recourir à des devins à l'avenir, sauf pour déterminer les dates des cérémonies.

Fleur de Prunier, la plus jeune des sœurs adoptives, finit par s'approcher de moi.

— Fleur de Neige fait ce que vous lui demandez, dit-elle, mais c'est bien pour vous faire plaisir. J'espère que vous vous en rendez compte, Dame Lu. Ces tourments ont assez duré. S'il s'agissait d'un chien, prolongeriez-vous aussi longtemps ses souffrances ?

La douleur peut se manifester de multiples manières : du calvaire qu'endura Fleur de Neige durant son agonie à celui de la voir souffrir, sans parler du remords d'avoir tenu ce discours, huit ans plus tôt... Et pour quoi ? Pour gagner le respect des femmes de mon village ? Pour blesser Fleur de Neige comme elle m'avait blessée ? Ou par simple orgueil, parce que je ne supportais pas qu'elle souhaite la compagnie d'autres femmes ? Je m'étais trompée, y compris sur ce point. Durant ces interminables journées, je pus constater le soutien que ces trois femmes avaient apporté à Fleur de Neige. Elles ne s'étaient pas contentées, comme moi, de venir l'assister dans ses derniers instants, mais avaient été présentes à ses côtés durant toutes ces années. Leur générosité l'avait maintenue en vie. Elles passaient toutes leurs journées ici, négligeant leurs propres foyers. Et elles ne prenaient pas ombrage du caractère particulier de notre lien : au contraire, elles se tenaient en retrait comme de bons génies et ne cessaient de prier pour chasser les mauvais esprits, tout en respectant notre intimité.

Il devait bien m'arriver de dormir, mais je n'en ai pas conservé le souvenir. Quand je n'étais pas au chevet de Fleur de Neige, je confectionnais les chaussures destinées à ses funérailles. Sur la première, je brodai une fleur de lotus, signe de permanence, à côté d'une échelle suggérant que ma *laotong* ne cessait de s'élever vers le ciel. Sur l'autre, un cerf minuscule et des chauves-souris aux ailes recourbées, symboles de longévité, afin que Fleur de Neige sache que même après sa mort, sa lignée se poursuivrait à travers ses enfants.

L'état de Fleur de Neige empirait. La première fois que j'avais lavé et rebandé ses pieds, j'avais pu constater que leurs extrémités avaient déjà pris une teinte lie-de-vin. Comme le médecin l'avait prévu, cette horrible couleur s'étendit peu à peu et gagna ses chevilles.

J'encourageais Fleur de Neige à lutter contre la progression du mal et à chasser les esprits qui cherchaient à s'emparer d'elle. Mais je savais que tout ce que nous pouvions faire, c'était faciliter du mieux possible son passage dans l'au-delà.

Yonggang assistait à ces événements. Elle arrivait chaque matin, m'apportant des œufs frais, des vêtements propres et des messages de mon mari. C'était depuis des années une servante loyale et obéissante, mais j'appris à cette occasion qu'il lui était arrivé de me tromper – ce dont je lui serai à jamais reconnaissante. Peu avant la mort de Fleur de Neige, Yonggang arriva un matin, s'agenouilla devant moi et posa un panier à mes pieds.

— Quand vous vous êtes mise en colère voici des années, Dame Lu, dit-elle d'une voix tremblante, je me doutais bien que vous ne saviez pas ce que vous faisiez.

Je ne voyais pas à quoi elle faisait allusion, ni pourquoi elle avait choisi un pareil moment pour confesser sa faute. Elle ôta le tissu qui couvrait le panier et en retira des lettres, des mouchoirs, des broderies, ainsi que notre éventail secret – tous les objets que j'avais cherchés autrefois mais que la servante, au risque d'être renvoyée, avait sauvés de ma colère vengeresse et mis de côté depuis lors, pour me les restituer aujourd'hui.

Voyant cela, Lune de Printemps et les sœurs adoptives se mirent à fouiller dans les paniers et les tiroirs de Fleur de Neige – et jusque sous son lit – pour tirer de leurs cachettes la totalité des cadeaux et des lettres que je lui avais envoyés. Au bout d'un moment, tout se trouva réuni, à l'exception de ce que j'avais détruit jadis.

Dans les dernières heures de sa vie, je pus ainsi emmener Fleur de Neige en voyage dans notre passé. Les mots que nous avions écrits au fil des ans s'étaient pour la plupart gravés en nous et nous pouvions en réciter des passages par cœur. Mais ma *laotong* était déjà si faible qu'elle ne tarda pas à se taire et se contenta de m'écouter, en serrant ma main dans la sienne.

Le soir, étendue à côté d'elle dans le lit sous la fenêtre à croisillons, je me souvins de notre nuit d'été ancienne. Je pris la main de Fleur de Neige et traçai dans sa paume, du bout de mon index, quelques caractères en *nu shu*. *Le lit est éclairé à la lueur du clair de lune…*

— Qu'est-ce que je viens d'écrire ? lui demandai-je.

— Je ne sais pas, murmura-t-elle.

Je lui récitai alors le poème et vis des larmes briller dans ses yeux, puis couler le long de ses tempes, avant de se perdre dans son cou.

Lors de l'ultime conversation que nous eûmes, elle me demanda :

— Peux-tu faire quelque chose pour moi ?

— Tout ce que tu voudras, répondis-je du fond du cœur.

— Je voudrais que tu sois comme une tante pour mes enfants.

Je le lui promis.

Rien ne put enrayer ni atténuer vraiment les souffrances de Fleur de Neige. Dans ses derniers instants, je lui rappelai notre contrat, et la manière dont nous avions choisi ce papier rouge, lors de notre première visite au temple de Gupo. Je lui relus aussi certaines de nos lettres et les passages les plus heureux que nous avions inscrits sur notre éventail. Je lui fredonnai des mélodies que nous chantions dans notre enfance. Je lui dis à quel point je l'aimais, et que j'espérais bien qu'elle viendrait m'accueillir dans l'au-delà. Je l'accompagnai et lui parlai ainsi longuement, refusant qu'elle s'en aille mais sachant qu'elle n'allait plus tarder à prendre son essor dans les nuées.

La peau de Fleur de Neige, d'une pâleur mortelle, prit soudain des reflets ambrés. Nous tendîmes l'oreille, ses sœurs adoptives, Lune de Printemps, Madame Wang et moi. Elle inspira, expira, puis il y eut un silence. Plusieurs secondes s'écoulèrent. Elle inspira, expira de nouveau. Puis de nouveau un silence. Et cela plusieurs fois de suite. Tout ce temps, je laissai ma main posée sur sa joue, comme elle l'avait toujours fait, afin qu'elle sache que sa *laotong* était bien là, présente à ses côtés. Elle inspira, expira encore. Puis le silence retomba, définitivement cette fois-ci.

Ce qui se déroula ensuite me rappela la fable que ma tante nous chantait jadis, à propos de la jeune fille qui avait trois frères. Je comprenais à présent que nous avions appris ces chants et ces histoires non seulement pour apprendre à bien nous comporter, mais parce que nous étions destinées à en connaître les diverses variantes, au fil de notre vie.

Le corps de Fleur de Neige fut descendu dans la pièce principale. Je fis sa toilette et la revêtis de ses derniers habits, élimés et déteints. L'aînée des sœurs adoptives la coiffa. La deuxième poudra son visage et mit du rouge sur ses lèvres. La plus jeune disposa des fleurs dans ses cheveux. Le corps fut placé dans un cercueil. Un petit orchestre vint jouer des airs funèbres, tandis que nous veillions dans la pièce. L'aînée des sœurs acheta de l'encens, la deuxième les faux billets destinés à être brûlés. La troisième n'avait pas d'argent, mais se rattrapa en pleurant.

Trois jours plus tard, le boucher et son fils, accompagnés des époux et des fils des trois sœurs adoptives, transportèrent le cercueil jusqu'à l'endroit où il devait être inhumé. Ils avançaient très vite, on aurait dit qu'ils volaient au-dessus du sol. J'avais emporté la plupart des textes en *nu shu* de Fleur de Neige, y compris ceux que je lui avais adressés, et les brûlai sur sa tombe, afin qu'elle les retrouve dans l'au-delà.

Après cela, nous regagnâmes la maison du boucher. Lune de Printemps prépara du thé, tandis que nous montions à l'étage, les sœurs adoptives et moi, afin d'effacer les dernières traces du décès.

Ce fut alors que je connus ma suprême heure de honte. Celles-ci m'apprirent en effet que Fleur de Neige n'avait jamais fait partie de leur groupe. Je refusai de les croire. Elles insistèrent pour me convaincre.

— Mais l'éventail ? m'exclamai-je. Elle m'avait écrit qu'elle venait de se joindre à vous.

— Non, rectifia Lotus. Elle disait qu'elle ne voulait pas que vous continuiez à vous faire du souci pour elle et qu'elle avait ici des amies qui la consolaient.

Elles me demandèrent la permission de vérifier elles-mêmes les termes employés. J'appris par la même occasion que Fleur de Neige leur avait enseigné les rudiments du *nu shu*. Elles se penchèrent toutes les trois autour de l'éventail comme des poules au bord d'une mangeoire, en se montrant du doigt telle ou telle inscription dont Fleur de Neige leur avait parlé. Mais lorsqu'elles arrivèrent à la fin, elles redevinrent sérieuses.

— Regardez, me dit Lotus en désignant les caractères. Rien n'indique nulle part qu'elle soit devenue notre sœur adoptive.

Je pris l'éventail et me retirai à l'écart pour l'examiner.

J'ai trop d'ennuis, avait écrit Fleur de Neige. *Il m'est impossible d'être celle que tu souhaites. Tu n'auras plus à supporter mes plaintes à l'avenir. Trois sœurs adoptives ont promis de m'aimer telle que je suis…*

— Vous voyez, Dame Lu, me lança Lotus à l'autre bout de la pièce. Fleur de Neige voulait juste que nous l'écoutions. En échange, elle nous a appris l'écriture secrète. Elle nous servait de préceptrice, nous l'aimions et la respections pour cela. Mais ce n'était pas nous qu'elle aimait – c'était vous. Elle attendait que vous lui accordiez à nouveau votre amour, délesté de la pitié et de l'intolérance que vous aviez manifestées jusque-là.

Le fait de m'être montrée aussi bornée, égoïste et stupide n'altérait en rien la gravité de mon erreur. J'avais commis la plus grave faute que puisse faire une femme, en matière de *nu shu*. Je n'avais pas su évaluer correctement le contexte dans lequel les mots venaient s'inscrire, afin d'en déterminer le sens. Pire encore, j'étais tellement convaincue de mon importance que j'en avais oublié ce que j'avais appris dès le premier jour de notre rencontre : Fleur de Neige s'exprimait d'une manière beaucoup plus subtile que la fille d'un pauvre paysan. Huit années durant, elle avait souffert de ma cécité et de mon ignorance. Pendant le reste de mon existence, il m'a fallu vivre avec le poids de ce remords.

Mais les trois femmes n'en avaient pas terminé avec moi.

— En toute chose, elle cherchait à vous plaire, reprit Lotus. Même en acceptant de satisfaire trop vite à ses devoirs conjugaux après une grossesse.

— C'est faux ! m'exclamai-je.

— Chaque fois qu'elle faisait une fausse couche, vous ne lui témoigniez pas plus de sympathie que son mari ou sa belle-mère, poursuivit Branche de Saule. Vous lui répétiez sans arrêt que son plus grand devoir était d'engendrer des fils – et elle vous croyait. Vous lui disiez de réessayer – et elle suivait vos conseils.

— Ce sont les propos que nous sommes censées tenir, protestai-je. C'est ainsi que nous nous soutenons, entre femmes.

— Mais croyez-vous que ces paroles lui étaient d'un grand réconfort, quand elle venait de perdre un enfant ?

— Vous n'étiez pas présentes, dis-je. Vous n'avez pas entendu...

— « Essaie encore ! Essaie encore ! » s'exclama Fleur de Prunier. Voilà ce que vous lui disiez. Vous ne pouvez pas le nier.

C'était effectivement difficile.

— Vous exigiez qu'elle suive vos conseils, sur ce point comme sur beaucoup d'autres, reprit Lotus. Et quand elle le faisait, vous la critiquiez.

— Vous déformez mes propos !

— Vraiment ? rétorqua Branche de Saule. Elle parlait de vous à longueur de temps. Pas une fois elle n'a dit du mal de vous, mais nous avons fort bien compris comment les choses se passaient.

— Elle vous aimait comme une *laotong* est censée le faire : pour tout ce que vous étiez, et tout ce que vous n'étiez pas, conclut Fleur de Prunier. Mais vous raisonniez de manière trop masculine. Vous l'aimiez comme un homme, la jugeant et l'appréciant selon leurs critères.

En ayant terminé avec ce sujet, Lotus passa au suivant :

— Vous vous souvenez, lorsque nous étions dans la montagne et qu'elle a perdu son bébé ? me demanda-t-elle sur un ton qui me fit redouter le pire.

— Évidemment, dis-je.

— Elle était déjà malade à cette époque.

— Ce n'est pas possible. C'est le boucher qui...

— Peut-être est-ce son mari qui a tout déclenché ce jour-là, admit Branche de Saule. Mais le sang qui s'écoulait de son ventre était noir, épais, stagnant. Et nous n'avons pas aperçu la moindre trace d'embryon au milieu de ce magma.

Ce fut une fois encore Fleur de Prunier qui conclut :

— Nous avons vécu auprès d'elle toutes ces années et le phénomène s'est reproduit plusieurs fois. Elle était déjà malade quand vous avez chanté votre « lettre de récrimination ».

Je n'avais rien pu leur opposer précédemment : comment aurais-je pu leur répondre sur ce dernier point ? La tumeur qui avait emporté Fleur de Neige devait la ronger depuis déjà longtemps. Plusieurs souvenirs me revenaient, corroborant cette thèse : sa perte d'appétit, sa pâleur excessive, sa faiblesse croissante – alors que je la poussais dans le même temps à manger davantage, lui pinçais les joues pour lui redonner des couleurs et lui conseillais de tout faire pour ramener l'harmonie dans son ménage. Je me rappelai ensuite que lorsque j'étais arrivée chez elle, deux semaines plus tôt, elle m'avait présenté ses excuses. Ce que je m'étais bien gardée de faire – même quand sa mort fut imminente. Ou lorsque je me disais, avec une certaine suffisance, que je l'aimais encore. Son cœur avait toujours été pur, mais le mien était resté aussi sec et ratatiné qu'un vieux cerneau de noix.

Il m'arrive de repenser à ces sœurs adoptives – qui sont toutes mortes à présent, cela va sans dire. Il leur avait fallu surveiller leur langage, parce que j'étais Dame Lu. Mais elles n'avaient pas voulu me laisser partir sans me dire mes quatre vérités.

Je rentrai chez moi et me retirai à l'étage, ayant ramené l'éventail ainsi que quelques lettres qui n'avaient pas été brûlées. Je préparai de l'encre, jusqu'à ce qu'elle ait la noirceur d'un ciel nocturne. Puis j'ouvris l'éventail, trempai mon pinceau dans l'encrier et inscrivis ce que je pensais être ma dernière notation.

Toi qui as toujours lu dans mon cœur, tu planes à présent au-dessus des nuées, dans les parages du soleil. J'espère qu'un jour prochain nous prendrons notre envol ensemble. Bien des années m'attendaient encore, au cours desquelles j'allais relire ces phrases et faire ce qui était en mon pouvoir pour réparer le tort que j'avais causé à celle que j'aimais le plus au monde.

ASSISE AU CALME

REGRET

Je suis trop vieille aujourd'hui pour tisser ou broder, et même pour faire la cuisine. Quand je regarde mes mains, j'y aperçois les marques d'une trop longue existence. Qu'on travaille dehors, exposé au soleil, ou cloîtrée sa vie durant dans l'appartement des femmes, le résultat est le même. Ma peau est si fragile à présent... Il suffit que je me cogne quelque part pour que surgisse aussitôt un énorme bleu. Mes mains peinent à manipuler la pierre à encre, mes doigts à tenir le pinceau. Deux mouches se sont posées sur mon pouce, mais je n'ai plus la force de les chasser. Mes yeux ont trop pleuré ces jours derniers. Mes cheveux gris sont tellement clairsemés à présent que les épingles ne les retiennent plus. Quand il y a des visiteurs de passage à la maison, ils évitent de me regarder – et je les imite volontiers. J'ai vécu beaucoup trop longtemps.

À la mort de Fleur de Neige, j'avais encore la moitié de ma vie devant moi. Mes années « de riz et de sel » étaient loin d'être terminées, bien qu'elles le fussent déjà au fond de moi. La plupart des femmes se retirent à la mort de leur mari, « assises au calme » selon l'expression consacrée. Pour moi, cette ultime période de ma vie commença avec la disparition de Fleur de Neige. J'étais devenue celle « dont la mort n'a pas encore voulu », même si ma situation ne me permettait pas de me retirer pour de bon. Mon mari et ma famille avaient besoin de moi, en tant qu'épouse et mère. La communauté villageoise ne pouvait se passer de Dame

Lu. Sans parler des enfants de Fleur de Neige, dont il fallait que je m'occupe afin de réparer le tort que j'avais fait à ma *laotong*. Mais il est malaisé de témoigner d'une véritable générosité lorsqu'on n'y est pas naturellement enclin.

La première chose que je fis, au cours des mois qui suivirent la mort de Fleur de Neige, ce fut d'aller la remplacer dans toutes les cérémonies du mariage de sa fille. Lune de Printemps paraissait résignée à l'idée de se marier, même si elle était triste de quitter sa maison et incertaine de ce que l'avenir lui réservait – d'autant qu'elle avait été témoin des mauvais traitements qu'avait subis sa mère. J'avais pensé qu'il s'agissait là des inquiétudes auxquelles toutes les jeunes filles sont confrontées. Mais la nuit même de son mariage, une fois son mari endormi, elle se suicida en allant se jeter dans le puits du village.

La rumeur alla bon train. « Non seulement cette fille a jeté l'opprobre sur sa belle-famille, disait-on, mais elle a contaminé l'eau du village. Elle était bien comme sa mère… Vous vous souvenez de cette "lettre de récrimination" ? » Le discours qui avait anéanti la réputation de Fleur de Neige pesait lourdement sur ma conscience. Je ne manquais donc pas de réfuter de tels propos lorsqu'ils parvenaient à mes oreilles. Cela me valut une réputation de femme charitable et indulgente : mais je savais bien qu'à l'origine, c'était moi qui étais dans mon tort. Le jour où j'inscrivis sur notre éventail la nouvelle de la mort de la jeune fille fut l'un des plus tristes de ma vie.

Je reportai ensuite mes efforts sur le fils de Fleur de Neige. Malgré la bassesse de sa condition et le manque de soutien de son père, il avait réussi à apprendre en partie l'écriture des hommes et il était doué en calcul. Cela ne l'empêchait pas de devoir travailler aux côtés de son père, et sa vie ne l'enchantait pas plus que lorsqu'il était enfant. Je rencontrai son épouse, qui vivait encore dans sa famille d'origine : le choix cette fois-ci s'était révélé excellent. Elle ne tarda pas à tomber enceinte, mais j'étais triste à l'idée qu'elle aille s'établir dans la maison du boucher. Il n'était pas dans mes habitudes d'interférer dans le monde extérieur des hommes, mais j'abordai la question avec mon mari, qui non seulement avait hérité des vastes propriétés de l'oncle Lu, mais les avait notablement agrandies grâce aux bénéfices de la vente du sel. Ses terres s'étendaient à présent jusqu'à Jintian et je lui suggérai de trouver pour le jeune homme un emploi plus digne que l'abattage des cochons. Il engagea le fils de Fleur de Neige pour collecter le loyer des terres auprès des paysans et lui fit don d'une maison qui possédait son propre potager. Lorsque le boucher se retira des affaires, il vint s'y installer aux côtés de son fils et se prit de passion pour son petit-fils, ce qui amena beaucoup de joie dans la maison. Le jeune homme et sa famille menèrent ensuite une vie heureuse, mais je savais que cela ne suffisait pas pour honorer ma dette à l'égard de Fleur de Neige.

Lorsque j'atteignis l'âge de cinquante ans et que mes saignements mensuels s'interrompirent, ma vie changea à nouveau. Après avoir servi les autres, ce fut à mon tour de l'être. Cela ne m'empêchait pas de veiller à ce que tout soit en ordre et correctement exécuté dans la maison. Mais comme je l'ai dit, intérieurement j'étais déjà « assise au calme ». Je devins végétarienne, m'abstins de manger de l'ail et de boire du vin. Je méditais les sutras religieux, pratiquais les rituels de purification et espérais pouvoir renoncer au caractère impur des devoirs conjugaux. Après avoir bataillé ma vie durant pour éviter que mon mari ne prenne une concubine, j'envisageais désormais les choses autrement. Mon époux n'avait pas ménagé sa peine et méritait bien quelque récompense. Je n'attendis pas qu'il agisse de son propre chef – peut-être ne l'aurait-il d'ailleurs jamais fait – et pris les choses en main. Je fis ainsi entrer dans notre foyer non seulement une, mais trois concubines. En les choisissant moi-même, je parvins à éviter la plupart des travers et des jalousies liés à l'arrivée de jolies jeunes femmes au sein d'une famille. Je n'étais pas opposée à ce qu'elles mettent des enfants au monde. Et en vérité, la considération dont mon mari jouissait dans le village s'en trouva considérablement renforcée. Il avait fait la preuve non seulement qu'il avait les moyens d'entretenir ces femmes, mais que son *chi* était plus fort que celui de n'importe quel autre homme du comté.

Ma relation avec mon mari avait évolué et une grande complicité nous unissait désormais. Il venait souvent me trouver dans l'appartement des femmes, pour boire du thé et discuter un moment avec moi. L'apaisement qu'il trouvait dans le calme de notre sphère intérieure dissipait les soucis que lui causaient la confusion, l'instabilité et la corruption du monde extérieur. Nous fûmes plus heureux ensemble à cette époque que nous ne l'avions jamais été auparavant. Nous avions planté un jardin qui fleurissait autour de nous, de bien des façons. Tous nos fils s'étaient mariés. Leurs épouses s'étaient toutes avérées fertiles et notre maison résonnait des rires et des cris de nos petits-enfants. Nous les chérissions tous : il existait toutefois une autre enfant, qui n'était pas de mon sang mais que je tenais à avoir près de moi.

Dans leur nouvelle maison de Jintian, la femme du collecteur de loyers avait donné naissance à une fille. Je voulais que cette enfant – la petite-fille de Fleur de Neige – épouse l'aîné de mes petits-fils. Les deux enfants avaient alors six ans : ce n'était pas trop tôt pour nouer une telle alliance, à condition que les deux familles en soient d'accord. Il me semblait que cela ne posait pas de problème et mon mari fut assez généreux pour accéder à ma requête. Il est vrai qu'en trente-deux ans de mariage, il n'avait jamais eu l'occasion de regretter une seule de mes actions.

Je fis venir Madame Wang, juste avant qu'on ne commence à bander les pieds de la fillette. La vieille femme arriva, soutenue par deux jeunes servantes aux grands pieds. Celles-ci m'apprirent que d'autres entremetteuses travaillaient désormais davantage que leur maîtresse, mais qu'elle avait mis assez d'argent de côté pour vivre correctement. Pourtant, les années s'étaient montrées cruelles à l'égard de Madame Wang. Son visage s'était ratatiné, ses yeux ne voyaient plus, elle n'avait plus de dents. Son dos s'était voûté et elle était pratiquement chauve. Son corps était devenu si frêle qu'elle tenait à peine debout sur ses pieds minuscules. Je m'étais dit ce jour-là que je n'aurais pas voulu vivre aussi longtemps. Et pourtant je suis toujours là.

Je lui offris du thé et des mets sucrés. Nous papotâmes un moment et j'eus l'impression qu'elle ne voyait plus qui j'étais, ce qui pouvait tourner à mon avantage. Je finis par en venir au fait :

— Je cherche à nouer une bonne alliance pour mon petit-fils, dis-je.

— Ne faudrait-il pas en parler avec le père de ce garçon ? demanda Madame Wang.

— Il est absent et m'a chargée de négocier cette affaire à sa place.

La vieille femme ferma les yeux, pour réfléchir à la question. À moins qu'elle ne se fût brusquement endormie…

— J'ai entendu parler d'un bon parti à Jintian, dis-je en haussant la voix. Il s'agit de la fille de l'homme qui collecte les loyers.

La réponse de Madame Wang m'indiqua qu'elle se souvenait parfaitement de moi :

— Pourquoi ne pas introduire cette petite chez vous, comme soubrette de second rang ? Votre maison vit sur un certain pied. Je suis sûre que votre fils et votre belle-fille verraient cet arrangement d'un œil favorable.

La vérité, c'est que mon idée ne leur plaisait guère. Mais que pouvaient-ils faire ? Mon fils était un lettré. Il venait de franchir un échelon en passant une nouvelle série d'examens impériaux et en devenant *juren* à l'âge de trente ans, ce qui était une performance. Il passait son temps à voyager à travers le pays et rentrait rarement à la maison. Lorsque c'était le cas, il nous racontait ses périples et les spectacles curieux qu'il avait vus – comme celui d'étrangers de grande taille, à la barbe rouge et à l'allure grotesque, dont les femmes avaient des pieds énormes et une taille si étroite qu'elles pouvaient à peine respirer. Ces récits mis à part, mon fils manifestait une grande piété filiale et suivait l'avis de son père. Quant à ma belle-fille, elle était bien obligée de m'obéir. Mais cela ne l'avait pas empêchée de quitter la table et d'aller pleurer dans sa chambre, le jour où nous avions eu cette discussion.

— Je n'ai nullement besoin d'une servante aux grands pieds, répondis-je. Au contraire, je cherche pour mon petit-fils une épouse qui ait les plus beaux « lis dorés » du comté.

— Le bandage n'est même pas commencé. Rien ne prouve...

— Mais vous avez vu ses pieds, Madame Wang, l'interrompis-je. Et vous êtes experte en la matière. Quel sera le résultat, selon vous ?

— Il se peut que la mère se débrouille mal...

— Dans ce cas, je surveillerai les opérations moi-même.

— Vous ne pouvez pas faire venir cette enfant chez vous, gémit Madame Wang. Votre petit-fils ne doit pas voir sa future épouse.

Elle n'avait pas changé. Moi non plus.

— Vous avez raison, lui dis-je. C'est moi qui me rendrai dans la maison de cette petite.

— Cela risque de ne pas être très pratique...

— J'y passerai régulièrement. J'ai beaucoup de choses à lui apprendre.

Je vis que Madame Wang méditait la question. Puis je me penchai et saisis la main de la vieille femme.

— Il me semble, ma tante, que la grand-mère de cette fillette aurait approuvé notre projet.

Des larmes apparurent dans les yeux de l'entremetteuse.

— Cette enfant aura besoin d'apprendre les arts domestiques, me hâtai-je d'ajouter. Elle devra également voyager. Pas trop loin, bien sûr – mais je pense que vous ne verrez pas d'inconvénient à ce qu'elle se rende une fois par an au temple de Gupo ? Je me suis laissé dire qu'il y avait là-bas un homme qui préparait jadis un dessert aux taros particulièrement savoureux. Et que son petit-fils avait pris sa succession.

Je poursuivis mes négociations et la petite-fille de Fleur de Neige fut finalement placée sous ma protection. Je lui bandai moi-même les pieds et lui témoignai tout l'amour maternel dont je disposais pour l'aider à faire ses allées et venues dans l'appartement des femmes, au premier étage de sa demeure familiale. Les pieds de Pivoine ont fini par former de parfaits « lis dorés », d'une taille identique aux miens. Au cours des longs mois pendant lesquels les os se mettaient en place, je venais la voir quasiment tous les jours. Ses parents l'aimaient beaucoup, mais son père ne voulait pas trop songer au passé. Et sa mère n'en avait jamais entendu parler. Aussi racontais-je à l'enfant l'histoire de sa grand-mère et de sa *laotong*, de leur longue amitié et des épreuves qu'elles avaient partagées.

— Ta grand-mère était née dans une famille très bien éduquée, lui disais-je. Tu apprendras à ton tour ce qu'elle m'a enseigné – la broderie, la dignité et, plus important encore, les arcanes de notre écriture secrète.

Pivoine se montrait une élève appliquée, mais elle me dit un jour :

— Mon écriture n'est pas très distinguée. J'espère que vous ne m'en tiendrez pas rigueur.

C'était la petite-fille de Fleur de Neige, mais comment ne me serais-je pas reconnue en elle ?

Je me demande parfois ce qui s'est avéré le pire, de la mort de Fleur de Neige ou de celle de mon mari. L'un et l'autre ont beaucoup souffert. Mais seul le second a eu droit à une procession solennelle, au cours de laquelle ses trois fils se rendirent à genoux jusqu'à l'emplacement de sa tombe. J'avais cinquante-sept ans quand mon mari a rejoint l'au-delà. J'étais trop âgée pour que mes fils songent à me remarier. Et chaste, je l'étais depuis des années. Je n'ai pas beaucoup parlé de mon mari dans ces pages. On trouvera plus de renseignements à son sujet dans le récit « officiel » de ma vie. Mais j'ajouterai ceci : c'est grâce à lui que j'ai appris à persister, jour après jour. Je devais m'assurer que ses repas étaient prêts, penser à ce qui était susceptible de le distraire. Après son départ, je me mis à manger de moins en moins. Il m'était devenu indifférent d'être une femme exemplaire dans le comté. Les journées défilaient, puis les semaines. Je finis par oublier le temps, par ignorer le cycle des saisons. Et les années, les décennies passèrent.

Le problème, quand on vit si longtemps, c'est qu'on voit mourir trop de gens avant soi. J'ai pratiquement survécu à tous ceux que je connaissais : mes parents, ma tante et mon oncle, mes frères et sœurs, Madame Wang, mon mari, ma fille, deux de mes fils, toutes mes belles-filles et même Yonggang, ma servante. Mon fils aîné a accédé au grade de *gongsheng*, puis de *jinshi*. L'empereur en personne a lu sa composition. En tant que mandarin à la cour, il est absent la plupart du temps, mais il a assuré la position de la famille pour plusieurs générations. Il manifeste une grande piété filiale et je sais qu'il n'oubliera pas ses devoirs. Il a même déjà fait l'acquisition d'un cercueil luxueux, aux parois couvertes de laque, pour mon ultime repos. Aux côtés de ceux de son grand-oncle Lu et de l'arrière-grand-père de Fleur de Neige, son nom figure dans la liste des hommes dignes d'éloge, sur les parois du temple ancestral de Tongkou. Et il y demeurera jusqu'à ce que l'édifice lui-même tombe en ruine.

Pivoine a maintenant trente-sept ans, six de plus que je n'en avais moi-même lorsque je suis devenue Dame Lu. Ayant épousé l'aîné de mes petits-fils, c'est elle qui héritera du titre, après ma mort. Elle a deux fils, trois filles et peut encore mettre d'autres enfants au monde. Son fils aîné a récemment épousé une jeune fille originaire d'un autre village, qui vient de donner naissance à des jumeaux, une fille et un garçon. Je reconnais dans leurs visages les traits de Fleur de Neige, mais également les miens. On nous répète dès notre enfance que nous sommes des branches inutiles, nous autres filles, parce que nous ne pouvons pas perpétuer le nom de notre lignée, mais seulement celui de notre belle-famille – et encore, à condition d'avoir des fils ! Dans ce sens, de son vivant comme après sa mort, une femme appartient à tout jamais à la famille de son mari. Tout cela est vrai. Et pourtant, ces derniers temps, j'éprouve une certaine satisfaction à savoir que ce seront le sang de Fleur de Neige et le mien qui gouverneront bientôt la maison des Lu.

J'ai toujours cru au vieux dicton affirmant qu'« une épouse ignorante vaut mieux qu'une femme trop bien éduquée ». Toute ma vie, j'ai essayé de rester sourde à la rumeur du monde extérieur. Je n'ai pas cherché à assimiler l'écriture des hommes, mais j'ai appris les contes et les manières des femmes, ainsi que le *nu shu*. Il y a des années, alors que j'allais à Jintian pour enseigner à Pivoine et à ses sœurs adoptives l'art de nos caractères, de nombreuses femmes m'ont demandé si j'accepterais de noter par écrit le récit de leur vie. Je pouvais difficilement leur dire non. Bien sûr, je leur ai demandé un petit salaire – trois œufs et quelques piécettes. Je n'en avais nullement besoin, mais j'étais Dame Lu et il fallait faire en sorte qu'elles respectent ma position. Mais cela allait au-delà : je voulais que leur vie ait une valeur à leurs propres yeux, malgré son aspect trop souvent sordide. Elles étaient pauvres et leurs familles déshéritées les avaient mariées dans leur plus tendre enfance. Elles avaient souffert d'être séparées de leurs parents, d'avoir perdu des enfants et occupé l'échelon le plus bas au sein de leurs belles-familles. Sans compter que la plupart d'entre elles avaient été battues par leurs maris. Je sais beaucoup de choses sur le drame des femmes, mais à ce jour encore, je suis totalement ignorante en ce qui concerne les hommes. Si un homme méprise sa femme avant de l'épouser, pourquoi la considérerait-il plus favorablement après son mariage ? Si elle ne vaut pas mieux à ses yeux qu'une poule lui fournissant une quantité inépuisable d'œufs, ou qu'un buffle supportant une charge excessive, pourquoi aurait-il plus d'estime pour elle que pour ces animaux ? Il est possible qu'il la considère même comme inférieure à eux, puisqu'elle a moins de force, de courage et d'endurance.

Après avoir écouté les récits d'un si grand nombre de vies, j'ai songé à la mienne. Quarante années durant, le passé n'a éveillé que des regrets en moi. Une seule personne a vraiment compté dans mon existence, mais je me suis comportée envers elle comme le pire des maris. Après m'avoir demandé de tenir auprès de ses enfants le rôle d'une tante, Fleur de Neige avait ajouté – et ce furent ses dernières paroles : « Bien que démunie de tes qualités, je crois que ce sont les esprits célestes qui nous ont réunies. Et que rien ne nous séparera jamais. » Il m'est arrivé bien souvent de repenser à ces paroles. Disait-elle la vérité ? Et si l'au-delà s'avérait hostile ? Mais si jamais les morts éprouvent encore les mêmes sentiments que les vivants, je me tourne vers Fleur de Neige et tous ceux qui ont été les témoins de notre histoire. Je leur demande de m'entendre. Et de me pardonner.

NOTE DE L'AUTEUR

Au cours des années soixante, une vieille femme perdit un jour connaissance dans une gare de province, au fin fond de la campagne chinoise. En fouillant ses affaires afin de l'identifier, les policiers découvrirent une liasse de papiers qui semblaient rédigés dans une sorte de code secret. Comme on était alors en pleine Révolution culturelle, la femme fut arrêtée et incarcérée pour espionnage. Les enquêteurs qui déchiffrèrent ce code s'aperçurent bien vite que le texte ne relevait nullement d'un complot international. Il s'agissait en fait d'une écriture employée par les femmes, dont le « secret » avait été préservé depuis plus de mille ans. Les enquêteurs en question furent expédiés peu après dans divers camps de rééducation.

La première fois que j'entendis parler du *nu shu*, ce fut en faisant le compte-rendu du livre de Wang Ping : *Aching for Beauty*, pour le *Los Angeles Times*. Cette histoire m'intrigua et ne tarda pas à m'obséder, tout comme l'univers culturel dans lequel elle s'inscrivait. Je découvris que très peu de documents en *nu shu* avaient survécu de nos jours – qu'il s'agisse des lettres, des récits ou des tissus brodés – la plupart ayant été brûlés à l'occasion des funérailles, pour des raisons aussi métaphysiques que pratiques. Dans les années trente, l'armée japonaise détruisit nombre de ces documents, qui avaient été conservés dans les familles à titre d'héritage. Durant la Révolution culturelle, avec leur zèle coutumier, les gardes rouges en brûlèrent de plus grandes quantités encore, interdisant aux femmes d'assister aux cérémonies religieuses ou de faire leur pèlerinage annuel au temple de Gupo. Au cours des années suivantes, l'attention du Bureau de la sécurité intérieure découragea les tentatives visant à apprendre ou à préserver ce langage. Durant la seconde moitié du XXe siècle, le *nu shu* connut ainsi une extinction quasi complète : les dernières femmes qui le parlaient encore disparaissaient les unes après les autres.

J'avais évoqué cette affaire dans un e-mail à Michelle Yang, l'une de mes fidèles lectrices, et celle-ci décida de son propre chef de mener son enquête, m'adressant ensuite gentiment tout ce qu'elle avait pu trouver sur Internet concernant le *nu shu*. Ce fut alors que le déclic se produisit et que je décidai de partir en expédition dans la région de Jiangyong (autrefois appelée Yongming). Je m'y rendis à l'automne 2002, avec l'aide aussi efficace que circonspecte de Paul Moore (de Crown Travel). Lorsque j'arrivai, on me déclara qu'une seule étrangère m'avait précédée là-bas. J'en connaissais personnellement deux autres, mais elles avaient apparemment échappé aux radars. Je puis affirmer en toute objectivité que cette région est aussi reculée aujourd'hui qu'elle l'était jadis. Pour cette raison, je dois chaleureusement remercier M. Li, qui ne s'est pas seulement avéré un excellent conducteur (chose fort rare en Chine), mais d'une patience inébranlable lorsque sa voiture s'embourbait au détour d'un sentier, durant notre équipée de village en village. J'ai également eu beaucoup de chance en bénéficiant de la compétence de Chen Yi Zhong, mon interprète. Son attitude amicale, son ardeur à aller voir les uns et les autres, sa familiarité tant avec le dialecte local qu'avec la langue et l'histoire chinoises, sans parler de son enthousiasme pour le *nu shu* – dont il ignorait jusqu'alors l'existence – ont grandement contribué à la réussite de ce voyage. Il m'a aussi bien traduit les conversations qu'il avait dans les ruelles que les récits en *nu shu* préservés dans le musée aujourd'hui consacré à cette écriture. (L'occasion m'est ici donnée d'en remercier la responsable, qui m'a obligeamment ouvert ses archives et laissée explorer ses collections.) Je me suis fondée sur les traductions de Chen pour bien des documents, y compris le poème de la dynastie Tang que Fleur de Lis et Fleur de Neige écrivent à tour de rôle sur leurs corps. La région étant fermée aux étrangers, il était nécessaire de voyager en compagnie d'un responsable local, qui répondait également au nom de Chen. Ce dernier m'a ouvert bien des portes. Quant à la relation qui l'unissait à son espiègle et adorable gamine, elle m'a prouvé, mieux que n'importe quel reportage, à quel point le statut des fillettes avait changé en Chine.

À eux trois, MM. Li, Chen et Chen m'emmenèrent partout où je souhaitais aller, que ce soit en voiture, en charrette, à pied ou en sampan. Nous nous rendîmes notamment dans le village de Tong Shan Li afin de rencontrer Yang Huanyi, qui avait alors quatre-vingt-seize ans et était la plus vieille des survivantes connaissant encore le *nu shu*. Ses pieds avaient été bandés dans son enfance et elle me parla de cette expérience, ainsi que des cérémonies de son mariage. (Les diverses actions visant à l'abolition du bandage commencèrent vers la fin du XIXe siècle, mais la pratique perdura dans les zones rurales jusqu'au milieu du XXe. Dans la région du *nu shu*, elle ne cessa véritablement qu'en 1951, lorsque l'armée de Mao Zedong libéra enfin le district de Jiangyong.)

Ces derniers temps, la République populaire de Chine a changé d'optique et considère désormais le *nu shu* comme un facteur important de la lutte révolutionnaire du peuple chinois contre l'oppression. Dans cette optique, le gouvernement fait un effort pour en assurer la survie et a même ouvert une école de *nu shu* à Puwei. C'est là que j'ai rencontré Hu Mei Yue, sa nouvelle responsable, ainsi que sa famille. Elle m'a raconté de nombreuses anecdotes concernant ses deux grands-mères et la manière dont elles lui avaient appris cette écriture.

Aujourd'hui encore, le village de Tongkou est un endroit extraordinaire. L'architecture, les fresques ornant les maisons et ce qu'il reste du temple ancestral attestent de la qualité de la vie menée autrefois par les habitants. Alors que la bourgade est de nos jours située à l'écart de tout, la liste des noms inscrits dans le temple atteste que quatre individus originaires de la région sont devenus des mandarins de haut rang pendant le règne de l'empereur Daoguang. En dehors de ce que m'ont appris les bâtiments publics, je voudrais remercier les nombreux habitants de Tongkou, qui m'ont laissée aller et venir librement parmi eux et leur poser d'innombrables questions. Je suis également reconnaissante à la population de Qianjiadong, que l'on identifie désormais comme le Village des Mille Familles des légendes Yao – redécouvertes elles aussi par les chercheurs dans les années 1980 – et où j'ai été traitée avec des honneurs dignes d'une invitée de haut rang.

Sitôt de retour, j'envoyai un e-mail à Cathy Silber, professeur à Williams College, qui avait effectué dans la région une enquête de terrain à l'occasion de sa thèse, en 1988. Je tenais à lui dire combien j'étais impressionnée qu'elle ait pu vivre six mois dans une région aussi isolée, où les conditions de vie s'avèrent d'une telle précarité. Depuis, nous avons eu l'occasion de converser – par téléphone et par e-mail – à propos du *nu shu*, de Tongkou et de la vie des femmes qui écrivent. Je suis aussi extrêmement reconnaissante à Hui Dawn Li, qui a répondu à mes innombrables questions concernant les cérémonies, le langage et la vie domestique. Je suis infiniment redevable à leur savoir, leur générosité et leur ouverture d'esprit.

Je dois également beaucoup aux travaux de plusieurs chercheurs ou journalistes qui ont publié diverses études sur le *nu shu* : William Chiang, Henry Chu, Hu Xiaoshen, Lin-lee Lee, Fei-wen Liu, Liu Shouhua, Anne McLaren, Orie Endo, Norman Smith, Wei Liming et Liming Zhao. Le *nu shu* repose en partie sur une série d'images ou d'expressions récurrentes – telles que « le phénix pousse un cri rauque », « une paire de canards mandarins » ou « les esprits célestes nous ont réunies ». Je me suis à mon tour basée sur les traductions faites par les auteurs que je viens de citer. Toutefois, s'agissant ici d'un roman, je n'ai pas cherché à donner un équivalent des vers traditionnels, pentasyllabes ou heptasyllabes, dont le rythme régit l'écriture des chants, des lettres ou des récits en *nu shu*.

Pour de nombreuses informations concernant la Chine en général, le peuple Yao, les Chinoises et la tradition du bandage, j'aimerais citer les travaux de Patricia Buckley Ebrey, Benjamin A. Elman, Susan Greenhalgh, Beverley Jackson, Dorothy Ko, Ralph A. Litzinger et Susan Mann. Enfin, le documentaire évocateur de Yue-qing Yang : *Le Nu Shu, langage caché des femmes en Chine*, m'a aidée à comprendre que beaucoup de femmes dans la région de Jiangyong vivaient encore sous la loi des mariages sans amour, arrangés par les familles. Tous ces auteurs défendent bien sûr des thèses qui leur sont propres, mais souvenez-vous que *Fleur de Neige* est une œuvre de fiction. Son propos n'est pas d'aborder tous les aspects, ni d'épuiser la question du *nu shu*. C'est au contraire une histoire que mon cœur, mon expérience et mes recherches ont lentement filtrée. En d'autres termes, je suis seule responsable des approximations ou des erreurs que ce livre pourrait contenir.

Bob Loomis, mon éditeur chez Random House, a une fois de plus fait la preuve de sa patience et de sa perspicacité. Benjamin Dreyer, son assistant, m'a fait au tout début de ce travail plusieurs remarques dont je lui suis extrêmement reconnaissante. Merci aussi à Vincent La Scala et à Janet Baker, qui ont lu attentivement le manuscrit. Pas plus que les précédents, ce livre n'aurait jamais vu le jour sans la présence de mon agent, Sandy Dijkstra. La confiance qu'elle m'a manifestée s'est avérée inébranlable et ce fut un plaisir de travailler avec toute son équipe, en particulier Babette Spars, qui s'occupe de mes droits étrangers et a été la première à lire le manuscrit.

Richard Kendall, mon mari, m'a encouragée à aller de l'avant. Il lui a en outre fallu répondre aux questions de nombreuses personnes qui, durant mon absence, lui demandaient d'un air stupéfait : « Quoi ? Vous l'avez laissée partir là-bas *toute seule* ? » Pas un instant il n'avait été question pour lui de refréner mes élans. Mes deux fils, Christopher et Alexander, qui n'étaient pas à mes côtés pendant la rédaction de ce livre, n'ont jamais cessé d'être aussi inspirateurs et inspirés qu'une mère peut le désirer.

Un dernier grand merci, enfin, à Leslee Leong, Pam Maloney, Amelia Saltsman, Wendy Strick et Alicia Tamayac – qui m'ont toutes prise en charge alors que j'étais clouée chez moi, à la suite d'une grave commotion, et qui m'ont pilotée à travers Los Angeles, ne serait-ce que pour aller voir les médecins, pendant les trois mois où il m'était interdit de conduire. Elles ont été un exemple vivant de ce que peut être une communauté de sœurs adoptives. Sans leur aide, sincèrement, jamais je n'aurais pu terminer *Fleur de Neige*.

Dans la même collection

Sharon Maas
Noces indiennes

À Madras, Savitri, la fille du cuisinier, aime David, le fils des maîtres anglais. Cet amour saura-t-il résister au poids des traditions ? Nat est l'enfant adoptif d'un médecin blanc qui soigne les malades démunis d'une province indienne. Parti à Londres faire des études, parviendra-t-il à ne pas oublier d'où il vient ? Saroj vit une existence riante en Guyane britannique jusqu'au jour où son père lui impose un mari...

Roman foisonnant, vibrant de violence et d'amour, *Noces indiennes* mêle, avec un brio époustouflant, le récit de trois destins exceptionnels qui finissent par se rencontrer au-delà des époques, des continents et des races.

JL 6556

Melania G. Mazzucco
Vita

En 1903, deux petits Italiens un peu perdus débarquent à New York. Vita et Diamante, âgés de 9 et 12 ans, s'installent dans la pension de famille tenue par le père de la fillette. C'est la vie de ses ancêtres, de sang ou de cœur, que Melania G. Mazzucco relate ici : les espoirs et les désillusions, la violence quotidienne, la misère, le despotisme paternel, les rivalités et les expédients et, rayon de soleil fugace, l'amour impossible qui naît entre les deux enfants.

L'auteur se livre à un exercice littéraire original, entre enquête généalogique, recherche historique et création romanesque, donnant naissance à une fresque familiale aussi instructive que palpitante.

JL 7662

Kathryn Harrison
La Société d'émancipation du pied

La jolie May était promise à un somptueux mariage dans la tradition chinoise de la fin du XIXᵉ siècle. Humiliée, elle s'enfuit en détruisant les chaussons, symboles de sa soumission, et en ne gardant du passé qu'une rage sourde et des pieds mutilés. D'abord prostituée à Shanghai, elle fait la rencontre d'un Australien idéaliste, fondateur de la Société d'émancipation du pied, qui lutte contre le supplice des pieds bandés. Personnage excentrique, May est à la frontière de deux mondes. Entre deux pipes d'opium, elle savoure sa complicité avec Alice, sa jeune et fougueuse nièce.

Un grand roman féminin entre Orient et Occident, de la Chine début de siècle à la Côte d'Azur des années folles.

JL 6596

8311

Composition Nord Compo
Achevé d'imprimer en France (La Flèche)
par Brodard et Taupin le 28 mars 2007.40809
Dépôt légal mars 2007. EAN 9782290352090

Éditions J'ai lu
87, quai Panhard-et-Levassor, 75013 Paris

Diffusion France et étranger : Flammarion